A2 B1

INTERMÉDIAIRE

Claire Miquel

COMMUNICATION PROGRESSIVE DU FRANÇAIS

www.cle-international.com

Direction de la production éditoriale : Béatrice Rego
Marketing : Thierry Lucas
Édition : Christine Grall
Couverture : Miz'enpage
Mise en page : Arts Graphiques Drouais (28100 Dreux)
Illustrations : Claude-Henri Saunier

ISBN : 978-209-038447-5

Avant-propos

Bienvenue dans la nouvelle édition de la *Communication progressive du français, niveau intermédiaire,* **profondément revue, corrigée, modifiée et augmentée**. Ce manuel peut s'utiliser aussi bien **en classe**, comme support ou complément de cours, qu'**en auto-apprentissage**.

L'objectif de ce livre est d'offrir à **un adulte ou un adolescent de niveau intermédiaire** (niveaux A2-B1) un contact direct avec des situations réelles de communication. En effet, les 42 chapitres thématiques qui composent cet ouvrage correspondent à **des actes de parole** essentiels aux interactions les plus courantes de la vie moderne *(résilier un contrat, déclarer un vol, faire des compliments, donner des conseils...).* Par rapport à la première édition, le sommaire a été réorganisé, enrichi de nouveaux sujets. Quant aux dialogues, ils sont soit plus riches, soit différents, pour mieux correspondre aux attentes des élèves et des professeurs.

Construit comme une série de cours, l'ouvrage s'inscrit dans la collection « progressive » et en respecte donc le principe. Nous avons adopté pour ce volume la même présentation que pour le niveau débutant de la *Communication progressive du français,* ce qui enrichit considérablement l'ouvrage.

■ **Chaque page de gauche** comprend désormais quatre parties :

– **des dialogue(s)** correspondant à des situations usuelles de **la vie quotidienne** *(entre collègues, chez des commerçants, en famille...).* Nous les avons conçus variés, souvent amusants, toujours réalistes. Nous avons privilégié un registre oral courant, sans vulgarité, mais sans excessive recherche, avec une familiarité dans le vocabulaire et la syntaxe qui reflète notre vie actuelle ;

– un point de **grammaire**, qui propose un rappel de notions fondamentales intervenant dans les dialogues et correspondant aux niveaux A2-B1 *(usages du conditionnel ou du subjonctif, expression de la cause, construction des verbes...)* ;

– un point de **vocabulaire**, qui rassemble, dans le même champ sémantique, les termes essentiels requis dans la situation *(les incidents quotidiens, les qualités humaines, les réactions émotionnelles...)* ;

– enfin, sous la rubrique « **manières de dire** », un récapitulatif des structures les plus importantes à retenir pour cet acte de parole particulier.

Cette organisation permet à l'élève de travailler les dialogues de diverses manières, selon nécessité ou goût, en se concentrant plus particulièrement sur tel ou tel point.

■ **Chaque page de droite** comprend à son tour quatre types d'activités :

– le premier exercice a pour but de vérifier **la bonne compréhension des dialogues** en regard ;

– un exercice porte sur le point de **grammaire** présenté sur la page de gauche ;

– un exercice d'application fait ensuite intervenir le **vocabulaire** employé ;

– les dernières activités permettent à l'élève de s'approprier **l'acte de communication** abordé. Plus créatives, ces activités, qui peuvent se réaliser tant à l'oral qu'à l'écrit, constituent de véritables synthèses des notions de vocabulaire, grammaire et communication traitées sur la page de gauche.

■ **Les illustrations** offrent au lecteur un complément d'informations sur les codes vestimentaires, les gestes, les attitudes caractéristiques des Français.

Cette deuxième édition comporte **d'autres précieuses nouveautés :**

■ **9 nouvelles activités communicatives** rassemblent les notions abordées dans différents chapitres et viennent donc compléter l'apprentissage. Chaque dialogue est enregistré et comprend des exercices de compréhension, de vocabulaire et de communication.

■ **Un test d'évaluation** noté sur 100, composé de dix exercices et de leurs corrigés, fait appel à l'essentiel des notions de communication abordées. Selon le choix du professeur, ce test peut se faire au début de l'apprentissage, pour estimer le niveau de départ de l'élève, ou, au contraire, à la fin, pour constater ses progrès !

■ **Un index thématique** permet de retrouver facilement un dialogue, non plus par acte de parole mais par sujet *(l'entreprise, le logement, la famille…).*

■ **Un index grammatical** récapitule toutes les notions abordées sur la page de gauche.

■ **Un index de vocabulaire** comprend les termes présentés dans les points de vocabulaire et les « manières de dire ».

■ **Un MP3** comprend tous les dialogues et les 9 activités communicatives, ce qui permet de travailler aussi bien la compréhension orale que la prononciation. Le ton choisi est le plus naturel possible, afin que ces dialogues constituent une véritable « photographie sonore » de la réalité de la conversation française d'aujourd'hui.

■ **Les corrigés** se trouvent dans un livret séparé, offrant ainsi toute liberté au lecteur de travailler par lui-même, si besoin est.

Grâce à sa souplesse d'utilisation et à l'autonomie de ses chapitres, cet ouvrage constitue un utile complément aux méthodes de français langue étrangère.

Bonne communication !

• *L'astérisque * qui suit certains mots ou expressions signale leur appartenance au registre familier de la langue.*

Table des contenus

I. Les achats

ACTES DE PAROLE – SITUATIONS	GRAMMAIRE	VOCABULAIRE	PAGES
1. **Faire le marché : 1.** À la boucherie **2.** Chez le traiteur	• « il me faut » • quantité avec « en » – négation de « encore/toujours »	• la boucherie • les produits vendus chez le traiteur	**8** **10**
2. **Passer une commande : 1.** À la pâtisserie **2.** Commander un repas	• prépositions « à » et « de » • verbe au conditionnel présent + « bien »	• la pâtisserie • le vin, la viande	**12** **14**
3. **Les prix : 1.** Chez le marchand de journaux **2.** Chez le fleuriste **3.** À la boutique de bijoux **4.** Au marché aux puces	• forme familière de la question (1) • les pronoms démonstratifs	• l'argent (1) • le tabou de l'argent	**16** **18**
4. **Mesures et quantités : 1.** Acheter du tissu **2.** Une rénovation en perspective	quelques prépositions (*de, sur, sous, en, pour*)	la peinture, la rénovation	**20**
5. **Modifier une réservation : 1.** Au restaurant **2.** À l'hôtel	infinitif après un premier verbe conjugué	modifications de rendez-vous	**22**
6. **À la banque : 1.** Du liquide **2.** Ouvrir une assurance-vie	le complément de nom	vocabulaire de la banque	**24**
7. **Échanger ou se faire rembourser :** **1.** Dans une grande surface **2.** À l'aéroport	expressions de temps *(depuis/ il y a)*	remboursement, indemnisation, etc.	**26**
8. **Hésiter, ignorer : 1.** Une cliente hésitante **2.** À la parfumerie	• conditionnel présent seul • forme familière de la question (2)	• le coiffeur • la parfumerie	**28** **30**
9. **Faire des comparaisons : 1.** Dans une boutique de vêtements **2.** Dans un magasin d'électroménager **3.** En sortant du magasin	• verbes construits sur des adjectifs • le superlatif	• les vêtements (forme, coupe, etc.) • la comparaison	**32** **34**
Bilan n° 1			**36**

II. Les renseignements

ACTES DE PAROLE – SITUATIONS	GRAMMAIRE	VOCABULAIRE	PAGES
10. **Renseigner et se renseigner : 1.** Au centre de thalassothérapie	interrogation indirecte *(je voudrais savoir si...)*	les renseignements	**38**
11. **Localiser : 1.** En arrivant au supermarché **2.** Dans le supermarché **3.** En sortant du supermarché **4.** Le long de la Seine **5.** Dans le métro parisien **6.** Le bus	• prépositions et adverbes de lieu • la question complexe	• le supermarché • éléments urbains	**40** **42**
12. **Parler des lieux : 1.** À l'agence immobilière **2.** Les richesses d'une région **3.** Une randonnée pédestre	• subjonctif ou indicatif ? • le verbe « valoir » – *avoir à* + infinitif • suppression des articles	• l'immobilier • la géographie – les monuments historiques • les animaux (de la ferme ou sauvages)	**44** **46** **48**
13. **Prendre ou résilier un contrat : 1.** Une ligne de téléphone fixe **2.** Un forfait de téléphone mobile **3.** Résilier un bail	• la comparaison : le comparatif, même, comme • expression du futur	• le téléphone mobile • la location immobilière	**50** **52**
14. **Parler du fonctionnement : 1.** Le cinéma **2.** Un mouvement social **3.** Se déplacer en ville	• verbes + préposition (*à, de*) • usage de « cela/ça »	• le cinéma • les transports en commun	**54** **56**
15. **Expliquer un vol, un accident : 1.** Au commissariat de police **2.** Au bureau d'assurance	• *se faire* + infinitif • la voix passive	• les vols, les plaintes, etc. • les véhicules	**58** **60**
16. **Parler de sa santé : 1.** À la pharmacie **2.** Épidémie de rhumes **3.** Une chute **4.** La grippe ? **5.** Des maux de dos	• verbes pronominaux + articles définis • impératif des verbes pronominaux	• la pharmacie • la consultation médicale	**62** **64**
17. **À l'université : 1.** La vie étudiante **2.** La recherche	• présent et futur immédiat... • usage du subjonctif	• le système universitaire • la recherche	**66** **68**
Bilan n° 2			**70**

III. Les contacts quotidiens

ACTES DE PAROLE – SITUATIONS	GRAMMAIRE	VOCABULAIRE	PAGES
18. **Téléphoner : 1.** Au standard **2.** Il est en ligne **3.** Sophie est là ? **4.** Une erreur **5.** Un faux numéro	• verbes semi-auxiliaires + pronoms personnels compléments • doubles pronoms personnels	• téléphoner • les erreurs	72 74
19. **Les rendez-vous : 1.** Déjeuner ensemble ? **2.** Ça ne t'ennuie pas ? **3.** Remettre un rendez-vous **4.** Un retard **5.** Sur la boîte vocale	• expressions de temps (2) *(ça fait longtemps que…)* • *Il est/c'est* + adjectif/infinitif	• le temps qui passe • les rendez-vous	76 78
20. **Demander de faire quelque chose : 1.** Du bricolage **2.** Chez le mécanicien **3.** Entre voisins	• « si » après une question négative — « devoir » exprimant la probabilité • les pronoms possessifs • subjonctif ou infinitif ?	• un peu de bricolage • les problèmes mécaniques • la politesse	80 82 84
21. **Donner des instructions : 1.** Au jardin public **2.** Jeux **3.** Au bureau	• impératif avec pronoms personnels • expression de l'ordre	• parler à un chien • tâches au bureau	86 88
22. **Insister : 1.** Dans la rue **2.** À la maison **3.** À la préfecture de police	• usages particuliers de « dont » – *trop/assez* + adjectif + *pour* + infinitif • *si* + imparfait/conditionnel présent	• la vie urbaine • l'administration	90 92
23. **Contester : 1.** Une livraison **2.** Un petit accident	la mise en relief	la commande, le bon de commande, etc.	94
24. **Les plaintes : 1.** Une fuite d'eau **2.** Un propriétaire négligent **3.** Dans un magasin d'informatique **4.** Des voisins bruyants	• imparfait/passé composé • expression de l'opposition • expression de la cause	• les problèmes dans un logement • l'informatique • l'immeuble	96 98 100
Bilan n° 3			**102**

IV. La conversation

ACTES DE PAROLE – SITUATIONS	GRAMMAIRE	VOCABULAIRE	PAGES
25. **Tutoyer ou vouvoyer : 1.** À la boulangerie **2.** C'est difficile… **3.** En famille	• verbes pronominaux à sens réciproque • des adverbes d'intensité	• la communication (1) • la famille et les proches	104 106
26. **Excuser ou s'excuser : 1.** Aïe, mon pied ! **2.** Un verre cassé **3.** Au restaurant **4.** Un contretemps	*ne … aucun(e)/ aucun(e) … ne*	les incidents de la vie quotidienne	108
27. **Vérifier, contrôler : 1.** Une anxieuse	indicatif à la forme affirmative/ subjonctif à la forme négative	l'aéroport	110
28. **Affirmer ou nier : 1.** Dans un bistrot. **2.** D'étranges affirmations **3.** À la sortie du magasin **4.** Un autre témoignage	• infinitif passé • la négation complexe	• l'affirmation • la négation	112 114
29. **Faire des compliments : 1.** Le chien **2.** Une jolie robe **3.** Quelle élégance ! **4.** Dans un appartement **5.** Une maison rénovée	• la phrase exclamative (1) • la phrase exclamative (2) • usage de « tout », « tous », etc.	• les adjectifs positifs • les accessoires et les bijoux • l'ameublement	116 118 120
30. **Féliciter, consoler : 1.** Le jour des résultats **2.** Une embauche **3.** Le permis de conduire **4.** Une grosse déception	• pronom personnel « le » indéfini • le pronom « en » (1)	• les réactions émotionnelles (1) • les réactions émotionnelles (2)	122 124
31. **Bavarder : 1.** Devant l'ascenseur **2.** À midi **3.** Dans un couloir d'entreprise **4.** Le chômage est fini **5.** Entre amis **6.** J'ai la mémoire qui flanche	• usage de « on » = « nous » • les pronoms relatifs *où/que* temporels • adjectif + pronom personnel	• la vie quotidienne dans l'entreprise • la vie professionnelle dans l'entreprise • la sociabilité	126 128 130
Bilan n° 4			**132**

V. La sociabilité

ACTES DE PAROLE – SITUATIONS	GRAMMAIRE	VOCABULAIRE	PAGES
32. **Proposer : 1.** Dissiper un malentendu **2.** Un mauvais payeur **3.** Ça te dirait ? **4.** Sortir ?	• expression du but • renforcement de la négation	• les relations clients/ fournisseurs • sens idiomatiques du verbe « dire »	**134** **136**
33. **Inviter : 1.** Un dîner à organiser **2.** Un empêchement **3.** Une invitation reportée **4.** Un mail d'annulation **5.** Texto de réponse	• le conditionnel passé employé seul • le pronom « en » (2)	• la communication (2) • l'avenir proche	**138** **140**
34. **Accueillir : 1.** Les invités arrivent. **2.** L'apéritif **3.** À table **4.** Le fromage et le dessert **5.** Il se fait tard ! **6.** Le mail de remerciement	• le verbe « (se) servir » • la nominalisation • place de l'adjectif	• prendre l'apéritif • la gastronomie • prendre congé	**142** **144** **146**
35. **Exprimer la surprise : 1.** Une rencontre fortuite **2.** Un peu d'inquiétude **3.** Une nouvelle stupéfiante **4.** Si on m'avait dit que…	• futur antérieur exprimant la probabilité • plus-que-parfait	• les émotions : inquiétude, surprise • expressions idiomatiques	**148** **150**
36. **Regretter, reprocher : 1.** Une occasion manquée ! **2.** L'art de rater ses vacances **3.** Doubles reproches **4.** « L'enfer est pavé de bonnes intentions »	• *si* + plus-que-parfait/ conditionnel passé • concordance des temps	• quelques termes péjoratifs • jardinage	**152** **154**
Bilan n° 5			**156**

VI Les opinions

ACTES DE PAROLE – SITUATIONS	GRAMMAIRE	VOCABULAIRE	PAGES
37. Dire du bien : 1. Un film remarquable **2.** C'est du grand art ! **3.** Quelqu'un de sympathique **4.** Une championne **5.** Quel naturel ! **6.** Une véritable vocation	• usage particulier du partitif • quelqu'un/personne/quelque chose/rien de… • ce qui, ce que, ce dont…	• le spectacle • des qualités humaines • les qualités d'un(e) bon(ne) enseignant(e)	**158** **160** **162**
38. Critiquer : 1. Sans intérêt ! **2.** Ratée ! **3.** Que penses-tu d'elle ? **4.** Quel comportement ! **5.** Paris **6.** C'est démotivant !	• expression de la conséquence • tel (le)(s), tellement • adjectif verbal – pronom « en »	• expositions et musées • quelques défauts • réactions négatives	**164** **166** **168**
39. Demander, donner des conseils : 1. Un entretien d'embauche **2.** Un problème à l'école **3.** Que faire pour mon fils ? **4.** Tu n'as qu'à… **5.** Il est caractériel !	• le, la, les (démonstratifs) • les pronoms toniques • usages de l'infinitif seul	• usages idiomatiques de certains verbes • le système éducatif • les mauvaises expériences	**170** **172** **174**
40. Demander ou donner une opinion : 1. Une expérience concluante ?	• expressions de temps (3)	• les bonnes expériences	**176**
41. Accords et désaccords : 1. Le multilinguisme **2.** Davantage d'activités culturelles ? **3.** Une nouvelle route	• la restriction • verbes + préposition (2)	• les problèmes et les solutions • l'environnement	**178** **180**
42. Intentions et espoirs : 1. Une maison à la campagne	• la manière et le moyen	• la prise de décision	**182**
Bilan n° 6			**184**

Activités communicatives 186

Test d'évaluation 195

Corrigé du test 198

Index thématique 199

Index grammatical 200

Index de vocabulaire 201

1 Faire le marché

1 À la boucherie

Le boucher : Madame, vous désirez ?

La cliente : Bonjour, monsieur. **Il me faudrait** une **belle** épaule d'agneau pour six personnes. Vous **pourriez me la couper en morceaux** ?

Le boucher : Oui, bien sûr, **je vous prépare ça** tout de suite. *(Quelques minutes plus tard)* Et avec ceci ?

La cliente : Je vais prendre du veau. **Qu'est-ce que vous me conseillez ? C'est pour faire** une sorte de blanquette. **Vous auriez** quelque chose de tendre ?

Le boucher : J'ai ce qu'il vous faut. C'est du sauté de veau. **Il vous en faut combien ?**

La cliente : Il m'en faudrait un bon kilo.

Le boucher : Il vous fallait autre chose ?

La cliente : Oui, je voudrais douze tranches **bien fines** de jambon de Bayonne.

Grammaire

« Il faut »
+ pronom personnel + nom

- **présent :**
  il me/te/lui/nous/vous/leur faut
- **futur simple :**
  il me faudra
- **Imparfait :**
  il me fallait
- **conditionnel présent :**
  il me faudrait

Il m'en faudrait deux tranches.
Il vous faudra autre chose ?
Il leur faut des épices pour faire ce plat.

Vocabulaire

- **La boucherie :** l'agneau (une côtelette, une épaule, un gigot…) ; le veau (une escalope, un rôti…) ; le bœuf (une entrecôte, un rumsteck, un filet, une côte, un rosbif, du bœuf bourguignon…) ; le porc (une côtelette, un rôti…) ; la volaille (le poulet, la dinde, le canard…)
- **La charcuterie :** le jambon blanc, le jambon cru (de Bayonne), le saucisson, le pâté…
- Une tranche **bien** (= très) fine ≠ épaisse de…
- Une cuisse, une aile, une escalope = du blanc de poulet/dinde ; un **beau** poulet (= beau et gros)

Manières de dire

- Vous pourriez me la couper en morceaux / me la préparer ?
- C'est pour faire…
- Il vous faut / fallait autre chose ? = Et avec ceci ?
  — Il me faudrait / Je vais prendre / Vous auriez… ?
- Il vous en faut combien ? Vous en voulez combien ?
  — Il m'en faut/faudrait un bon kilo = un peu plus qu'un kilo.

ACTIVITÉS

1 Compréhension. Vrai ou faux ?

	VRAI	FAUX
1. La cliente achète des tranches d'agneau.	☐	☐
2. Elle ne veut pas de viande dure.	☐	☐
3. Elle achète un peu moins d'un kilo de veau.	☐	☐
4. Elle voudrait des tranches de jambon pas trop épaisses.	☐	☐

2 Grammaire. Mettez le verbe « falloir » au temps approprié. Plusieurs solutions sont parfois possibles.

1. Bonjour, monsieur, il me ________________ un beau poulet rôti, s'il vous plaît.
2. Demain, pour faire cette tarte, il nous ________________ des pommes et des poires.
3. Avant, il lui ________________ du temps pour réaliser ce plat.
4. Pour faire une quiche, il vous ________________ des œufs et de la crème.
5. Il leur ________________ du blanc de poulet, s'ils voulaient faire ce plat.

3 Vocabulaire. Choisissez la ou les bonne(s) réponse(s).

1. Je voudrais un | bien | beau | grand | rôti de veau, s'il vous plaît.
2. Il nous faudrait des cuisses de volaille, de | dinde | veau | poulet |.
3. Nous devons acheter de la charcuterie, | du rumsteck | du pâté | une aile |.
4. J'en voudrais trois | cuisses | ailes | tranches |.
5. Il me fallait du jambon | blanc | cru | épais |.
6. Je voudrais un | beau | bon | fin | kilo de bœuf bourguignon.

4 Vocabulaire et communication. Vous êtes chez le boucher. Quelle(s) structure(s) pouvez-vous employer dans les cas suivants ?

1. Vous voulez simplement un poulet rôti.
2. Vous ne savez pas vraiment quelle viande choisir pour faire un pot-au-feu.
3. Vous n'êtes pas sûr(e) que le boucher ait de la pintade.
4. Il s'agit de jambon de Parme. Vous demandez des tranches et vous précisez l'épaisseur.
5. La viande que vous achetez doit être coupée en morceaux.

5 Communication. Complétez ces mini-dialogues par des tournures appropriées.

1. Bonjour, monsieur, ________________________ un beau morceau de rumsteck.
   — Oui, ________________________ combien ?
2. Madame, vous ________________________ ?
   — ________________________ un beau rôti de bœuf pour six personnes.
   Vous ________________________ quelque chose de tendre ?

6 À vous ! Vous êtes chez le boucher et vous devez acheter : du jambon blanc, un rôti de bœuf et de l'agneau. Précisez les quantités nécessaires. Imaginez et jouez le dialogue avec le boucher.

2 Chez le traiteur

Le client : Bonjour, madame, je vais prendre de la salade alsacienne.

La vendeuse : Oui, monsieur, **je vous en mets combien ?**

Le client : Donnez-m'en une petite barquette.

La vendeuse : Comme ça, ça va ?

Le client : Mettez-en un peu plus. Euh, maintenant, **il y en a un peu trop**. Voilà, **comme ça, c'est parfait**. Est-ce qu'**il vous reste** du pâté de canard ?

La vendeuse : Oui, je crois qu'**il m'en reste encore**. Ah non, excusez-moi, **je n'en ai plus**. Je n'ai plus que du pâté en croûte.

Le client : Tant pis. Il me faudrait aussi **deux parts de** quiche lorraine. **Vous pouvez me les chauffer ?**

La vendeuse : Oui, **je vous les réchauffe** tout de suite. Et avec ceci ?

Le client : Donnez-moi deux bouchées à la reine, s'il vous plaît.

Grammaire

■ **Expression de la quantité avec le pronom personnel « en »**

Il remplace ici : je voudrais *de la* salade alsacienne, *des* saucisses…
Mettez-m'**en** … **un peu plus, un peu moins.** Il y **en** a **trop** / il **n'**y **en** a **pas assez.**
J'**en** voudrais… **une barquette, une grande boîte, un kilo**…

■ **Négation de « encore » / « toujours »**

Il en reste encore ? Non, il **n'**en reste **plus**.
Vous allez toujours chez ce fromager ?
— Non, je **n'**y vais **plus**.
Il y a encore du taboulé ?
— Non, il **n'**y **en** a **plus**.

Vocabulaire

Chez le traiteur

- **Les salades :** la salade de riz, le céleri rémoulade, le taboulé, la salade alsacienne, les carottes râpées…
- **Les tartes salées :** une quiche lorraine, une tarte aux poireaux, une bouchée à la reine, un rouleau au fromage, un feuilleté au roquefort…
- **La charcuterie** *(à base de porc)* **:** le saucisson, la saucisse, le pâté, le jambon…

Manières de dire

- Je vous en mets combien ? — Mettez-en trois tranches / quelques-un(e)s / un bon kilo / une barquette / cinq tranches fines / un petit morceau.
- Ça va, comme ça ? — Oui, ça va. / Non, donnez-m'en un peu plus, un peu moins. / Il y en a trop / il n'y en a pas assez.
- Il vous reste de… ? — Non, il n'en reste plus. / Oui, il en reste trois.
- Vous pouvez me le réchauffer ? — Oui, je vous le réchauffe.

ACTIVITÉS

1 Compréhension. Choisissez la bonne réponse.

1. Le client voudrait | mettre | prendre | de la salade alsacienne.
2. Il lui en | faut | voudrait | une petite barquette.
3. Le traiteur vend différentes sortes de | pâtés | tranches |.

2 Grammaire et communication. Répondez aux questions en employant « en » + quantité.

1. Est-ce que vous mettez de la crème dans ce plat ? — ______________________________
2. Est-ce qu'il y a une boulangerie dans cette rue ? — ______________________________
3. Est-ce qu'il reste des tartes au citron ? — ______________________________
4. Combien de tomates est-ce que vous achetez ? — ______________________________
5. *(du fromage)* Vous en voulez combien ? — ______________________________

3 Grammaire. Répondez aux questions par la négative.

1. Il y a encore des millefeuilles ? — ______________________________
2. Vous habitez toujours ici ? — ______________________________
3. Elle prend toujours du sucre dans son café ? — ______________________________
4. Ils travaillent encore sur ce projet ? — ______________________________
5. Tu veux encore un peu de pain ? — ______________________________

4 Vocabulaire et communication. Complétez par les mots manquants.

1. Il me faudrait une petite ______________ de salade de riz, s'il vous plaît.
2. Est-ce qu'il vous resterait quatre parts de ______________ lorraine ?
3. Mettez-moi dix ______________ fines de ______________ de Parme, s'il vous plaît.
4. Je voudrais un ______________ de pâté de campagne, s'il vous plaît.
5. Je vais prendre du ______________ rémoulade.

5 Communication. Qui parle, le commerçant (a) ou le client (b) ?

1. Je vous en mets un peu plus ? ______
2. J'en voudrais un beau morceau. ______
3. Ça va, comme ça ? ______
4. Désolé, il ne m'en reste plus ! ______
5. Mettez-en une petite barquette. ______
6. Je n'en ai plus ! ______

6 À vous ! Vous allez chez le traiteur et vous devez acheter les produits suivants, pour trois personnes. Faites le dialogue avec le vendeur ou la vendeuse.

tarte aux légumes – céleri rémoulade – taboulé – pâté de foies de volaille

2 Passer une commande

1 À la pâtisserie

La vendeuse : Monsieur, vous désirez ?
Le client : J'aimerais commander un gâteau d'anniversaire, s'il vous plaît, un gâteau au chocolat.
La vendeuse : Oui, bien sûr monsieur. C'est **pour un adulte ou pour un enfant** ?
Le client : Pour un enfant très gourmand, qui va avoir 10 ans.
La vendeuse : Et vous voulez un gâteau **pour combien de personnes** ?
Le client : Pour 8 personnes. **Vous pouvez** écrire « Bon anniversaire, Léo » sur le gâteau ?
La vendeuse : Mais bien sûr, monsieur ! Sur le gâteau au chocolat, on écrit la phrase en sucre blanc. C'est très joli ! Normalement, les enfants aiment beaucoup. Et vous voulez le gâteau **pour quel jour et pour quelle heure** ?
Le client : Pour samedi, vers 15 heures, **c'est possible** ?
La vendeuse : Bien sûr, monsieur. **C'est à quel nom** ?
Le client : Au nom de Reverdy.
La vendeuse : Très bien. Ce sera prêt. **Vous le réglez maintenant** ?
Le client : Oui, si vous voulez ! **Je vous dois combien** ?
La vendeuse : 17 euros.

Grammaire

- **Préposition « à »**
  un gâteau au chocolat, une tarte aux pommes *(avec du chocolat, avec des pommes)*
- **Préposition « de »**
  une confiture de fraises ; une compote de pommes *(composée principalement de pommes)*

Vocabulaire

- **La pâtisserie :** un millefeuille, un éclair au café ou au chocolat, une tarte (aux pommes, aux fraises, au citron...), un gâteau au chocolat, un macaron (au café, au caramel, au chocolat...), un beignet ; les petits fours (les mêmes gâteaux, en tout petits)
- **Les viennoiseries :** un croissant, un pain au chocolat, un pain aux raisins, une brioche (nature, au sucre), un chausson aux pommes
- **Les gâteaux secs :** un financier, un canelé, une chouquette, un sablé, un palmier...
- **La confiserie :** tous les bonbons, les caramels, les dragées, les sucettes

Manières de dire

- Je voudrais commander... Est-ce que je peux commander...
- Pour quel jour ? – Pour... mardi. Pour quelle heure ? — Pour... 16 heures
- Pour combien de personnes ? – Pour... quatre personnes
- Vous réglez... maintenant ; la première moitié à la commande, le reste à la livraison.

ACTIVITÉS

1 Compréhension. Vrai ou faux ?

	VRAI	FAUX
1 Le client achète un gâteau à emporter.	☐	☐
2. La fête d'anniversaire commence à trois heures de l'après-midi.	☐	☐
3. Le gâteau sera prêt à temps.	☐	☐
4. Le gâteau sera livré à domicile.	☐	☐

2 Grammaire. Complétez par « à » (au, aux) ou « de ».

1. Cette compote ________ prunes sera servie avec une glace _______ la vanille.
2. Il adore la confiture ________ framboises.
3. Mon ami nous a servi un délicieux canard _______ l'orange en plat principal, puis une mousse _____ chocolat comme dessert.
4. C'est la saison des champignons. Je vais faire une belle omelette ________ girolles.
5. Je vais goûter la salade ________ oranges que tu viens de préparer.

3 Vocabulaire et communication. Choisissez la ou les réponse(s) possible(s).

1. Bonjour, madame, je voudrais commander une tarte, s'il vous plaît.
   ☐ a. Une tarte à quoi ? ☐ b. Nous n'avons plus de tarte. ☐ c. Épaisse ou fine ?
2. Je voudrais un assortiment de petits fours, s'il vous plaît.
   ☐ a. Au chocolat ? ☐ b. Il vous en faut combien ? ☐ c. De la confiserie ?
3. Il me faudrait un gâteau au chocolat.
   ☐ a. Pour combien de personnes ? ☐ b. Celui-ci ? ☐ c. Un millefeuille ?
4. Il vous reste des viennoiseries ?
   ☐ a. Oui, des brioches et des pains au chocolat. ☐ b. Oui, des éclairs au café. ☐ c. Oui, juste des croissants.

4 Communication. Chez le boucher, vous commandez une dinde pour Noël. Complétez le dialogue.

1. Vous : ______________________________
2. Le boucher : Oui, c'est ______________________________ ?
3. Vous : Pour huit personnes.
4. Le boucher : D'accord. ______________________________ ?
5. Vous : Il me la faudrait pour le 23 décembre.
6. Le boucher : Très bien. ______________________________ ?
7. Vous : Au nom de...

5 À vous ! Vous devez louer du matériel pour une grande fête dans un jardin. Tout doit être prêt et livré samedi à 10 heures. Imaginez le dialogue. Vous avez besoin de : 40 chaises, 10 tables, 100 assiettes, 100 verres, des couverts pour 35 personnes.

2 Commander un repas

Le serveur : Messieurs-dames, **vous avez choisi** ?
Le plat du jour est sur l'ardoise : une bavette à l'échalote.
Guilhem : D'accord. **Je vais prendre** un **menu à** 14 € avec une bavette.
Le serveur : Quelle cuisson pour la viande ? **Saignante** ? **À point** ?
Guilhem : Saignante, s'il vous plaît.
Le serveur : Et pour vous, madame ?
Camille : Pour moi, **ce sera à la carte**. Qu'est-ce que c'est, le « saumon maison » ?
Le serveur : Alors, c'est du saumon cuit en papillote avec des fines herbes, et servi avec du riz au safran.
Camille : Est-ce que je peux avoir des haricots verts **à la place du riz** ?
Le serveur : D'accord. Un saumon-haricots verts. Et **comme** boisson ? **Un petit rouge léger pour aller avec** la viande et le poisson ?
Guilhem : Oui, bonne idée. Et **une carafe d'eau**, aussi, s'il vous plaît.
(Un peu plus tard)
Le serveur : Ça vous a plu ?
Camille : Oui, merci, **c'était très bon.**
Le serveur : Je vous apporte la carte des desserts ?
Camille : Pourquoi pas ? **Je prendrais bien** un gâteau. Tiens, un fondant au chocolat. Je craque*...
Guilhem : Qu'est-ce que vous avez comme tarte ? **C'est la spécialité de la maison,** non ?
Le serveur : Oui, ce sont des tartes « faites maison » : tarte Tatin tiède, tarte au citron, tarte aux prunes, tarte aux fraises... Je vous recommande la tarte Tatin...
Guilhem : Alors, une Tatin, un fondant au chocolat, deux cafés et l'addition, s'il vous plaît !

Grammaire

Verbe au conditionnel présent + « bien »

- Je prendrais **bien** une glace = ça me ferait plaisir de manger une glace.
  Il est possible d'utiliser cette structure avec tous les verbes.

Vocabulaire

- « Un petit vin » = un vin pas trop cher, mais bon ≠ un « grand » vin (très cher... et très bon !)
- Cuisson de la viande rouge : crue, bleue, saignante, à point. « Bien cuit » n'existe pas vraiment dans la tradition gastronomique française.

Manières de dire

- Je prendrais bien...
- Ce sera à la carte.
- Ça vous a plu ? Ça a été ?
- Est-ce que je pourrais avoir... à la place de/au lieu de... ?
- Qu'est-ce que c'est, le... la... les... ?

ACTIVITÉS

1 Compréhension. Vrai ou faux ?

	VRAI	FAUX
1. Les clients commandent deux plats de viande.	☐	☐
2. La viande ne sera pas trop cuite.	☐	☐
3. Les clients boiront du vin.	☐	☐
4. Ils boivent aussi de l'eau minérale.	☐	☐

2 Grammaire. Répondez aux questions en employant un verbe au conditionnel et l'adverbe « bien ».

1. Qu'est-ce que tu aimerais faire, dimanche prochain ? — ____________________
2. Quel film tu voudrais voir ? — ____________________
3. Qu'est-ce qu'on mange, ce soir ? — ____________________
4. Tu veux boire quelque chose ? — ____________________
5. Où est-ce que tu aimerais te promener ? — ____________________

3 Vocabulaire et communication. Choisissez les termes possibles.

1. Ça vous | a plu | mange | convient | va | prend | ?
2. Je vais prendre | du vin | un dessert | une fenêtre | un steak | une addition | .
3. Qu'est-ce que vous | avez | prenez | êtes | offrez |, comme dessert ?
4. Comme boisson ? | Un petit rosé | une glace | une carafe d'eau | un café | du saumon | ?
5. Vous voulez votre viande | saignante | bonne | à point | légère | ?

4 Communication. Trouvez des réponses appropriées.

1. Qu'est-ce qu'il y a, comme plat du jour ?
— ____________________
2. Vous avez choisi ?
— ____________________
3. Quelle cuisson pour la viande ?
— ____________________
4. Qu'est-ce que vous prendrez, comme boisson ?
— ____________________
5. Je prendrais bien une glace. Qu'est-ce que vous avez comme parfum ?
— ____________________
6. Ça vous a plu ?
— ____________________

5 Communication. Vous allez au restaurant, vous posez des questions sur les plats, vous hésitez sur votre choix. Vous commandez aussi une boisson. Imaginez et jouez le dialogue avec le serveur ou la serveuse.

3 Les prix

1 Chez le marchand de journaux

Denis : Bonjour, monsieur, je vais prendre *Pariscope* et ces trois cartes postales, s'il vous plaît. **C'est combien ?**

Le marchand de journaux : 3,50 €, monsieur.

Denis : Je suis désolé, **je n'ai pas la monnaie**…

Le marchand de journaux : Ce n'est pas grave. Vous auriez 50 centimes ?

Denis : Non, **je n'ai qu'un billet de 20 €.**

2 Chez le fleuriste

Agathe : Bonjour, monsieur, je voudrais un joli bouquet de fleurs pour la fête des Mères, s'il vous plaît.

Le fleuriste : Oui, madame, vous désirez un bouquet **dans les combien*** ?

Agathe : Dans les 30 € environ. Je ne sais pas exactement, ça dépend… Ces roses-là sont **à combien** ?

Le fleuriste : À 5 € pièce, madame. Elles sont magnifiques !

Agathe : Magnifiques, peut-être, mais **pas données** ! Et si je mets ces deux bouquets-ci ensemble, **je vais en avoir pour combien ?**

Le fleuriste : Vous en aurez pour 25 €.

Agathe : D'accord, je prends les deux bouquets ensemble. C'est pour offrir, donc.

Le fleuriste : Oui, madame. **Vous réglez comment ?** En espèces ou par carte ?

Agathe : En liquide.

Grammaire

La question familière

On supprime « est-ce-que » ou l'inversion du sujet :

Où habitez-vous *(forme élégante)* ? Où est-ce que vous habitez *(forme courante)* ?

→ Où vous habitez ? = Vous habitez où ? *(les deux formes sont familières)*

Vocabulaire

- Régler = payer ; le règlement = le paiement.
- La « carte bleue » = la carte bancaire.
- En liquide = en espèces.
- La monnaie = les petites pièces.
- Ce n'est pas donné = c'est cher.
- C'est donné = ce n'est pas cher.

Manières de dire

- C'est combien ?
- Il/elle est à combien ? *(pour demander le prix d'un seul objet)*
- Ça fait combien ? *(pour demander le prix total)*
- Dans les combien* ? *(= quelle somme approximative ?)*
- Je vous dois combien ? *(pour payer une personne, plutôt qu'un objet)*
- J'en aurai pour…
- Vous en aurez pour… *(= vous devrez payer…)*

ACTIVITÉS

1 Compréhension. Vrai ou faux ?

	VRAI	FAUX
Dialogue 1		
1. *Pariscope* n'est pas donné !	☐	☐
2. Le client n'a pas d'argent.	☐	☐
Dialogue 2		
3 Les roses coûtent trop cher pour la cliente.	☐	☐
4. La cliente achète un petit bouquet.	☐	☐
5. La cliente règle en espèces.	☐	☐

2 Grammaire. Trouvez la question et formulez-la de manière familière.

1. ______________________ — Ça coûte 75 €.
2. ______________________ — Parce que c'est un peu trop cher.
3. ______________________ — Ils vivent près d'ici.
4. ______________________ — Elle viendra avec sa sœur.
5. ______________________ — J'en ai deux.
6. ______________________ — Ils ont quatre et sept ans.
7. ______________________ — En train.

3 Vocabulaire. Trouvez une autre manière de dire.

1. Zut, j'ai oublié ma carte bancaire. ______________________
2. Vous réglez en liquide ? ______________________
3. Je trouve que ce livre est cher. ______________________
4. La cliente n'a pas de petites pièces. ______________________
5. La facture a été payée il y a huit jours. ______________________
6. 50 € pour ce billet d'avion ? Ce n'est pas cher ! ______________________

4 Communication. Trouvez la question.

1. ______________________ — Vous me devez 125 €.
2. ______________________ — Au total, 75,93 €.
3. ______________________ — Environ 40 €.
4. ______________________ — Elles sont à 5 € le kilo.
5. ______________________ — Vous en aurez pour 150 € à peu près.
6. ______________________ — Dans les 100 €.

5 À vous ! Vous voulez acheter des fleurs pour des amis chez qui vous êtes invité(e). Vous hésitez sur différents types de bouquet, en fonction de votre budget. Le fleuriste fait des suggestions qui sont trop chères ou qui ne vous plaisent pas. Finalement, vous trouvez ce qui vous convient. Imaginez et jouez le dialogue.

3 À la boutique de bijoux

Le client : Bonjour, madame. Voilà, je voudrais faire un cadeau à mon amie.

La vendeuse : Oui, monsieur. **Vous voulez mettre combien, à peu près ?**

Le client : 100 € **au maximum**.

La vendeuse : Alors, je vais vous montrer quelques colliers.

Le client : Ah, celui-ci est magnifique ! **Il fait combien ?**

La vendeuse : 220 €, monsieur.

Le client : Ah non, **c'est vraiment au-dessus de mon budget**. C'est dommage.

La vendeuse : Regardez celui-là, **il est d'un prix très raisonnable**, 95 €.

Le client : Oui, il est **dans mes prix**, mais je l'aime moins. **Vous n'avez rien d'autre dans ces prix-là ?**

La vendeuse : Si, **dans le même ordre de prix**, vous avez ces colliers-là, qui **font entre** 80 **et** 110 €.

4 Au marché aux puces

Henri : Ces verres, **vous les faites à combien ?**

Le vendeur : Ceux-là ? **Je vous les fais à** 40 €.

Henri : 40 € ?! Non, pas question. C'est **hors de prix** !

Le vendeur : C'est du cristal, monsieur !

Henri : Peut-être, mais **je ne vais pas mettre** 40 € pour ça. **Je vous les prends à** 20 €.

Le vendeur : Allez, je fais un effort, **je vous les laisse pour** 25 €.

Henri : D'accord pour 25 €.

Grammaire

Les pronoms démonstratifs

- Ce collier → celui-ci/là ; cette bague → celle-ci/là ; ces colliers → ceux-ci/là ; ces bagues → celles-ci/là
- Ça = abréviation de « cela ». Il n'existe pas d'abréviation pour « ceci ».

Vocabulaire

Le tabou de l'argent

- Marchander *(terme un peu péjoratif)* = négocier *(terme plus positif)* = discuter le prix.
- Mettre *(pour ne pas dire « dépenser »).*
- C'est au-dessus de mon budget = c'est trop cher.
- C'est hors de prix = c'est beaucoup trop cher.

Manières de dire

- Dans le même ordre de prix = dans ces prix-là = dans mes prix.
- Un prix raisonnable ≠ c'est hors de prix.
- Vous le/la/les faites à combien ? *(= Vous le/la/les vendez à quel prix ?)*
- Je vous les fais / je vous les laisse = je vous les vends…
- Vous n'auriez rien d'autre dans cet ordre de prix ?

ACTIVITÉS

1 **Compréhension. Vrai ou faux ?**

	VRAI	FAUX
Dialogue 3		
1. Le client ne veut pas mettre plus de 200 €.	☐	☐
2. 220 €, ce n'est pas donné !	☐	☐
3. Certains colliers sont moins chers que ce que le client pensait mettre.	☐	☐
Dialogue 4		
4. Les objets ne sont pas en verre.	☐	☐
5. Le client marchande le prix.	☐	☐
6. Le client achète les verres pour 20 €.	☐	☐

2 **Grammaire. Répondez en employant un pronom démonstratif.**

1. Quelles chaises est-ce que vous avez achetées ? — ____________________

2. Laquelle de ces deux bagues préférez-vous ? — ____________________

3. Vous n'auriez pas d'autres bouquets ? — ____________________

4. Lequel de ces trois bracelets te plaît le plus ? — ____________________

5. Tu n'achètes pas de vase à fleurs, finalement ? — ____________________

3 **Vocabulaire. Il s'agit d'argent. Choisissez la bonne réponse.**

1. Vous voulez [mettre | prendre] combien, pour cet achat ?

2. Ce n'est pas [prêté | donné] !

3. C'est un prix [sensible | raisonnable].

4. C'est au-dessus de mon [prix | budget].

5. Je cherche quelque chose [sur | dans] les 40 € environ.

6. C'est hors de [prix | budget] !

4 **Communication. Finissez les dialogues de manière logique.**

1. Pour ce bouquet, vous en aurez pour 90 €. — ____________________

2. Pour ce cadeau, vous voulez mettre dans les combien ? — ____________________

3. Tom a acheté des billets pour l'opéra à 135 € ! — ____________________

4. Vous auriez un autre modèle, dans le même ordre de prix ? ____________________

5. Cette vieille table, vous la faites à combien ? — ____________________

6. Ce bracelet est à combien ? — ____________________

5 **À vous ! Vous souhaitez offrir une belle écharpe à un(e) ami(e). La vendeuse vous demande votre budget, qui est de 40 € environ. Elle vous montre deux écharpes. Vous préférez la première, mais elle est trop chère pour vous. Vous n'aimez pas la deuxième, qui est dans vos prix. Imaginez et jouez le dialogue.**

4 Mesures et quantités

1 Acheter du tissu

La cliente : Bonjour, madame, **je voudrais prendre de ce tissu** pour des rideaux, s'il vous plaît.

La vendeuse : Bien sûr, madame. **Il vous en faut combien ?**

La cliente : Le tissu est en quelle largeur ?

La vendeuse : Il est en 140 *(= 140 centimètres).*

La cliente : C'est parfait. Alors, **il m'en faut deux fois trois mètres** (2 x 3 m).

2 Une rénovation en perspective

La cliente : Nous avons l'intention de refaire notre salle de séjour, c'est-à-dire de la repeindre et de changer la moquette.

Le vendeur : Oui, madame. **Quelle est la surface de la pièce ?**

La cliente : Elle **fait** environ **28 m^2** : **7 mètres de long sur 4 mètres de large,** à peu près.

Le vendeur : Quelle est la hauteur sous plafond ?

La cliente : C'est un vieil appartement **sous les toits** : donc 2,80 m à un bout de la pièce et 2,50 m près des fenêtres.

Le vendeur : Pour la moquette, **il vous en faut au moins** 30 m^2. Vous savez, il est préférable d'en **prévoir un peu plus** que nécessaire. Pour la peinture, je suppose que vous allez passer au moins **deux couches.** Alors, **il faut compter** un pot pour la première couche, et un pot pour la deuxième. Vous mettrez de l'enduit, d'abord ?

La cliente : Non, ce n'est pas la peine, les murs sont en bon état. **Il va vous falloir combien de temps pour** faire tout ça ?

Le vendeur : Oh, **on* en aura pour** une petite semaine.

Grammaire

Quelques prépositions

- Le tissu est **en** quelle largeur ? La pièce est **en** bon état…
- 7 m **sur** 3 m ; 7 m **de** long, 3 m **de** large.
- **Sous** les toits, la hauteur **sous** plafond ; **pour** la première couche…

Vocabulaire

- Rénover = refaire l'appartement ; faire des travaux dans l'appartement.
- Un pot de peinture ; des pinceaux et un rouleau pour étaler la peinture.
- Un enduit à passer avant la peinture ; mettre une/deux couche(s) de…
- Changer la moquette.

Manières de dire

- Tu en as pour combien de temps ? — J'en ai pour cinq minutes !
- Vous en aurez pour longtemps ? — J'en aurai pour trois jours.
- Une petite semaine = moins d'une semaine.
- Quelles sont les dimensions de la pièce ? — Elle fait 7 mètres sur 3.
- La pièce fait quelle surface ? — Elle fait 21 mètres carrés.
- Il faut compter (= prévoir) trois jours / un pot pour la première couche.

ACTIVITÉS

1 Compréhension. Vrai ou faux ?

	VRAI	FAUX
Dialogue 1		
1. La cliente achète du tissu pour faire un vêtement.	☐	☐
2. La cliente achète un seul morceau de tissu.	☐	☐
Dialogue 2		
3. La cliente donne les mesures précises de la pièce.	☐	☐
4. La hauteur sous plafond n'est pas la même partout dans la pièce.	☐	☐

2 Grammaire. Complétez par les prépositions manquantes.

1. Le tissu est ________________ quelle largeur ?

2. La chambre fait 5 m ________________ long ________________ 3,50 m ________________ large.

3. Est-ce que la maison est ________________ bon état ?

4. Quelle est la hauteur ________________ plafond ?

5. Il faut prévoir deux pots de peinture ________________ la totalité du travail.

3 Vocabulaire. Complétez par les mots manquants.

1. Le mur est abîmé, il faut d'abord passer de ________________ avant de peindre.

2. Combien de ________________ de peinture est-ce que tu vas passer ?

3. L'appartement est ancien, il faut le ________________.

4. Vous aurez besoin de combien de ________________ de peinture ?

5. J'envisage de faire ________________ dans mon appartement qui est en mauvais ________________.

4 Communication. Trouvez une question possible.

1. ____ ?

— Il m'en faut 4 m.

2. ____ ?

— Il existe en deux largeurs, 140 et 160 cm.

3. ____ ?

— La chambre fait 3,50 m sur 5 m.

4. ____ ?

— J'en aurai pour trois jours, sans m'arrêter.

5. ____ ?

— Il nous en faudra trois pots.

5 À vous ! Vous devez refaire votre chambre (murs et sols). Vous achetez ce qu'il vous faut (peinture, moquette ou autre revêtement). Imaginez et jouez le dialogue avec le vendeur.

5 Modifier une réservation

1 Au restaurant

La standardiste : Restaurant La Table du chef, bonjour !

La cliente : Bonjour, madame. Voilà, j'ai une réservation pour ce soir à 20 h 30, pour quatre personnes, au nom de Parmentier. **En fait, nous serons six au lieu de quatre. Est-ce que cela pose un problème ?**

La standardiste : Non, pas du tout, madame, je note ça immédiatement. Par contre, je n'aurai plus de table de six dans le jardin. Ce sera à l'intérieur.

La cliente : Tant pis, ce n'est pas grave.

2 À l'hôtel

L'employé : Hôtel du Parc, bonsoir.

Le client : Bonsoir, monsieur. Je vous téléphone à propos d'une réservation que j'ai pour mardi et mercredi prochains. **Je suis obligé de retarder** mon voyage et je voudrais donc **reporter ma réservation à la semaine suivante.**

L'employé : Vous êtes monsieur ?

Le client : Poirier.

L'employé : Ah oui, je vois, une chambre à 59 €. Donc, **vous annulez pour** mardi 17 et mercredi 18. Et **vous souhaitez réserver pour quelle date ?**

Le client : Une semaine après, mardi 24 et mercredi 25.

L'employé : Alors, le problème, c'est que pour ces dates, je ne vais pas avoir de chambre !

Le client : Mais **qu'est-ce que je vais faire alors ?**

L'employé : Écoutez, je vais vous donner le numéro des trois autres hôtels de la ville.

Le client : Merci, **vous êtes bien aimable.**

Grammaire

Infinitif après le premier verbe conjugué

- Nous devons **retarder** notre réunion.
- Il va falloir remettre le rendez-vous.
- Je ne souhaite pas m'en aller.

Vocabulaire

- Retarder = reporter = remettre = repousser… une réunion, un rendez-vous à… plus tard / mardi prochain / la semaine prochaine…
- Avancer une réunion / un rendez-vous… à…
- Annuler (= complètement).
- Noter quelque chose = prendre note.

Manières de dire

- Est-ce que je peux modifier / changer / reporter / annuler… ?
- Malheureusement, je dois / je vais devoir annuler…
- Est-ce que cela pose un problème ?
- Tant pis ! ≠ Tant mieux !
- Nous serons quatre au lieu de trois.
- Qu'est-ce que je vais / peux / dois faire ?
- Ce n'est pas grave.

ACTIVITÉS

1 Compréhension. Vrai ou faux ?

	VRAI	FAUX
Dialogue 1		
1. La cliente reporte sa réservation.	☐	☐
2. Il n'y a plus de table libre dehors.	☐	☐
Dialogue 2		
3. Le client arrivera en retard à l'hôtel.	☐	☐
4. L'hôtel n'a plus de chambre à 59 €.	☐	☐
5. Le client demande les coordonnées d'autres hôtels.	☐	☐
6. L'employé est serviable.	☐	☐

2 Grammaire. Transformez les phrases en gardant le verbe d'origine.

1. Je reçois des clients demain. → Je dois ______________________ des clients demain.
2. Vous vous inscrivez à un club de gym ? → Vous allez ______________________
3. Je m'assieds à côté de toi. → Je voudrais ______________________
4. Tu t'entends avec ta collègue ? → Tu ne penses pas ______________________
5. Il remet le voyage à plus tard. → Il va ______________________

3 Vocabulaire et communication. Complétez par le mot manquant.

1. Je ne peux pas venir jeudi 31, mais je suis libre mercredi 30. Est-ce que nous pouvons ______________ la réunion ?
2. Arlette a été obligée de ______________ son arrivée au lendemain. Ce n'est pas trop ______________, car cela nous donne un peu de temps pour préparer la réunion.
3. Malheureusement, nous devons ______________ complètement la réunion. Est-ce que cela ______________ un problème ?

4 Communication. Remettez le dialogue dans un ordre logique.

a. Alors, j'aurai une table pour quatre, mais dans la salle du fond, qui est moins jolie.
b. Comme vous voulez, madame.
c. Ah zut ! Il n'y a vraiment rien dans la belle salle ?
d. Oui, madame, c'est une réservation à quel nom ?
e. Dans ce cas, j'annule la réservation.
f. Non, madame, je suis désolé, tout est complet, ce soir.
g. Eh bien, nous serons quatre au lieu de deux.
h. Madame Vannier.
i. Oui, je vois, une réservation pour ce soir, pour deux personnes.
j. Bonjour, monsieur. Je vous téléphone à propos d'une réservation que je voudrais modifier.

1. __ 2. __ 3. __ 4. __ 5. __ 6. __ 7. __ 8. __ 9. __ 10. __

6 À la banque

1 Du liquide

Aurélien : Ah, **je n'ai plus de liquide**. Il faut que je **prenne de l'argent au distributeur**. Zut, « **hors service** » ! Bon, je vais demander directement à la banque. Bonjour, madame, je voudrais **retirer des espèces**. **Le distributeur de billets est en panne.**

L'employée : Vous avez un compte chez nous ?

Aurélien : Oui, dans votre banque, mais **pas dans cette agence**.

L'employée : D'accord. Donnez-moi votre **carte bancaire. Quelle somme désirez-vous ?**

Aurélien : 100 €.

L'employée : Voilà. Vous préférez **deux billets de** 50 € ou **tout en billets de** 20 € ?

2 Ouvrir une assurance-vie

Clémence : Bonjour, madame. Voilà, j'ai reçu **une somme d'argent en héritage** que je voudrais **placer sur une assurance-vie**. Qu'est-ce que vous pouvez me proposer ?

La banquière : Je vous conseille ce produit qui est **un fonds de placement en euros**, très sécurisé. **Le taux garanti est de** 3 %, mais il peut **monter jusqu'à** 4 %.

Clémence : Est-ce qu'il y a **des frais** d'entrée ?

La banquière : Oui, mais ils dépendent de la somme que vous placez. Ils sont à 3 %...

Clémence : ...mais bien sûr, vous allez **faire un geste commercial** !

Grammaire

Le complément de nom

- **Généralement avec « de »**
  un fonds **de** placement, un billet **de** 20 €, des frais **d**'entrée, un distributeur **de** billets
- **Sans préposition**
  une assurance-vie ; une danseuse étoile ; un vélo tout terrain

Vocabulaire

- Un compte courant, un compte d'épargne.
- Retirer (= prendre) de l'argent au guichet / au distributeur (automatique de billets).
- Un billet de 20 €, une pièce de 2 €.
- Placer de l'argent sur une assurance-vie, sur un fonds en euros.
- Un taux garanti ; des frais d'entrée / de sortie.

Manières de dire

- Vous avez un compte chez nous / dans cette agence ?
- Je voudrais placer cette somme.
- Quelle somme désirez-vous retirer / placer ?
- Il faut que je prenne de l'argent / du liquide / des espèces au distributeur.
- J'ai reçu une somme en héritage.
- Quel placement me conseillez-vous ?
- Vous allez faire un geste commercial.

ACTIVITÉS

1 Compréhension. Vrai ou faux ?

	VRAI	FAUX
Dialogue 1		
1. Le distributeur automatique ne marche pas.	☐	☐
2. Le client peut retirer de l'argent grâce à sa carte bancaire.	☐	☐
Dialogue 2		
3. Clémence a gagné beaucoup d'argent par son travail.	☐	☐
4. Elle cherche à négocier les frais d'entrée.	☐	☐

2 Grammaire. Complétez, si nécessaire, par la préposition « de ».

1. Elle voudrait ouvrir un compte ________ épargne et une assurance ________ vie.

2. Il a deux billets________ 20 €.

3. Nous avons acheté des billets pour aller voir ce grand danseur ________ étoile qui se produit à l'Opéra ________ Paris.

4. Il lui faudra une grosse somme ________ argent pour acheter l'appartement ________ ses rêves !

5. Elle se renseigne à l'agence sur les fonds ________ placement.

3 Vocabulaire. Complétez par le terme approprié.

1. Je voudrais ______________ des espèces. Vous savez où il y a un ______________, dans le quartier ?

2. Quels sont les ______________ d'entrée pour cette assurance-vie ?

3. Mon banquier m'a conseillé de ______________ cet argent sur un ______________ d'épargne.

4. Tu n'aurais pas une ______________ d'un euro ? J'en ai besoin pour la machine à café.

5. Je viens d'emménager dans une autre ville, je dois ouvrir un compte ______________ à la banque, et demander une nouvelle ______________ bancaire.

6. Quelle ______________ désirez-vous retirer ?

4 Communication. Qui parle ? Le client (a) ou l'employé(e) de banque (b) ?

1. « Vous voulez retirer des espèces ? » ______

2. « Je vous fais un geste commercial. » ______

3. « Je voudrais prendre 100 € en liquide. » ______

4. « Vous voulez retirer combien ? » ______

5. « Vous cherchez un placement sûr ? » ______

6. « Quels produits vous me proposez ? » ______

7. « Je n'ai plus de liquide. » ______

8. « Vous devriez prendre une assurance-vie. » ______

5 À vous ! Vous voulez retirer des espèces à la banque, mais le guichet automatique ne marche pas. Vous souhaitez aussi changer de l'argent, car vous partez aux États-Unis. Imaginez et jouez le dialogue avec l'employé(e) de banque.

7 Échanger ou se faire rembourser

1 Dans une grande surface

La cliente : J'ai acheté ce pull il y a deux jours, mais il est vraiment trop petit. **Est-ce que je peux le changer ?**

La vendeuse : Oui, madame, **vous avez votre ticket de caisse ?**

La cliente : Ah non, je ne sais pas où il est, je crois que je l'ai perdu !

La vendeuse : Madame, **on ne peut pas changer un article sans le ticket de caisse** !

La cliente : J'ai peut-être encore le ticket de carte bleue. **Est-ce que ça peut aller ?**

La vendeuse : D'accord, ça pourra aller… Mais n'oubliez pas de garder votre ticket de caisse si vous souhaitez **faire un échange** ou **être remboursée** !

2 À l'aéroport

Le client : Monsieur, je viens de rater l'avion pour Amsterdam ! **Est-ce que vous pouvez me mettre sur un autre vol ?**

L'employé : Un instant, je regarde. Je regrette, monsieur, **vos billets ne sont pas remboursables.** Il faut que vous achetiez de nouveaux billets.

Le client : Vous savez pourquoi j'ai raté l'avion ? Le tableau électronique, là-bas, ne fonctionne pas ! Mon vol n'a jamais été annoncé ! Et je suis dans l'aéroport depuis une heure !

L'employé : Je suis désolé, regardez : « billets ni échangeables, ni remboursables ».

Le client : C'est absolument inadmissible : ce serait à moi de payer à cause d'un dysfonctionnement de l'aéroport ? C'est hors de question. **J'exige d'être remboursé ou indemnisé** d'une manière ou d'une autre !

Grammaire

Expressions de temps + passé composé

- J'ai acheté ce livre **il y a** deux jours. *(il y a + **passé composé**)*
- J'attends le bus **depuis** 20 minutes ! *(depuis + **présent**)*

Vocabulaire

- Remboursable ≠ non remboursable ; le remboursement, être remboursé.
- Échangeable ≠ non échangeable ; un échange, échanger.
- Modifiable ≠ non modifiable ; une modification, modifier.
- Recevoir une indemnisation = être indemnisé (= recevoir une somme d'argent à titre de compensation).
- Un ticket de caisse (= un reçu).

Manières de dire

- Est-ce que je peux changer…
- Est-ce que vous pouvez…
- J'exige d'être remboursé(e) / indemnisé(e).
- Je voudrais faire un échange, être remboursé(e) de…
- Ça peut/pourra aller ? — Oui, ça peut/pourra aller.

ACTIVITÉS

1 Compréhension. Éliminez la réponse incorrecte.

Dialogue 1

1. La cliente | est venue il y a bien longtemps | trouve le pull trop petit | est venue il y a deux jours |.
2. La cliente n'a pas | son ticket de caisse | son ticket de carte bleue | de pull |.

Dialogue 2

3. Le client | a raté son avion | est arrivé en retard à l'aéroport | voudrait aller à Amsterdam |.
4. Les billets ne sont pas | échangeables | trop chers | remboursables |.

2 Grammaire. Complétez par « depuis » ou « il y a ».

1. Nous nous sommes mariés ________________ un mois.
2. Ils cherchent un logement ____________________ plusieurs semaines.
3. Ils sont mariés _____________________ dix ans.
4. Ils se connaissent ______________________ longtemps.
5. Ils se sont téléphoné ___________________ quelques jours.

3 Vocabulaire. Choisissez la meilleure explication.

1. « Les billets ne sont pas remboursables. »
   - ☐ **a.** On peut seulement les rembourser.
   - ☐ **b.** On peut les échanger, peut-être.
2. « Je viens pour un échange. »
   - ☐ **a.** Vous voulez être remboursé(e).
   - ☐ **b.** Vous voulez acheter autre chose.
3. « J'ai perdu mon ticket de caisse. »
   - ☐ **a.** Vous aurez du mal à vous faire rembourser.
   - ☐ **b.** Vous n'avez donc rien acheté.
4. Est-ce que je peux changer ce pantalon ?
   - ☐ **a.** Vous voulez acheter un pull à la place.
   - ☐ **b.** Ce pantalon ne vous convient pas.

4 Communication. Vous êtes dans une boutique de vêtements. Vous avez acheté un pantalon, mais il est trop grand. Vous demandez à le changer. Le vendeur vous demande le ticket de caisse. Vous l'avez. Imaginez et jouez le dialogue.

5 À vous ! Imaginez le dialogue entre les deux personnages.

8 Hésiter, ignorer

1 Une cliente hésitante

La cliente : Bonjour, monsieur, j'ai rendez-vous pour une coupe.
L'employé : Qui vous coiffe, madame ?
La cliente : Euh, **je ne sais plus** le nom de la coiffeuse. Je **crois qu**'elle s'appelle Béa...
L'employé : Vous voulez dire Léa ?
La cliente : Voilà, c'est ça !
(Quelques minutes plus tard)
La coiffeuse : Alors, madame, qu'est-ce qu'on vous fait ?
La cliente : Je voudrais bien changer de coiffure, mais **je ne sais pas trop**...
La coiffeuse : Vous voulez les cheveux courts ?
La cliente : Je ne suis pas sûre... Vous croyez que ça m'irait ?
La coiffeuse : Ah oui, moi, je trouve que ça vous rajeunirait. Regardez, on pourrait faire un dégradé ici, et une toute petite frange devant...
La cliente : Vraiment ? J'hésite un peu... Ce ne sera pas trop court ?
La coiffeuse : Mais non, je vous assure, vous allez voir, ça va être très joli !
(Quelques minutes plus tard)
La cliente : Oh là là ! Qu'est-ce que c'est court ! Vous avez coupé tout ça ?
La coiffeuse : Mais oui, mais ça vous va très bien !
La cliente : Moi, je me trouve affreuse !
La coiffeuse : C'est parce que vous n'êtes pas habituée !
La cliente : Je ne suis pas convaincue ! Je me demande ce que dira mon mari...

Grammaire

Conditionnel présent employé seul

- Ça vous rajeunirait.
- On pourrait faire...
- Vous croyez que ça m'irait ?
- Tu penses que ce serait bien ?

Vocabulaire

- Aller chez le coiffeur, se faire couper les cheveux.
- Avoir une coupe au carré ≠ dégradée.
- Avoir une frange, la raie au milieu / sur le côté.
- Avoir les cheveux longs (≠ courts), attachés, relevés, en chignon, en queue de cheval...

Manières de dire

- Je ne sais pas trop...
- Vous pensez vraiment que...
- J'hésite un peu...
- Je me demande...
- Je ne suis pas sûr(e)...
- Vous croyez ?
- Je ne sais pas quoi choisir.
- Il me semble...
- Je ne suis pas convaincu(e)...
- Vous êtes sûr(e)(s) ?
- Vraiment ?

Remarque de vocabulaire. « Je ne sais plus » = j'ai oublié momentanément.

ACTIVITÉS

1 Compréhension. Vrai ou faux ?

	VRAI	FAUX
1. La cliente ne sait plus le prénom de sa coiffeuse.	☐	☐
2. La cliente a un chignon.	☐	☐
3. La coiffeuse conseille une coupe au carré.	☐	☐
4. La coiffeuse est convaincue que la nouvelle coupe ira à sa cliente.	☐	☐
5. Le mari de la cliente va détester la nouvelle coupe.	☐	☐

2 Grammaire. Mettez les verbes au conditionnel présent.

1. Nous ____________________ acquérir un appartement. *(souhaiter)*
2. Ce ______________________ une bonne idée ! *(être)*
3. Vous ______________________ la monnaie de 20 € ? *(avoir)*
4. Cela me ____________________ de partir en Bretagne. *(plaire)*
5. Tu penses que ce pull me ____________________ ? *(aller)*
6. À mon avis, cette coupe de cheveux te __________________. *(vieillir)*

3 Vocabulaire. Choisissez la bonne réponse.

1. La jeune femme a | une frange | la raie | sur le côté gauche.
2. La danseuse porte | un chignon | une coupe au carré |.
3. Mes cheveux sont trop | longs | courts |, je dois aller chez le coiffeur.
4. Elle a décidé de renoncer à sa | frange | queue de cheval |, pour montrer son front.
5. Je voudrais une coupe au | dégradé | carré |.

4 Communication. Parmi les phrases suivantes, lesquelles expriment l'indécision ?

1. « J'hésite un peu. »
2. « Ça ne me va pas bien. »
3. « Je vous le déconseille. »
4. « Je ne sais pas quoi choisir. »
5. « Je n'en suis pas convaincu(e). »
6. « Je me demande si ça ira. »

5 Communication. Répondez aux questions en exprimant l'indécision. Variez les structures.

1. Quand est-ce que tu pars en vacances ? ________________________________
2. Frédéric nous rejoindra pour déjeuner ? ________________________________
3. Où est-ce qu'elle a rangé le dossier ? __________________________________
4. Lequel de ces deux sacs est-ce que tu emportes ? __________________________
5. Comment est-ce que tu vas te faire couper les cheveux ? ____________________

6 À vous ! Vous voulez changer de coiffure. Vous n'êtes pas sûr(e) de ce que vous voulez. Le coiffeur vous propose de vous couper les cheveux très court. Vous hésitez, puis vous acceptez. Le coiffeur est content du résultat, mais vous n'êtes pas convaincu(e). Imaginez et jouez le dialogue.

2 À la parfumerie

La vendeuse : Bonjour, monsieur, je peux vous aider ?
Julien : Oui, je voudrais offrir un parfum à mon amie, mais **je ne sais pas quoi choisir**…
La vendeuse : Elle est comment, votre amie ?
Julien : Comment ça, elle est comment* ?
La vendeuse : Je veux dire : elle est grande, petite, blonde, brune ?
Julien : C'est une petite brune, très sportive. **Pourquoi ? C'est important ?**
La vendeuse : Bien sûr, pour choisir un parfum, il faut connaître la personne ! Alors je vais vous faire sentir… « Nuits bleues », « l'Air du temps » et « Allure ». Dites-moi, lequel préférez-vous ?
Julien : Ah non, celui-là, je n'aime pas du tout.
La vendeuse : Ah bon ? Si c'est pour votre amie, il faut que ça vous plaise à vous aussi !
Julien : Et puis, **entre celui-ci et celui-là, franchement, je ne sais pas trop**…
La vendeuse : À mon avis, « l'Air du temps » serait très bien. En général, il est très apprécié.
Julien : Ah bon, de toute façon, **je n'y connais rien***. Il fait combien ?
La vendeuse : En parfum, en eau de parfum ou en eau de toilette ?
Julien : Pardon ? **C'est quoi, la différence* ? Je n'en ai aucune idée !**
La vendeuse : Vous savez, monsieur, je vous conseille le parfum, c'est un beau cadeau. Le petit modèle fait 55 €, et le grand modèle, 70 €.
Julien : Ah, je vais prendre le petit.
La vendeuse : Je vous fais un paquet-cadeau ?
Julien : Oui, s'il vous plaît.

Grammaire

Question (forme familière) (2) avec répétition du sujet

■ Langue orale relâchée
- C'est quoi, **la différence** ? (= Quelle est la différence ?) C'est quoi, **ton nom** ? (= Quel est ton nom ?)
- C'est qui, Julie ? Julie, c'est qui ?
- **Elle** est comment, **votre amie** ?
- **Il** travaille où, **David** ?

Vocabulaire

- Une eau de toilette, une eau de parfum, un parfum.
- Un parfum frais ≠ fruité ; léger ≠ lourd / capiteux / oriental.
- Un vaporisateur, un flacon…
- Un paquet-cadeau.

Manières de dire

- Quelle est la différence ?
- C'est quoi, la différence ? *(fam.)*
- Pourquoi, c'est important ?
- Je n'en ai aucune idée !
- Aucune idée ! *(fam.)*
- Je ne sais pas du tout.
- Je ne connais rien à ce sujet. = Je n'y connais rien. *(fam.)*

ACTIVITÉS

1 Compréhension. Vrai ou faux ?

	VRAI	FAUX
1. Le client est étonné par la première question de la vendeuse.	☐	☐
2. L'amie du client est très jolie.	☐	☐
3. Elle pratique le sport.	☐	☐
4. Le client n'a pas l'habitude de choisir du parfum.	☐	☐

2 Grammaire. Transformez ces questions de manière à les rendre plus familières.

1. Quelle est votre adresse ? ______________________________
2. Où est-ce que Bénédicte déjeune ? ______________________________
3. Quel est ton numéro de téléphone ? ______________________________
4. Quand est-ce que tes amis repartent ? ______________________________
5. Qui est Grégoire ? ______________________________

3 Vocabulaire et communication. Vous voulez offrir du parfum à votre femme. Choisissez la réponse la plus adaptée à la situation.

1. Elle est comment, votre femme ?
   ☐ **a.** Très sympathique. ☐ **b.** Grande et brune.
2. Vous désirez du parfum ou de l'eau de toilette ?
   ☐ **a.** Je ne sais pas trop. ☐ **b.** L'autre.
3. Elle aime les parfums plutôt lourds, ou au contraire plutôt frais ?
   ☐ **a.** Plutôt frais, il me semble. ☐ **b.** Elle n'aime pas du tout.
4. Lequel de ces deux parfums préférez-vous ?
   ☐ **a.** Le petit modèle. ☐ **b.** Celui-ci.
5. Vous prenez le grand flacon ou le petit flacon ?
   ☐ **a.** C'est quoi la différence ? ☐ **b.** Le grand, s'il vous plaît.
6. Je vous fais un paquet-cadeau ?
   ☐ **a.** Je n'y connais rien. ☐ **b.** Oui, bien sûr.

4 Vocabulaire et communication. Répondez en exprimant votre ignorance.

1. Votre amie met du parfum ou de l'eau de toilette ? — ______________________________
2. Quel parfum est-ce qu'elle porte en ce moment ? — ______________________________
3. Vous désirez un parfum frais ? — ______________________________
4. Lequel des deux vous préférez ? — ______________________________

5 À vous ! Vous voulez offrir du parfum à votre ami(e). Vous ne savez pas quoi choisir. La vendeuse vous pose des questions et vous propose différents parfums. Vous hésitez avant de vous décider. Imaginez et jouez le dialogue.

Les achats

9 Faire des comparaisons

1 Dans une boutique de vêtements

La cliente : Est-ce que je pourrais essayer la jupe noire qui est dans la vitrine ?
La vendeuse : Bien sûr, madame. Vous faites quelle taille ?
La cliente : Du 40.
(Quelques minutes plus tard)
La vendeuse : Alors, ça va ?
La cliente : Non, ça ne va pas, elle est **trop serrée** et elle **fait un peu trop jeune** pour moi.
La vendeuse : J'ai une autre jupe noire, **de coupe différente**. Vous voyez, elle est **un peu plus** classique. Vous voulez la passer ?
La cliente : Oui, mais **ce n'est pas tellement mon style**. Bon, je vais voir ce que ça donne.
La vendeuse : Alors ?
La cliente : Cette fois-ci, c'est **trop classique et démodé. Ça me vieillit** et **ça me grossit** !
La vendeuse : Je vous en apporte une autre, dont la coupe est un peu **différente**, mais **qui vous ira mieux**, je crois. Elle est **à la mode**, celle-là.
La cliente : Oui, en effet, elle me plaît **davantage**...
La vendeuse : En plus, elle vous amincit.
La cliente : Elle fait combien ?
La vendeuse : En fait, elle est **un peu moins** chère que les autres, 71 €.

Grammaire

Verbes construits sur des adjectifs

Selon le cas, ils signifient « devenir » + adjectif ou « faire paraître » + adjectif :

- vieux/vieille → **vieillir** (devenir / faire / paraître vieux)
- gros/grosse → **grossir**
- grand → **grandir**
- jeune → **rajeunir**
- mince → **mincir** (devenir mince) → **amincir** (faire paraître mince)

Vocabulaire

- La coupe, la forme d'un vêtement.
- Être serré ≠ large ; ça me serre trop !
- Vous faites quelle taille ? — Je fais du 40.
- Ça fait jeune ≠ classique.
- Ça vous plaît ? — Oui, ça me plaît. / Non, ça ne me plaît pas.
- Ça vous va ? — Oui, ça me va bien. / Non, ça ne me va pas (du tout).
- C'est à la mode ≠ c'est démodé.

Manières de dire

- Assez, suffisamment ≠ trop... *(+ adjectif)*
- Aussi *(+ adjectif)*
- Plus *(+ adjectif)*
- Même, pareil(le) ≠ différent(e)
- Assez de, suffisamment de ≠ trop de *(+ nom)*
- Autant de *(+ nom)*
- Davantage de = plus de *(+ nom)*

Remarque de vocabulaire. « Je vais voir ce que ça donne » = je vais voir l'effet que cela produit.

ACTIVITÉS

1 Compréhension. Vrai ou faux ?

	VRAI	FAUX
1. La première jupe rajeunit la cliente.	☐	☐
2. La deuxième jupe ne va pas à la cliente.	☐	☐
3. La troisième jupe coûte nettement plus cher que la première.	☐	☐

2 Grammaire. À partir des adjectifs suivants, trouvez le verbe et faites une phrase.

1. rouge → ____________________
2. maigre → ____________________
3. pâle → ____________________
4. gros → ____________________
5 vieux → ____________________

3 Vocabulaire. Complétez par les mots manquants.

1. Vous faites quelle ______________ ? — Du 38.
2. Ce genre de manteau te ______________ toujours très bien.
3. N'achète pas cette robe, elle est complètement ______________, plus personne ne porte cette forme !
4. La forme de ce pantalon me ______________ beaucoup, c'est très joli.
5. Cette forme est ______________, elle ne se démodera jamais.

4 Communication. Comparez ces différentes tenues.

1.

22 €

23 €

2

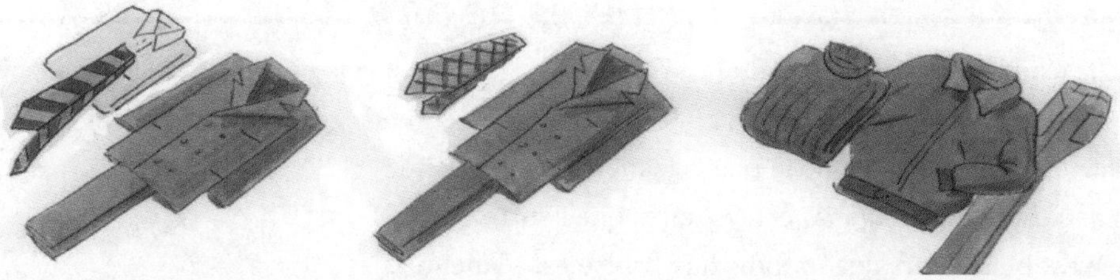

5 À vous ! Vous êtes dans une boutique de vêtements où vous cherchez un pantalon blanc. Le premier modèle est trop petit. La vendeuse propose un autre modèle, qui vous va mieux, mais qui est plus cher que le premier. Imaginez et jouez le dialogue avec le vendeur ou la vendeuse.

2 Dans un magasin d'électroménager

Agnès : Pardon, monsieur, **quelle est la différence entre** ces deux lave-linge ?

Le vendeur : Eh bien, les deux machines contiennent **autant de** linge mais la Furix est **la plus puissante des deux**. Elle offre aussi **plus de possibilités**, **alors que** la Frenetix a **moins de** programmes de lavage.

Agnès : Laquelle consomme **le moins d'électricité** ?

Le vendeur : C'est **à peu près la même** consommation pour les deux.

Agnès : Oui, mais la Furix est **nettement plus** chère !

3 En sortant du magasin

Léon : Alors, chérie, entre ces deux machines à laver, **tu as une préférence** ?

Agnès : Non, pas vraiment, **c'est toujours la même chanson** : l'une est plus chère que l'autre, mais elles sont **aussi efficaces l'une que l'autre**. Quel ennui !

Léon : Oui, mais il faudra bien **se décider entre les différents** modèles !

Agnès : Ça **m'est complètement égal** ! **Je ne vois même pas la différence entre les deux**, à part le prix.

Léon : Tu veux qu'on cherche **quelque chose de moins cher** ?

Agnès : Non, ça va être **de pire en pire**. Prenons **n'importe laquelle** !

Grammaire

Le superlatif

- le/la/les plus *(+ adjectif)* (de…)
- le/la/les moins *(+ adjectif)* (de…)
- le plus de *(+ nom)*
- le moins de *(+ nom)*
- bon → le/la/les meilleur(e)(s)
- mauvais → le/la/les pire(s)
- c'est de mieux en mieux ≠ de pire en pire
- de plus en plus ≠ de moins en moins

Vocabulaire

- Être pareil(le) ≠ pas pareil(le), différent(e).
- Même = identique.
- Être comparable, analogue.
- Se décider entre… et…
- N'importe lequel/laquelle/lesquels/lesquelles (= peu importe lequel/laquelle, etc.).

Manières de dire

- Quelle est la différence entre … et … ?
- Je ne vois pas la différence entre les deux.
- C'est à peu près la même chose.
- Lequel/Laquelle consomme le plus ≠ le moins d'électricité ?
- Les deux sont aussi… *(+ adjectif)* l'un(e) que l'autre.
- L'une est bleue alors que / tandis que l'autre est blanche.
- Ça m'est (complètement) égal (= cela ne fait pas de différence).

Remarque de vocabulaire. Le nom « officiel » est « un lave-linge ». Le nom familier, employé à la maison, est « une machine à laver ».

ACTIVITÉS

1 Compréhension. **Vrai ou faux ?**

	VRAI	FAUX
Dialogue 2		
1. Les deux machines ne contiennent pas plus de linge.	☐	☐
2. L'une des machines est moins chère que l'autre.	☐	☐
Dialogue 3		
3. Agnès ne s'intéresse pas beaucoup aux machines.	☐	☐
4. Elle a du mal à choisir.	☐	☐
5. Agnès voudrait continuer à chercher.	☐	☐

2 Grammaire et communication. **Vous travaillez dans une agence de voyages. Vous présentez ces deux voyages organisés en les comparant.**

1. L'Italie en 15 jours / Venise, Rome, Florence / Tous les repas sont compris. / Hôtels 4 étoiles / Départs tous les 1ers du mois.

2. L'Italie en 8 jours / Venise, Rome, Florence / Tous les dîners sont compris. / Hôtels 3 étoiles / Départs les 1ers du mois, de mai à septembre.

____

____

____

3 Vocabulaire et communication. **Comparez ces deux dessins, en employant le vocabulaire et les structures de la comparaison.**

4 À vous. **Vous êtes dans une librairie et vous hésitez entre deux dictionnaires. Vous demandez au libraire de vous expliquer la différence entre les deux. Imaginez et jouez le dialogue.**

Premier dictionnaire	*Deuxième dictionnaire*
20 €	40 €
petit format	grand format
20 000 mots	45 000 mots
quelques synonymes et quelques contraires	liste développée de synonymes et de contraires
conjugaisons des verbes	conjugaisons des verbes
pas de phonétique (prononciation)	phonétique

BILAN N° 1

1 **Qui parle ? Le commerçant (a) ou le client (b) ? Dites ensuite dans quelle(s) circonstance(s) vous pourriez entendre les phrases suivantes.**

1. « Il m'en faudrait un bon kilo. » ______
2. « Il vous fallait autre chose ? » ______
3. « Je suis désolé, je n'en ai plus. » ______
4. « Je voudrais changer ce pull qui est trop petit. » ______
5. « Vous réglez comment ? » ______
6. « Pas trop court, s'il vous plaît. Juste un centimètre. » ______
7. « Je vous fais un paquet-cadeau ? » ______
8. « Non, ça ne me va pas, c'est trop serré. » ______
9. « Je vais en prendre une petite barquette. » ______
10. « Vous faites quelle taille ? » ______

2 **Choisissez la ou les bonne(s) réponse(s).**

1. Vous | règlez | mettez | payez | comment ?
2. Ça vous | plaît | va | prend | ?
3. Tu n'y | sais | connais | vas | rien !
4. C'est un billet non | raisonnable | remboursable | échangeable | .
5. Nous devons | retirer | faire | reporter | de l'argent au distributeur.
6. Je vous en | donne | reste | mets | combien ?
7. Je prendrais | mal | bien | bon | un dessert.
8. Il nous faut votre ticket | bancaire | de caisse | de commande | .
9. Cette couleur me | rajeunit | vieillit | va | .
10. Vous venez ? Tant | bien | mieux | meilleur | !

3 **Dans quelle(s) situation(s) pourriez-vous entendre les phrases suivantes ? De quoi peut-il être question ?**

1. « Vous voulez mettre combien ? » ______
2. « Quel est votre budget ? » ______
3. « Elles sont à combien ? » ______
4. « C'est combien ? » ______
5. « Vous réglez comment ? » ______
6. « Ça fait combien ? » ______
7. « Je vous les fais à 20 €. » ______
8. « Je vous fais un geste commercial. » ______

9. « Désolé, ils ne sont pas remboursables. » ____________________

10. « Vous en aurez pour 600 €, à peu près. » ____________________

4 Trouvez une autre manière de dire.

1. Ils doivent repousser la réunion à la semaine prochaine. ____________________
2. Cela va vous coûter 450 €, environ. ____________________
3. Ce canapé-lit est très cher ! ____________________
4. J'aimerais bien manger un macaron au caramel... ____________________
5. Je voudrais dix tranches bien fines de jambon de Parme. ____________________
6. Quel est votre budget, pour cet achat ? ____________________
7. Cela me prendra une semaine. ____________________
8. Vous êtes sûr ? ____________________
9. Ce magasin propose plus de modèles que ses concurrents. ____________________
10. Vous payez comment ? ____________________

5 Finissez librement chacun des dialogues, mais avec une certaine logique !

1. Est-ce qu'il reste de la place sur la terrasse ?

— ____________________

2. Cette théière et ces tasses, vous me les faites à combien ?

— ____________________

3. Le tissu est en quelle largeur ?

— ____________________

4. Quelle cuisson, pour votre entrecôte ?

— ____________________

5. Bonjour, madame, je voudrais changer ce pantalon, qui est trop large.

— ____________________

6. Ça vous a plu ?

— ____________________

7. Qu'est-ce que vous voulez, comme parfum ?

— ____________________

8. Vous réglez comment ?

— ____________________

9. J'en aurai pour combien, à peu près ?

— ____________________

10. Il vous fallait autre chose ?

— ____________________

Les renseignements

10 Se renseigner

1 Au centre de thalassothérapie

L'employé : Bonjour, madame, **je peux vous renseigner** ?

La cliente : Oui, bonjour, je voudrais **quelques renseignements sur** les cures que vous offrez. Je voudrais **savoir comment ça marche**.

L'employé : Adressez-vous à l'accueil, là-bas, ma collègue **vous renseignera**.

(Quelques minutes plus tard)

L'employée : Vous avez déjà **consulté notre site Internet** ?

La cliente : Oui, j'ai vu que vous aviez **plusieurs formules**, mais je ne sais pas encore ce que je voudrais faire. Peut-être la cure « remise en forme », je suis très fatiguée…

L'employée : Oui, cette formule **comprend** cinq soins par jour, pendant six jours. Vous **avez également accès à** la piscine d'eau de mer et à la salle de gym.

La cliente : J'aimerais savoir s'il existe aussi des activités sportives à l'extérieur.

L'employée : Oui, nous organisons des randonnées, à pied ou à vélo. **Vous pouvez vous inscrire** ici. Voici **un dépliant** avec tous les tarifs. **Tout est indiqué** à l'intérieur.

La cliente : Est-ce qu'**il faut** un certificat médical ?

L'employée : Je ne suis pas sûre. Un instant, je vais **me renseigner**.

Grammaire

L'interrogation indirecte

- **Est-ce que** c'est possible ?
  → Je voudrais savoir **si** c'est possible.
- Comment est-ce que ça marche ?
  → Je voudrais savoir **comment** ça marche.
- Qu'est-ce que vous faites ?
  → Je ne sais pas **ce que** vous faites.

Vocabulaire

- Un abonnement.
- Une brochure, un dépliant, un papier.
- Donner accès à…
- S'adresser à l'accueil = la réception.
- Les conditions d'inscription ; s'inscrire à une activité.

Manières de dire

- Pardon, monsieur, je voudrais juste un renseignement, s'il vous plaît.
- Où est-ce que je peux me renseigner ?
  — Vous pouvez vous renseigner auprès de… / à l'accueil / au secrétariat.
  — Adressez-vous à… mon collègue/ la réception…
  — Tout est indiqué dans la brochure / dans le dépliant / sur le site Internet…
- Est-ce que vous pouvez me dire / m'expliquer… ?
- Est-ce qu'on peut s'inscrire à… ?
- Est-ce qu'il y a une possibilité de… ?
- La formule comprend trois cours…

ACTIVITÉS

1 Compréhension. Vrai ou faux ?

	VRAI	FAUX
1. Le centre n'a pas encore de site Internet.	☐	☐
2. Il n'est pas nécessaire de s'inscrire à l'avance pour les activités sportives.	☐	☐
3. Un certificat médical sera peut-être nécessaire.	☐	☐

2 Grammaire. Transformez en interrogation indirecte.

1. Est-ce que je peux m'inscrire par Internet ? → Je ne sais pas ____________________
2. Qu'est-ce que tu as décidé ? → Explique-moi ____________________
3. Est-ce qu'il existe une salle de gym, dans le quartier ? → Vous savez ____________________
4. Où est-ce que nous pouvons nous renseigner ? → Nous voudrions savoir ____________________
5. Qu'est-ce qu'elle a pris ? → Je sais ____________________

3 Vocabulaire. Trouvez une autre manière de dire.

1. Bonjour madame, je peux vous donner des renseignements ? ____________________
2. Allez demander au secrétariat ! ____________________
3. Où est la réception, s'il vous plaît ? ____________________
4. Je vais chercher des informations. ____________________
5. Est-ce que j'ai la possibilité de m'inscrire par Internet ? ____________________
6. Est-ce que vous avez une brochure ? ____________________

4 Communication. Vous êtes le ou la client(e) et vous demandez des renseignements. Choisissez les phrases appropriées.

1. ☐ **a.** Bonjour, madame, je peux vous renseigner ? ☐ **b.** Bonjour, madame, vous pouvez me renseigner ?
2. ☐ **a.** Est-ce que je peux vous aider ? ☐ **b.** Est-ce que vous pouvez m'aider ?
3. ☐ **a.** Je veux des renseignements. ☐ **b.** Je voudrais des renseignements.
4. ☐ **a.** Est-ce que je peux m'inscrire aujourd'hui ? ☐ **b.** Vous voulez vous inscrire aujourd'hui ?
5. ☐ **a.** Adressez-vous à l'accueil. ☐ **b.** À qui dois-je m'adresser ?
6. ☐ **a.** Je voudrais savoir s'il reste des places. ☐ **b.** Il n'y a plus de places, malheureusement.

5 À vous ! Vous désirez partir en Espagne pour suivre un cours intensif d'espagnol. Vous téléphonez (ou vous envoyez un mail) pour obtenir des renseignements. Préparez des questions à partir des éléments suivants :

Ville ? Durée du séjour ? Nombre de participants au cours ? Évaluation du niveau ? Nombre d'heures de cours ? Matériel utilisé ? Organisation d'activités culturelles, touristiques, sportives ? Tarifs ? Inscription en ligne ?

11 Localiser

1 En arrivant au supermarché

M. Lauriol : Oh, zut, **je ne trouve plus** ma pièce de 1 € ! **Qu'est-ce que j'en ai fait ?** Bon, je vais demander de la monnaie à quelqu'un. Pardon, madame, vous auriez de la monnaie pour le chariot ?

La dame : Oui, voilà, deux pièces de 1 €.

2 Dans le supermarché

La cliente : Pardon, monsieur, **où se trouve** le rayon « biscuits salés » ?
L'employé : Avec les apéritifs, **le dernier rayon à droite**.
La cliente : Je cherche aussi les surgelés.
L'employé : C'est tout au fond du magasin, à gauche.
(Quelques minutes plus tard)
Le client : Excusez-moi, **je ne vois pas** où sont les confitures.
Une vendeuse : De l'autre côté du magasin, **après** les conserves.
Le client : Merci. **Je ne trouve pas** les jus de fruits.
Une vendeuse : Mais monsieur, **ils sont juste derrière vous** !
Un autre client : Pardon, madame, **où est-ce que je peux trouver** les stylos-billes ?
Une vendeuse : Là-bas, monsieur, au rayon papeterie.

3 En sortant du supermarché

Le mari : Zut, **je ne sais plus où j'ai mis** mon ticket de parking.
La femme : Tu l'as mis dans ta poche !

Grammaire

Prépositions et adverbes de lieu

- Devant ≠ derrière ; avant ≠ après : « Passe devant ! » « Assieds-toi derrière moi ! »
- À côté (de), au fond (de), à droite (de), à gauche (de), au milieu (de) : « Les toilettes sont au fond du couloir, à côté de l'escalier.

Vocabulaire

- Un rayon (parfumerie, alimentation…).
- Un chariot = un caddy ; un panier.
- Passer à la caisse pour régler ses achats.
- Le vendeur, la vendeuse.
- Le caissier, la caissière.

Manières de dire

- Où se trouve… ?
- Je cherche…
- Où est-ce que j'ai mis…
- Qu'est-ce que j'en ai fait ?
- Je ne vois pas…
- Je ne trouve pas…
- Je ne sais plus où j'ai mis…
- Où est-ce que je peux trouver… ?
- Je ne trouve plus…
- Qu'est-ce que j'ai fait de… ?

ACTIVITÉS

1 **Compréhension. Relisez les dialogues ci-contre. Vrai ou faux ?**

	VRAI	FAUX
1. Il faut de la monnaie pour pouvoir prendre un chariot.	☐	☐
2. Les biscuits salés se trouvent après les vins.	☐	☐
3. Les surgelés se trouvent près de la sortie du magasin.	☐	☐
4. Le monsieur a perdu son ticket de parking.	☐	☐

2 **Grammaire. Dans le dessin ci-contre, décrivez le plus précisément possible la position des personnes et des objets les uns par rapport aux autres.**

3 **Vocabulaire. La situation se passe dans un supermarché. Choisissez la réponse la plus logique.**

1. Pardon, monsieur, où est-ce que je peux trouver de la sauce tomate ?
☐ **a.** Au rayon « fruits et légumes ». ☐ **b.** Là-bas, après les conserves.

2. Je ne trouve pas les biscuits sucrés.
☐ **a.** Ils sont au rayon « apéritifs ». ☐ **b.** Ils sont juste derrière vous !

3. Je ne vois pas où sont les surgelés.
☐ **a.** Ils sont au fond du magasin. ☐ **b.** Ils sont à l'extérieur du magasin.

4. Où se trouvent les fruits secs ?
☐ **a.** À côté du rayon « pâtisserie ». ☐ **b.** Au rayon « parfumerie ».

5. Mais où est la sortie ?
☐ **a.** Elle est là-bas ! ☐ **b.** Il n'y en a pas !

4 **Vocabulaire et communication. Complétez par des verbes appropriés.**

1. Qu'est-ce que j'ai ____________________ de mes clés ?
2. Où est-ce que tu as ____________________ ton sac ?
3. Où est-ce que je peux ____________________ des ampoules électriques ?
4. Pardon, monsieur, je ____________________ le rayon « huiles et vinaigres ».
5. Où ____________________ la sortie du magasin ?
6. Je ne ____________________ plus mon porte-monnaie !

5 **À vous ! Vous êtes dans un supermarché. Vous ne trouvez pas certains produits et vous vous renseignez auprès d'un employé. Imaginez et jouez les dialogues.**

4 Le long de la Seine

Julie : Pardon, monsieur, **par où est-ce qu'il faut passer pour aller à** la place du Châtelet ?
Un passant : Alors là, c'est facile. **Vous suivez la Seine** et **vous arrivez** au Châtelet.
Julie : Dans quel sens est-ce que je suis la Seine ?
Un passant : Mais **par ici**, madame ! **Vous longez** le fleuve ! Le Châtelet **est juste à droite**, **c'est en face de** la Conciergerie.
Julie : Ah bon, je croyais que je devais **traverser** le pont.
Un passant : Non, madame, **vous restez sur les quais**.

5 Dans le métro parisien

Un homme : Pardon, madame, **pour aller à** Sèvres-Babylone ?
Une dame : Vous prenez la direction Vincennes, **vous changez à** Concorde, puis vous prenez la direction Mairie d'Issy.

6 Le bus

Une passante : Pardon, monsieur, **l'arrêt du 21, c'est de quel côté ?**
Un passant : Il y a bien un arrêt de bus, mais ce n'est pas le 21, c'est le 67. Ah non, c'est vrai, le 21 **passe dans la rue là-bas**. L'arrêt **est un peu plus bas**, **sur la droite**, **après le feu rouge.**

Grammaire

La question complexe

- Par où est-ce qu'il faut passer… ?
- Dans quel sens est-ce que je dois… ?
- De quelle manière est-ce que je peux…

Vocabulaire

- Une place (ronde, carrée, rectangulaire, ovale…) : *la place de la Bastille.*
- Un quai… de gare, de métro ; un quai le long d'un fleuve ; un quai de port.
- Un pont.
- Un arrêt de bus, une station de métro, une gare (pour le train).

Manières de dire

- Vous prenez… la rue, la route, l'autoroute / la première à droite, à gauche…
- Vous longez le fleuve, la Seine, le bâtiment, les quais…
- Vous suivez le Rhône / la direction « Lyon »
- Vous traversez… la rivière / le pont / l'avenue / la place…
- Vous restez sur la même route / sur les quais / sur le même trottoir…
- Vous allez voir… un grand bâtiment blanc…
- Vous arrivez à un feu rouge / à une place / à un croisement…
- Vous passez devant une petite église…
- Vous continuez tout droit / la rue / sur la même autoroute / dans la même direction…

Remarque de vocabulaire. À propos des bus, on dit toujours « le 21 » (« le vingt et un »), le 7 (« le sept »).

ACTIVITÉS

1 **Compréhension. Choisissez la bonne réponse.**

Dialogue 4

1. Pour aller à la place du Châtelet, il faut | suivre | traverser | le fleuve.
2. La dame doit rester sur | le pont | les quais |.

Dialogue 5

3. Le trajet est | direct | long |.

Dialogue 6

4. Le 21 | se trouve | passe | dans le quartier.

2 **Grammaire. Trouvez une question possible.**

1. ______________________________ ? — Dans cette direction !
2. ______________________________ ? — Par Toulouse.
3. ______________________________ ? — En train ou en avion.
4. ______________________________ ? — À la station « République ».
5. ______________________________ ? — À côté du musée.
6. ______________________________ ? — Le long du Rhône.

3 **Vocabulaire. Choisissez les termes possibles.**

1. Tu | longes | traverses | prends | continues | la rivière.
2. Prenez | la deuxième à gauche | la rue Jean-Moulin | la rivière | le feu rouge |.
3. Vous continuez | le pont | tout droit | la place | à droite | dans la même direction |.
4. Tu | prends | arrives | suis | passes | la direction Grenoble.
5. C'est | à droite | juste après la banque | jusqu'au café | sur le même trottoir | loin d'ici |.
6. Vous allez voir | sur une place | un restaurant | à gauche | dans la rue | un arrêt de bus |.

4 **Grammaire et communication. Trouvez une question appropriée.**

1. ____ ?
   — Non, c'est de l'autre côté du fleuve.
2. ____ ?
   — Vous pouvez passer par là.
3. ____ ?
   — Non, au contraire, vous traversez la rivière.
4. ____ ?
   — Je connais le nom de la rue, mais je ne sais pas où c'est exactement.
5. ____ ?
   — Non, il ne passe pas par ici, il passe dans l'avenue, là-bas.

5 **À vous ! Pouvez-vous expliquer, le plus précisément possible, comment aller de chez vous à la gare (ou la station de métro ou l'aéroport) la/le plus proche ?**

Les renseignements

12 Parler des lieux

1 À l'agence immobilière

L'agent immobilier : Messieurs-dames, que puis-je faire pour vous ?

Brice : Voilà, **nous sommes à la recherche d'un appartement à louer**, qui ne soit pas trop loin de la gare.

L'agent immobilier : Vide ou meublé ?

Brice : Vide, de préférence.

L'agent immobilier : Oui, quel type d'appartement est-ce que vous recherchez ?

Brice : Eh bien, ça dépend du prix, bien sûr, mais probablement **un deux-pièces**. En tout cas, un appartement où nous puissions vivre à deux… et bientôt à trois !

L'agent immobilier : Je suis désolé, je ne vais pas avoir de deux-pièces dans ce quartier-là. En revanche, j'ai **un petit trois-pièces**, qui est **moderne, clair et en bon état. Il fait 47 m^2, avec un petit balcon.**

Anaïs : Est-ce qu'il **donne sur** la rue ?

L'agent immobilier : Non, sur **une cour intérieure,** très **calme. Vous désirez le visiter ?**

Brice : Oui, pourquoi pas ? **Le loyer est de combien ?**

L'agent immobilier : 790 € **charges comprises**. Ah, j'allais oublier : **le chauffage est individuel et électrique**.

Grammaire

Subjonctif ou indicatif

- **Je cherche** un appartement où je **puisse** mettre mon piano. / **J'ai** un appartement où je **peux** mettre mon piano.
- Tu **connaîtrais** quelqu'un qui **sache** le russe ? / Je **connais** quelqu'un qui **sait** le russe.

Vocabulaire

- Un appartement : un studio, un deux-pièces, un trois-pièces.
- Un logement à louer (une location) / à vendre (une vente).
- Le locataire paye le loyer au propriétaire.
- En bon état, refait à neuf ≠ en mauvais état, à rafraîchir ; « Travaux à prévoir ».
- Clair, lumineux ≠ sombre vide ≠ meublé.
- Un appartement avec une vue sur…, qui donne sur… ; sans vis-à-vis = avec une vue dégagée.
- Avec un chauffage individuel ≠ collectif / central.

Manières de dire

- Je suis à la recherche d'un appartement à louer / à vendre…
- Le loyer est de combien ? — Il est de 650 euros, charges comprises.
- Sur quoi donne l'appartement ? — Il donne sur une cour intérieure.
- Il fait quelle surface ? — Il fait 57 mètres carrés.
- Comment est-ce qu'il est chauffé ? — Il est chauffé au gaz / à l'électricité.

ACTIVITÉS

1 Compréhension. Relisez le dialogue ci-contre. Vrai ou faux ?

	VRAI	FAUX
1. Le couple souhaiterait habiter près des transports en commun.	☐	☐
2. L'appartement proposé par l'agent est lumineux.	☐	☐
3. Il n'y a pas de travaux à prévoir dans cet appartement.	☐	☐

2 Grammaire. Mettez les verbes aux temps et/ou mode appropriés.

1. L'entreprise recherche un commercial qui ________________ bien le chinois. *(savoir)*
2. Elle a un voisin qui ne ________________ pas bonjour *(dire)*. Elle préférerait avoir un voisin qui ________________ bonjour quand elle le rencontre ! *(dire)*
3. Ce serait bien de trouver une maison qui ________________ entourée d'un grand jardin. *(être)*
4. Nous n'avons pas encore trouvé de secrétaire qui ________________ *(vouloir)* bien travailler avec lui !
5. Ils ont découvert un hôtel qui ________________ une superbe salle de réception. *(avoir)*

3 Vocabulaire. Complétez par les mots manquants.

1. La personne qui possède la maison est le ________________.
2. Le ________________________ est le prix de la location.
3. La maison est en mauvais ______________, il faut prévoir des ________________.
4. Cette maison ______________ sur une petite rue tranquille.
5. Cet appartement est équipé d'un ______________ central.

4 Communication. Trouvez les questions qui correspondraient à ces réponses.

1. ____ ? — Il fait 64 m².
2. ____ ? — Au gaz.
3. ____ ? — Il est de 865 € par mois.
4. ____ ? — Oui, elles sont comprises dans le prix.
5. ____ ? — Sur la rue.

5 À vous ! Vous préparez des questions concernant cette annonce (surface, état, montant du loyer, situation...). Imaginez aussi les réponses.

Joli studio, clair, calme, en parfait état. Loyer modéré...

Bel appartement, 3 pièces, clair...

2 Les richesses d'une région

Valérie : Nuits-Saint-Georges ? **Ça se trouve où,** exactement ?

Fabienne : Il s'agit d'un célèbre vignoble qui se trouve à une vingtaine de kilomètres de Beaune…

Valérie : Oui, je vois, c'est à mi-chemin entre Beaune et Dijon. **C'est à quelle distance de** Paris ?

Fabienne : À peu près **à quatre heures de** Paris en voiture, selon que tu passes par l'autoroute ou par les petites routes, qui sont d'ailleurs magnifiques.

Valérie : C'est une belle région, non ? Assez vallonnée, autant que je sache.

Fabienne : Oui, c'est varié, avec des vallées, des vignobles, des champs, des canaux, des rivières, des forêts… Sans parler des monuments historiques, des églises médiévales, des châteaux…

Valérie : Je vois… Si j'y vais, j'aurai beaucoup à faire ! Est-ce que Beaune **vaut le détour ? Qu'est-ce qu'il y a d'intéressant à voir ?**

Fabienne : L'Hôtel-Dieu de Beaune **vaut la visite**. Tu peux aussi **faire des promenades** le long du canal de Bourgogne. Il y a tant de merveilles **à visiter, à voir, à découvrir dans cette région** ! Il y en a pour tous les goûts.

Grammaire

■ **Le verbe « valoir »**

- Ça (ne) vaut (pas) la peine *(de + infinitif)*.
- Ça (ne) vaut (pas) le détour. *(présent)*
- Ça vaudra le voyage. *(futur simple)*
- Ça valait le déplacement. *(imparfait)*
- Ça vaudrait la peine d'y aller. *(conditionnel présent)*
- Ça aurait valu le détour. *(conditionnel passé)*

■ **« Avoir à » + infinitif**

- Il y a beaucoup **à** voir, **à** faire…
- Tu as quelque chose **à** faire ?
- Je n'ai rien **à** dire, rien **à** me mettre…

Vocabulaire

- **La géographie :** une région vallonnée (= avec des collines et des vallées), montagneuse ≠ plate (avec une plaine)
- **Les cours d'eau :** un canal, une rivière, un fleuve.
- **La végétation :** un champ (de blé, de maïs), un vignoble (avec de la vigne pour faire le vin), un pré (avec de l'herbe), une forêt…
- **Les monuments historiques :** un château, une église, une abbaye, un village ancien…

Manières de dire

- Ça (ne) vaut (pas) la visite / le voyage / le détour / le déplacement / la peine…
- Cela mérite le déplacement / une longue visite / le détour…
- Ça se trouve où ?
- C'est loin de… ?
- C'est à quelle distance de… ?
- Qu'est-ce qu'il y a d'intéressant / de joli / d'extraordinaire à voir ?
- Il y a beaucoup à voir / à visiter / à découvrir…

ACTIVITÉS

1 Compréhension. Vrai ou faux ?

	VRAI	FAUX
1. À Nuits-Saint-Georges, on fait du bon vin.	☐	☐
2. La région n'est pas plate.	☐	☐
3. La ville ne Beaune n'est pas spécialement intéressante.	☐	☐
4. Il n'y a que les amateurs d'art qui peuvent aimer la Bourgogne.	☐	☐

2 Grammaire. Ajoutez le verbe « valoir » à la forme appropriée (plusieurs solutions sont parfois possibles).

1. Si tu viens à Noël, ça ____________ la peine que tu restes une semaine.
2. Quand j'étais jeune, je pensais que ça ne ____________ pas la peine de réviser pour les examens...
3. La Provence est une magnifique région, elle ____________ le déplacement !
4. Vous n'avez pas visité les châteaux de la Loire ? Si vous aviez eu le temps, ça ____________ le détour !
5. Visiter ce village médiéval ? Ça ____________ peut-être la peine.

3 Vocabulaire.Complétez par les termes appropriés.

1. On cultive le maïs, dans cette région ? — Oui, il y a beaucoup de ____________ de maïs.
2. Le Bordelais est réputé pour ses ____________ qui produisent un vin exceptionnel.
3. La Beauce est une région ____________, sans aucun relief, puisqu'il s'agit d'une grande ____________.
4. Le Périgord, en revanche, est une région ____________ et pittoresque. Du sommet des ____________, on peut apercevoir les ____________, comme la Dordogne ou le Lot.

4 Communication. Imaginez une question.

1. ________________________________ ? — Oui, ça vaut le déplacement !
2. ________________________________ ? — C'est à 200 km de Paris, environ.
3. ________________________________ ? — Près de Saint-Malo.
4. ________________________________ ? — Non, c'est à une vingtaine de kilomètres d'ici.
5. ________________________________ ? — Non, à vrai dire, il n'y a pas grand-chose à voir !
6. ________________________________ ? — Il y a un très joli château.

5 À vous ! Un touriste arrive dans votre région. Répondez aux questions qu'il pose.

1. Qu'est-ce qu'il y a à voir, dans la région ? ________________________________
2. Quels sont les monuments les plus importants ? ________________________________
3. Est-ce que je peux faire de belles promenades ? ________________________________
4. Est-ce que cela vaut le détour ? ________________________________
5. Est-ce que la région est vallonnée ? ________________________________

3 Une randonnée pédestre

Pascal : Nous envisageons de faire une randonnée dans la région. Qu'est-ce que vous nous conseillez ?

Jean : Vous pouvez **emprunter différents parcours**. Vous êtes bons marcheurs, j'espère ? **Ce n'est pas plat**, sauf quand vous traversez le plateau, qui est assez aride. Parfois **c'est très vallonné**, et même un peu **escarpé**.

Odile : Qu'est-ce qu'il y a à voir ?

Jean : La région **regorge de** sites préhistoriques et de grottes naturelles. Justement, un très beau **chemin de grande randonnée, bien balisé, mène à** une grotte. Cela dit, je vous conseille d'emporter une bonne carte !

Pascal : On peut dormir à la belle étoile ? Ou faire du camping ?

Jean : C'est toujours un peu risqué en pleine nature, et même **assez dangereux** : il y a des moutons, des vaches, des chèvres, mais aussi, parfois, des loups... Sinon, **vous pouvez profiter des** fermes-auberges. C'est agréable et on y mange bien ! Par exemple, **à quelques kilomètres d'ici, vous trouverez** une ferme qui produit du fromage de chèvre « bio ». Il y a un superbe panorama sur la région, c'est spectaculaire. **Emportez vos jumelles, vous pourrez voir à perte de vue.**

Odile : C'est par où ? C'est par-là ? On traverse la forêt ?

Jean : Oui, vous suivez le GR et vous y arrivez.

Grammaire

La suppression des articles

- **Expressions imagées :** à perte de vue, en pleine nature
- **Adjectifs employés sans article :** il existe différentes possibilités (= des possibilités variées)
- **Après certains verbes construits avec « de » :** la région regorge de ~~des~~ sites archéologiques.

Vocabulaire

- **Les animaux de la ferme :** le mouton et la brebis, la vache et le bœuf, la chèvre, le cochon...
- **Les volailles :** la poule, le poulet, le coq, le canard, l'oie, la dinde...
- **Les animaux sauvages :** le loup, l'ours, le sanglier...

Manières de dire

- Emprunter un parcours, une route, un chemin... qui mène à...
- Pour faire une randonnée pédestre (= à pied), prenez le GR, qui est balisé (= tout est indiqué).
- C'est par où ? C'est par là ? C'est à combien de kilomètres d'ici ?
- C'est un peu risqué < c'est dangereux.
- La région regorge de châteaux (= il y a de très nombreux châteaux).

Remarque de vocabulaire. « Bio » (= biologique) : fait naturellement, sans produits chimiques.

Remarque touristique. La France offre un réseau très riche de « GR » (chemins de grande randonnée), qui sont balisés comme des routes. L'un des plus connus est le GR 34, qui suit la côte atlantique.

ACTIVITÉS

1 Compréhension. Vrai ou faux ?

	VRAI	FAUX
1. Il est préférable d'être entraîné pour faire une randonnée dans cette région.	☐	☐
2. La région possède de nombreux sites préhistoriques.	☐	☐
3. Dormir dehors n'est pas forcément une bonne idée.	☐	☐
4. Pour aller à la ferme, il faut passer par une vallée.	☐	☐

2 Grammaire. Selon le cas, ajoutez ou non un article.

1. Mes amis ont acheté une maison en __________ pleine nature.
2. Il existe ___________ grottes dans ___________ région ?
3. Je connais ___________ différentes sortes d'auberges.
4. Paris regorge de _________ musées d'art.
5. Du sommet de _________ montagne, on peut voir à ____________ perte de vue.
6. Ils adorent dormir à ___________ belle étoile !

3 Vocabulaire. De quel animal parle-t-on ?

1. Elle pond des œufs. ____________________
2. C'est la femelle du mouton. ____________________
3. Il chante tôt le matin. ____________________
4. On dit qu'il aime le miel. ____________________
5. On exploite sa laine. ____________________
6. On le mange rôti, c'est un plat très courant en France. ____________________
7. C'est l'animal favori d'Obélix ! ____________________

4 Vocabulaire et communication. Trouvez une réponse possible.

1. La ville la plus intéressante est à combien de kilomètres d'ici ?
   — ____________________
2. Est-ce qu'il y a un chemin de grande randonnée, par ici ?
   — ____________________
3. Par où est-ce qu'il faut passer pour trouver une forêt ?
   — ____________________
4. Est-ce qu'on peut dormir à la belle étoile, par ici ?
   — ____________________
5. Est-ce que nous pouvons déjeuner à la ferme, dans cette région ?
   — ____________________

5 À vous ! Des amis voudraient faire une randonnée d'une journée dans votre région. Vous les conseillez sur ce qu'il est agréable de voir ou au contraire ce qu'il faut éviter. Imaginez et jouez le dialogue.

Les renseignements

13 Prendre ou résilier un contrat

1 Une ligne de téléphone fixe

Julien : Bonjour, madame, je viens d'emménager et **je voudrais une ligne téléphonique fixe**.

L'employée : Vous êtes locataire ou propriétaire ?

Julien : Locataire.

L'employée : Bien. Vous connaissez le numéro du précédent locataire ?

Julien : Oui, c'est le 01 72 36 30 00.

L'employée : Est-ce que vous souhaitez **reprendre le même numéro** ?

Julien : Oui, ce serait plus commode, il est facile à retenir.

L'employée : Vous me donnez votre nom et votre adresse ?

Julien : Julien Renoir, 97 avenue Balzac, 2e étage à droite.

L'employée : La ligne **sera mise en service sous 48 heures**.

2 Un forfait de téléphone mobile

Le client : Quelles formules est-ce que vous proposez ?

L'employée : Nous avons **différentes offres** : la Tralala avec 3 heures de communications gratuites, deux numéros illimités, ou alors **le forfait** Turlututu avec 6 **heures de communications**, **textos illimités** et 6 numéros gratuits.

Le client : En fait, c'est comme chez les autres opérateurs. Ils proposent tous la même chose !

L'employée : Ah non, monsieur, c'est différent chez nous ! De plus, **vous bénéficiez d'une réduction de 20 % sur le prix** des mobiles jusqu'à samedi.

Le client : Et au cas où je souhaiterais résilier mon contrat ?

L'employée : Pour le résilier sans frais, il faut attendre un an.

Grammaire

La comparaison

- **Plus/moins/aussi + adjectif… que**
  Cette offre est plus intéressante que l'autre.
- **Le/la/les même(s)… que**
  Ce sont les mêmes tarifs que l'année dernière.
- **Comme…**
  Cette formule est comme celle des concurrents.

Vocabulaire

- Le [téléphone] mobile = le portable.
- Un opérateur téléphonique.
- Une formule avec une heure gratuite de communications, des textos (= sms).
- Un forfait illimité ≠ de 2 heures.
- Un abonnement à… une ligne fixe.
- La mise en service, mettre en service.

Manières de dire

- Je voudrais une ligne de téléphone fixe.
- Je souhaite reprendre le même numéro.
- Quelles formules est-ce que vous proposez/avez ?
- Vous bénéficiez de…
- Vous pouvez résilier sans frais ≠ la résiliation est payante.

ACTIVITÉS

1 Compréhension. Vrai ou faux ?

	VRAI	FAUX
Dialogue 1		
1. Julien ne possède pas l'appartement.	☐	☐
2. Julien va reprendre le numéro de l'ancien propriétaire.	☐	☐
3. La ligne téléphonique marchera dans deux jours.	☐	☐
Dialogue 2		
4. Selon le client, les opérateurs sont tous les mêmes.	☐	☐
5. Le client ne pourra pas résilier son contrat.	☐	☐

2 Grammaire. Complétez par « plus », « moins », « aussi » ou « même ».

1. La France est ______________ grande que la Russie.
2. Mes amis et moi, nous avons les ______________ goûts.
3. Cette formule est ______________ chère que l'autre, elle ne coûte que 20 euros.
4. Son téléphone mobile lui est ______________ utile qu'avant, car elle est souvent à la maison.
5. Ce forfait coûte ______________ cher que l'autre, il n'y a pas de différence.

3 Vocabulaire. Ajoutez les mots manquants.

1. Je vais changer d'____________________ téléphonique, mais je crois qu'ils sont tous les mêmes !
2. La ligne sera ____________________ en service dans deux jours.
3. Il peut m'envoyer autant de textos qu'il veut, puisqu'il a un forfait ________________.
4. La vieille dame se sert encore de sa ligne ____________________, mais ses petits-enfants n'ont plus que des ________________.
5. Dans ma ____________________ de téléphone mobile, les textos sont ____________________, puisqu'ils sont inclus dans le ________________.
6. J'ai décidé de résilier mon ____________________ avec l'opérateur.

4 Communication. Choisissez la ou les meilleure(s) réponse(s).

1. Nous avons un nouvel abonnement à vous proposer pour votre portable.
☐ **a.** Je n'ai pas de portable. ☐ **b.** Je ne souhaite pas changer d'abonnement. ☐ **c.** J'ai un mobile.

2. Est-ce que je peux changer d'abonnement ?
☐ **a.** Oui, vous pouvez le résilier sans frais. ☐ **b.** Oui, quand vous voulez et sans frais. ☐ **c.** Oui, cette formule est illimitée.

3. Le forfait comprend combien d'heures de communications ?
☐ **a.** C'est illimité. ☐ **b.** Quelques heures. ☐ **c.** Trois heures.

4. Quand est-ce que je pourrai utiliser ma ligne ?
☐ **a.** Quand vous l'aurez résiliée. ☐ **b.** Quand elle sera mise en service. ☐ **c.** Pendant 2 heures.

3 Résilier un bail

Le locataire : Allô, monsieur Verdurin ? Bonjour, c'est Alain Langlois, à l'appareil. Je vous téléphone, car **je vais devoir quitter mon appartement. Je vais vous envoyer mon préavis.**

Le propriétaire : Ah, c'est dommage ! Vous allez donc partir dans trois mois, je suppose ?

Le locataire : Oui, mais en fait, je suis envoyé en mission à l'étranger et je quitterai l'appartement dans deux mois. Mais j'ai une amie qui **aimerait reprendre mon appartement. Ça* vous éviterait de chercher un autre locataire** et **nous pourrions nous arranger pour le préavis.**

Le propriétaire : Pourquoi pas ? Il faudrait que je rencontre votre amie et si tout va bien, vous pourriez partir dans deux mois.

Le locataire : En ce qui concerne la caution, comme faisons-nous ?

Le propriétaire : Écoutez, je sais que l'appartement est en bon état. **Je vais donc vous rembourser la caution avant de faire l'état des lieux**. Vous avez toujours été un bon locataire.

Grammaire

Expression du futur
(présent, futur proche, futur simple)

- Je **pars** à l'étranger. → *présent*, c'est relativement sûr.
- Je **vais partir** à l'étranger. → *futur proche*, c'est mon intention.
- Je **partirai** à l'étranger, peut-être, probablement, si je peux… → *futur simple*, c'est probable, soumis à condition.

Vocabulaire

- Le verbe « louer » a deux sens : le propriétaire loue un appartement à son locataire. Le locataire loue un appartement.
- Le locataire doit donner son préavis avant de résilier le bail (= le contrat de location).
- Le locataire verse une caution (= une somme d'argent), qui sera remboursée par le propriétaire si l'appartement est en bon état.
- Les deux font l'état des lieux.

Manières de dire

- Je souhaite résilier mon bail / mon contrat / mon abonnement → la résiliation du bail, du contrat…
- Je vais devoir partir / quitter l'appartement…
- En ce qui concerne la caution…
- Nous allons faire l'état des lieux (au début et à la fin de la location).
- Tout est en bon (≠ mauvais) état.
- Je vais devoir faire des travaux. ≠ Il n'y a pas de travaux à faire.

ACTIVITÉS

1 **Compréhension. Relisez le dialogue ci-contre. Vrai ou faux ?**

	VRAI	FAUX
1. Alain Langlois va emménager dans l'appartement.	☐	☐
2. Le préavis est normalement de trois mois.	☐	☐
3. Le propriétaire souhaite vendre l'appartement.	☐	☐
4. Le propriétaire remboursera la caution dans trois mois.	☐	☐
5. Le propriétaire et le locataire doivent faire l'état des lieux.	☐	☐

2 **Grammaire. Mettez les verbes au présent, au futur proche ou au futur simple, selon le cas.**

1. Si nous le pouvons, nous ________________ notre appartement. *(louer)*
2. Un instant, je ________________ tout de suite ! *(revenir)*
3. Je________________ *(s'en aller)*, c'est mon intention.
4. Ce soir, nous ________________ aux États-Unis. *(partir)*
5. Probablement, ils ________________ d'ici l'année prochaine. *(déménager)*
6. Nous ________________ notre propriétaire de notre départ. *(prévenir)*
7. J'espère qu'il me ________________ la caution, mais ce n'est pas sûr... *(rembourser)*

3 **Vocabulaire. De quoi parle-t-on ? Complétez par les mots manquants.**

1. ________________________ est un contrat de location.
2. La période avant le départ du locataire s'appelle ________________.
3. Quand on renonce au contrat, on le ________________________.
4. Quand un locataire quitte l'appartement, on doit faire ________________, pour voir si l'appartement est en bon________________.
5. Le propriétaire remboursera ________________ au locataire.

4 **Communication. Qui parle, le locataire (a), le propriétaire (b), l'un ou l'autre (c) ?**

1. « Je vais vous rembourser la caution. » _____
2. « Je loue un appartement. » _____
3. « Je dois vous rendre les clés. » _____
4. « Je vous envoie mon préavis demain matin. » _____
5. « Je ne pense pas relouer l'appartement, je vais le vendre. » _____
6. « Nous devons faire l'état des lieux. » _____
7. « Je souhaite résilier mon bail, car je vais déménager. » _____
8. « Mon locataire n'a pas payé son loyer. » _____

5 **À vous ! Un(e) ami(e) étranger (-ère) souhaite louer un appartement dans votre pays. Expliquez-lui comment cela fonctionne, comment il/elle doit s'y prendre, en comparant, éventuellement, avec le système français.**

14 Parler du fonctionnement

1 Le cinéma

Roberto : Je ne comprends rien au système, en France ! **Comment on fait* pour** prendre des billets de cinéma ? **Est-ce qu'il faut** les acheter à l'avance ? **On ne peut pas** les acheter en ligne ?

Félix : Si, bien sûr, mais ça dépend des cinémas !

Roberto : Voilà, c'est typiquement français, « ça dépend » ! Je voudrais juste savoir **comment ça marche**.

Félix : Attends, je t'explique. Dans certains cinémas, **tu peux** acheter des billets à l'avance, sur Internet ou au guichet. **Dans d'autres**, tu achètes ton billet pour entrer tout de suite.

Roberto : Et à quoi je le vois ? Comment est-ce que je peux savoir ce qu'il faut faire ?

Félix : Devant le cinéma, tu verras des panneaux « spectateurs munis de billets » ou alors « spectateurs sans billets ». Et si **rien n'est marqué**, tu dois **faire la queue.**

Roberto : Deuxième caractéristique de la France : faire la queue, faire la queue !

Félix : Ne te plains pas ! À Paris, par exemple, il existe plus de cent cinémas, chacun avec plusieurs salles. **Ça te permet de** voir des films de toutes les nationalités, français, espagnols, américains, chinois... La plupart sont en v.o.

Roberto : Qu'est-ce que ça veut dire, en v.o. ?

Félix : En version originale, c'est-à-dire dans la langue d'origine du film. En italien, pour un film italien, en japonais, pour un film japonais, avec des sous-titres en français. Sinon, c'est en v.f., en version française, doublée, donc.

Grammaire

■ Verbes + DE + nom ou infinitif

- Dépendre de, se moquer de, se souvenir de... *(+ nom)*
- Décider de, accepter de, refuser de, choisir de, essayer de, oublier de *(+ infinitif)*

■ Verbes + À + nom ou infinitif

- Appartenir à, obéir à... *(+ nom)*
- Commencer à, arriver à, continuer à, hésiter à, se mettre à... *(+ infinitif)*

■ Structures idiomatiques

- Je ne comprends rien à...
- À quoi tu le vois ? — Je le vois à...

Vocabulaire

- Faire la queue devant le cinéma.
- Un film en version originale sous-titrée ≠ en version française doublée.
- Les spectateurs sont munis de billets.
- Acheter les billets à l'avance, en ligne, sur Internet, sur place...

Manières de dire

- Comment est-ce qu'on fait / Comment on fait *(fam.)*... pour... ?
- Est-ce qu'il faut *(+ nom ou infinitif)*... ?
- Cela te/vous permet de...
- Qu'est-ce que ça veut dire ?
- À quoi je le vois ? Comment est-ce que je peux savoir ce qu'il faut faire ?

ACTIVITÉS

1 Compréhension. Vrai ou faux ?

	VRAI	FAUX
1. On ne peut jamais acheter de billets à l'avance.	☐	☐
2. Le système change selon les cinémas.	☐	☐
3. On attend souvent, à Paris !	☐	☐
4. Un film en version doublée a des sous-titres.	☐	☐

2 Grammaire. Complétez par la préposition manquante, « à » ou « de ».

1. Ils ont refusé ________ faire ce travail et ont décidé ________ donner leur démission.
2. J'hésite _________ aller voir ce film, car je me souviens _________ un autre film du même réalisateur, qui ne m'avait pas plu.
3. Elle commence _______ comprendre pourquoi elle n'arrive pas _________ se connecter sur ce site Internet.
4. Je ne comprends rien _______ ce système !
5. ______ quoi est-ce que vous voyez que le cinéma est ouvert ?

3 Vocabulaire. Choisissez la bonne réponse.

1. Nous avons vu ce film de Bergman en _______ originale, _____________ en français.
2. Les ______________ munis de billets peuvent entrer tout de suite.
3. Il déteste faire ______________ devant le cinéma, c'est fastidieux !
4. Tu as acheté les ________________ en ligne ?
5. Ce film espagnol est __________ en français, on n'entend pas la voix des acteurs espagnols.

4 Communication. Choisissez la meilleure réponse.

1. Je ne comprends rien à ce système !
   ☐ **a.** Je vais t'expliquer. ☐ **b.** C'est comme ça qu'il faut faire.
2. Comment est-ce que je peux savoir ce qu'il faut faire ?
   ☐ **a.** C'est écrit sur l'affiche. ☐ **b.** Ça ne veut rien dire.
3. Est-ce qu'il faut faire la queue ?
   ☐ **a.** Rien n'est marqué. ☐ **b.** Oui, hélas, c'est comme ça !
4. À quoi est-ce que je vois que je peux payer par carte bancaire ?
   ☐ **a.** Ça veut dire CB, carte bancaire. ☐ **b.** Tu vois le sigle CB, carte bancaire.

5 À vous ! Répondez librement aux questions concernant votre ville/votre région.

1. Est-ce qu'on doit réserver pour aller au cinéma ?
2. Est-ce qu'on fait souvent la queue, au théâtre, au cinéma ?
3. Comment est-ce qu'on fait pour prendre des billets pour un match de football ?
4. À la télévision, est-ce que les films sont en v.o. ?
5. Comment est-ce qu'on fait pour connaître les programmes culturels ?

2 Un mouvement social

Une voix, dans un haut-parleur : *Suite à un mouvement social, le trafic est interrompu sur la ligne A du RER.*

Sophia : Qu'est-ce que ça veut dire, « mouvement social » ?

Luc : C'est une grève !

Sophia : Et alors ?

Luc : Eh bien, il n'y a pas de RER.

Sophia : Et comment est-ce qu'on fait, alors ?

Luc : Il faut trouver une solution avec les autres transports, le métro, le bus...

3 Se déplacer en ville

Ingrid : Excusez-moi, je ne suis pas d'ici. Je voudrais des billets de bus pour une semaine. **Comment est-ce que ça marche ? Est-ce qu'il est possible d'**acheter une carte ?

L'employé : Oui, vous avez la carte hebdomadaire, qui vous permet de faire autant de trajets que vous le souhaitez.

Ingrid : Je peux aussi prendre le tram ?

L'employé : Bien sûr. La carte vous **donne accès à** tous les transports en commun de la ville.

Ingrid : Et avec cela, je peux aller à l'aéroport ?

L'employé : Non, vous devez acheter un autre billet, car **ce n'est pas compris dans ce forfait**. Si vous le souhaitez, **vous avez la possibilité de** le faire maintenant, cela vous évitera de faire la queue le jour de votre départ.

Ingrid : Merci, c'est une bonne idée, en effet.

Grammaire

Usages de « cela » / « ça* »

■ **Sujet de la phrase**

Cela/Ça vous permet de circuler.

Cela/Ça sert à couper le papier.

■ **Après une préposition**

Avec, pour, sans, avant... cela/ça...

■ **Complément d'objet**

Donne-moi ça ! Ne dites pas cela !

Je finis ça et je viens !

Vocabulaire

Les transports en commun

- Prendre (≠ rater) le bus, le tram, le métro.
- Attendre à l'arrêt de bus/tram.
- La station de métro ; la gare (pour le train).
- Le RER (à Paris) = sorte de train urbain.
- Prendre un ticket de bus/de métro, un billet de train ; un abonnement, un forfait, une carte hebdomadaire (= pour une semaine), mensuelle (pour un mois).
- Monter dans le train/le bus ≠ descendre du train, du bus...

Manières de dire

- Comment est-ce que ça marche/fonctionne ?
- Comment est-ce qu'on fait ?
- Est-ce qu'il est possible de... ?
- Est-ce que je peux... ?
- Cela donne accès à... Cela vous permet de...
- Vous avez la possibilité de...
- C'est (≠ ce n'est pas) compris dans le forfait / dans la formule / dans le prix.

ACTIVITÉS

1 Compréhension. Vrai ou faux ?

Dialogue 2

	VRAI	FAUX
1. Le RER ne circule plus aujourd'hui.	☐	☐
2. Aucun autre transport ne marche, car il y a une grève.	☐	☐

Dialogue 3

	VRAI	FAUX
3. La carte est valable pour deux semaines.	☐	☐
4. On ne peut pas aller à l'aéroport avec cette carte.	☐	☐
5. Il est possible d'acheter un billet pour l'aéroport à l'avance.	☐	☐

2 Grammaire. Répondez librement en employant « cela » ou « ça ».

1. À quoi sert ce document ? ______________________

2. Qu'est-ce que la carte d'abonnement vous permet de faire ? ______________________

3. Qu'est-ce que cette attitude provoque, comme émotion ? ______________________

4. Qu'est-ce que vous faites ? ______________________

5. À quoi ce forfait me donne-t-il accès ? ______________________

3 Vocabulaire. Vrai ou faux ?

	VRAI	FAUX
1. On peut monter dans le train.	☐	☐
2. On va à la gare pour prendre le bus.	☐	☐
3. Le RER n'existe pas dans toutes les villes.	☐	☐
4. On rate parfois le métro.	☐	☐
5. On attend le train à la station.	☐	☐
6. Le forfait hebdomadaire dure une semaine.	☐	☐

4 Communication. Trouvez une question appropriée.

1. ______________________ ?

— Oui, vous pouvez prendre le tram ou le bus.

2. ______________________ ?

— Avec un système d'abonnement, tout simplement.

3. ______________________ ?

— Oui, vous avez accès à tous les transports en commun de la ville.

4. ______________________ ?

— Non, cela ne vous permet pas de sortir de la ville.

5. ______________________ ?

— Oui, bien sûr, c'est possible !

15 Déclarer un vol, un accident

1 Au commissariat de police

Marcel : Bonjour, monsieur, **je me suis fait voler mon portefeuille avec tout dedans** ! C'est une catastrophe !

Le policier : Calmez-vous, monsieur. Je vais **prendre votre déposition.** Dites-moi, **ça s'est passé quand et où ?**

Marcel : Dans la rue, ce matin, vers 11 heures.

Le policier : Racontez-moi ce qui s'est passé. Vous vous êtes fait agresser ?

Marcel : Non ! Un monsieur m'a abordé, tout à fait normalement, il m'a demandé du feu. Je lui ai donné mon briquet, qu'il a fait tomber. Il l'a ramassé, il me l'a rendu, il m'a remercié et il est parti. **À ce moment-là, je me suis aperçu que mon portefeuille avait disparu. Tout s'est passé très rapidement. J'ai couru après** lui, mais c'était trop tard !

Le policier : Est-ce que vous pouvez décrire le malfaiteur ?

Marcel : C'est un peu difficile, parce que je ne faisais pas attention. C'était un homme de taille moyenne, un peu plus grand que moi…

Le policier : C'est-à-dire ?

Marcel : Je mesure 1,75 m. Il était brun, euh… Franchement, je ne pourrai pas le décrire, il n'avait rien de spécial.

Le policier : Qu'est-ce que vous aviez dans votre portefeuille ?

Marcel : Tous mes papiers, un peu d'argent liquide, environ 60 €, une carte bancaire…

Le policier : Vous avez fait opposition ?

Marcel : Oui, tout de suite. C'est la troisième fois que je me fais voler dans mon quartier !

Vocabulaire

- Un portefeuille, un porte-monnaie, une carte bancaire.
- « Les papiers » = une pièce d'identité, un passeport, une carte d'identité.
- Voler, agresser → un vol, une agression.
- Un voleur/une voleuse ; un agresseur ; un malfaiteur.
- La victime dépose (porte*) plainte au commissariat de police. / Le policier note la déposition de la victime.
- La victime fait opposition auprès de la banque.

Grammaire

« Se faire » + infinitif (+ « par ») forme passive

- Je me suis fait voler mon portefeuille.
- Elle s'est fait agresser (**par** un fou).
- Ils se sont fait cambrioler.

Manières de dire

- Qu'est-ce qui s'est passé ? Racontez-moi, dites-moi ce qui s'est passé. Ça s'est passé quand et où ?
- On m'a pris… On m'a volé… On m'a agressé dans la rue… Mon portefeuille a disparu.
- Qu'est-ce que vous aviez dans votre portefeuille ?
- Est-ce que vous pouvez décrire la personne ? = Il/elle était comment ?

ACTIVITÉS

1 Compréhension. Relisez le dialogue ci-contre. Vrai ou faux ?

	VRAI	FAUX
1. Le monsieur a été violemment agressé.	☐	☐
2. Il s'est fait voler son porte-monnaie.	☐	☐
3. Il n'avait pas de carte bancaire dans son portefeuille.	☐	☐
4. L'incident s'est produit dans un jardin public.	☐	☐
5. La victime s'est fait voler de l'argent.	☐	☐

2 Grammaire. Transformez les phrases en employant la tournure « se faire » + infinitif.

1. Mon téléphone a été volé par un jeune homme dans le métro. ______________________
2. Mes voisins ont été cambriolés. ______________________
3. Il a été insulté quand il est arrivé sur place. ______________________
4. Heureusement, elle n'a jamais été agressée en rentrant chez elle. ______________________
5. Nous avons été critiqués par la presse. ______________________

3 Vocabulaire. Choisissez la ou les bonne(s) réponse(s).

1. Le jeune homme s'est fait | voler | agresser | prendre | son téléphone mobile.
2. Dites-moi ce qui | a passé | s'est passé | est passé |.
3. Vous devez | prendre | déposer | faire | opposition auprès de votre banque.
4. Impossible de rattraper | la victime | le voleur | l'agresseur | !
5. Après ce vol, ils ont | posé | porté | déposé | plainte au commissariat.

4 Communication. En vous aidant des dessins ci-dessous, répondez aux questions.

1. Alors, qu'est-ce qui s'est passé ? — ______________________
2. Ça s'est passé où et quand ? — ______________________
3. Vous étiez déjà dans le métro ? — ______________________
4. Vous avez vu le pickpocket ? — ______________________
5. Il est parti dans quelle direction ? — ______________________
6. Qu'est-ce que vous aviez, dans votre portefeuille ? — ______________________

2 Au bureau d'assurance

L'employée : Bonjour, monsieur, qu'est-ce que je peux faire pour vous ?

Le client : Je viens déclarer un accident de la circulation.

L'employée : D'accord… Alors, expliquez-moi ce qui s'est passé.

Le client : Voilà, j'étais dans ma voiture, arrêté à un feu rouge, et **l'autre monsieur m'est rentré dedans*** !

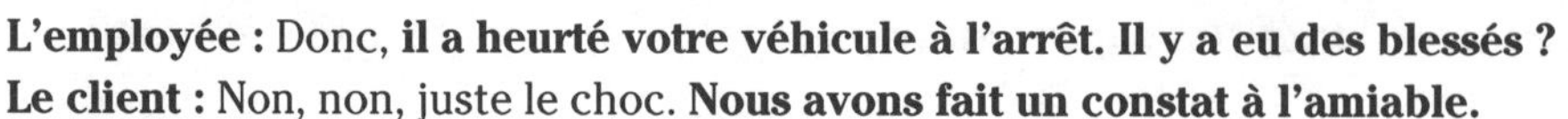

L'employée : Donc, **il a heurté votre véhicule à l'arrêt. Il y a eu des blessés ?**

Le client : Non, non, juste le choc. **Nous avons fait un constat à l'amiable.**

L'employée : Votre voiture a été endommagée ?

Le client : Ah oui, tout **l'arrière est enfoncé. Les phares sont cassés, je ne peux plus ouvrir le coffre.**

L'employée : D'accord. **L'expert va passer** dans quelques jours pour regarder tout ça. De toute façon, **vous n'êtes pas responsable de l'accident**, donc, il n'y aura pas de problème pour le remboursement…

Grammaire

La voix passive

- **Présent :** le portefeuille **est** volé.
- **Passé composé :** la voiture **a été** endommagée (par un autre véhicule).
- **Imparfait :** avant, ce genre de choses **était** pris en charge (par les assurances).
- **Futur proche :** elle **va être** soignée.
- **Futur :** le client **sera** remboursé (par l'assurance).

Vocabulaire

- Un véhicule = une voiture, une camionnette, un camion, un poids-lourd…
- La portière avant/arrière/gauche/droite.
- On met les bagages dans le coffre de la voiture.
- Les phares (pour éclairer), les stops (pour montrer qu'on freine), le clignotant (pour montrer qu'on tourne).
- Établir = faire un constat à l'amiable.

Manières de dire

- Je viens déclarer un accident/un vol/un cambriolage…
- Un camion a heurté / a percuté ma voiture = un camion m'est rentré dedans *(fam.)*
- La voiture est endommagée = abîmée.
- Le rétroviseur est cassé, la portière avant droite est enfoncée.
- Nous avons fait un constat à l'amiable.

Remarque de vocabulaire. **1.** Les Français disent souvent, à tort, « je » pour « ma voiture » : « **Je** suis garé dans la rue. » « Il **m'**est rentré dedans ! » – **2.** Un « constat à l'amiable » est le document que les conducteurs remplissent après un accident de la route sans gravité.

ACTIVITÉS

1 Compréhension. Relisez le dialogue ci-contre et choisissez la bonne réponse.

1. Le monsieur a eu un | grave | léger | accident de la circulation.
2. Il n'est pas | coupable | responsable | de l'accident.
3. La voiture du monsieur | roulait | était arrêtée | au moment du choc.
4. Sa voiture est abîmée | sur le côté | à l'arrière |.
5. L'assurance | n'est pas sûre | accepte | de rembourser le monsieur.

2 Grammaire. Transformez les phrases à la voix passive en respectant le temps des verbes.

1. L'autobus a heurté le camion. ______________________________
2. Avant, mon assurance remboursait ces soins dentaires. ______________________________
3. On a retrouvé les bagages qu'on avait égarés. ______________________________
4. La secrétaire préviendra le client de la date de livraison. ______________________________
5. On ne pourra pas réparer la voiture. ______________________________

3 Vocabulaire. Dans le dialogue suivant, complétez par les verbes manquants.

1. **Le client** : Je viens ______________ un accident de la circulation.
2. **L'employé** : ______________-moi ce qui ______________.
3. **Le client** : Un camion a ______________ ma voiture, il avait brûlé le feu rouge.
4. Nous ______________ un constat à l'amiable.
5. **L'employé** : Votre véhicule est ______________ ?
6. **Le client** : Oui, je ne peux plus ______________ ma portière avant droite.

4 Communication. Associez chacune des phrases suivantes à une situation.

1. « Une camionnette a heurté mon véhicule. »
2. « Il y avait tous mes papiers dedans ! »
3. « Je ne peux plus ouvrir la portière. »
4. « J'ai déjà fait opposition. »
5. « Le choc a été assez violent. »
6. « Il n'y a pas de blessés, heureusement ! »
7. « Nous avons fait un constat à l'amiable. »
8. « J'étais au cinéma, je n'ai rien vu ! »
9. « Il ne m'a pas agressée. »
10. « Tout l'avant est enfoncé. »

a. On parle d'un accident de la circulation.

b. On parle du vol d'un sac à main.

5 À vous ! Vous êtes le gendarme et vous expliquez l'accident qui s'est produit.

16 Parler de sa santé

1 À la pharmacie

Le client : Bonjour, madame, **je voudrais des pansements**, s'il vous plaît. **Je me suis écorché la main.**

La pharmacienne : Comment vous vous êtes fait ça ?

Le client : En jardinant ! Je vais prendre aussi **une pommade pour** les muscles, **les courbatures**…

La pharmacienne : Vous avez vraiment trop jardiné !

2 Épidémie de rhumes

Le client : Bonjour, monsieur, **je voudrais quelque chose pour la toux**, s'il vous plaît.

Le pharmacien : Des pastilles ou du sirop ?

Le client : Les deux ! Il me faudrait aussi **de l'aspirine en comprimés**.

Le pharmacien : Oui, monsieur. Ce sera tout ?

Le client : Non, je voudrais aussi **des gouttes pour les yeux. J'ai attrapé un rhume** en attendant le bus dans le froid.

Le pharmacien : Vous savez, tout le monde est **enrhumé**, en ce moment ! **C'est une véritable épidémie.**

3 Une chute

La dame : Ça va, monsieur ? Qu'est-ce qui vous est arrivé ?

Le monsieur : J'ai glissé sur quelque chose et je suis tombé.

La dame : Vous vous êtes fait mal ?

Le monsieur : Un peu, oui, **j'ai mal au genou**.

La dame : Vous pouvez marcher ?

Le monsieur : Oui, ça va, mais **ça fait un peu mal**.

La dame : Vous voulez que j'appelle les pompiers ? J'ai mon téléphone portable.

Le monsieur : Non, ce n'est pas la peine, j'habite juste à côté, et il y a un médecin dans mon immeuble.

Grammaire

Verbes pronominaux + articles définis

Je me suis cassé **la** jambe. Il se lavera **les** cheveux. Elle se brosse **les** dents.

Vocabulaire

- De l'aspirine en comprimés / en sachets.
- Des gouttes pour les yeux, du sirop pour la toux, des pastilles pour la gorge.
- Un pansement pour une écorchure.
- Une pommade pour les courbatures, les brûlures…

Manières de dire

- Je voudrais quelque chose pour…
- Qu'est-ce qui vous est arrivé ? — J'ai glissé sur / Je suis tombé(e) / J'ai buté contre…
- Ça fait mal ? — Oui, ça fait (un peu / très / vraiment) mal. / Non, ça ne fait pas (trop) mal.
- Vous vous êtes fait mal ? — Oui, je me suis fait (un peu / très) mal à…
- J'ai un rhume = je suis enrhumé(e) : je tousse, je me mouche, j'ai mal à la gorge.

ACTIVITÉS

1 Compréhension. Vrai ou faux ?

Dialogue 1	VRAI	FAUX
1. Le client s'est gravement blessé à la main.	☐	☐
2. Il a mal aux muscles.	☐	☐

Dialogue 2	VRAI	FAUX
3. Le client tousse.	☐	☐
4. Il s'est fait mal.	☐	☐

Dialogue 3	VRAI	FAUX
5. Le monsieur ne pourra pas marcher.	☐	☐
6. Le monsieur n'a pas besoin de voir un médecin.	☐	☐

2 Grammaire. Répondez en employant un verbe pronominal et un article défini.

1. Qu'est-ce qu'on fait avec un peigne ? — ______________________________
2. À quoi sert le dentifrice ? — ______________________________
3. Si on a un plâtre au bras, que s'est-il passé ? — ______________________________
4. Si on approche ses mains du lavabo, que va-t-on faire ? — ______________________________
5. À quoi sert le shampooing ? — ______________________________

3 Vocabulaire. Choisissez la bonne réponse.

1. Il me faudrait | un sirop | des gouttes | contre la toux.
2. Je me suis fait une écorchure, il me faut | de l'aspirine | un pansement |.
3. Il doit acheter de l'aspirine en | comprimés | sirop |.
4. Il a mal à la gorge, il lui faut des | pastilles | pommades |.
5. Elle va mettre | de la pommade | du sirop | sur la brûlure.

4 Communication. Trouvez une réponse possible aux questions suivantes.

1. Qu'est-ce qui vous est arrivé ? ______________________________
2. Comment est-ce que vous vous êtes fait ça ? ______________________________
3. Vous vous êtes fait mal ? ______________________________
4. Ça fait mal ? ______________________________
5. Vous préférez des pastilles ou du sirop ? ______________________________

5 À Vous ! Qu'est-ce qui arrive à cette dame ? Que doit-elle faire, d'après vous ?

4 La grippe ?

Le patient : Docteur, **j'ai mal à la tête**, je crois que **j'ai la grippe**. **Je tousse, j'éternue, j'ai mal à la gorge.**

Le médecin : Vous avez de la fièvre ?

Le patient : Oui, 39,2 °C.

Le médecin : Je vais vous examiner. Déshabillez-vous, s'il vous plaît. *(Quelques minutes plus tard)* Effectivement, je pense que vous avez la grippe. Attendez, **je vais prendre votre tension**. Bon, 10-6, c'est un peu bas.

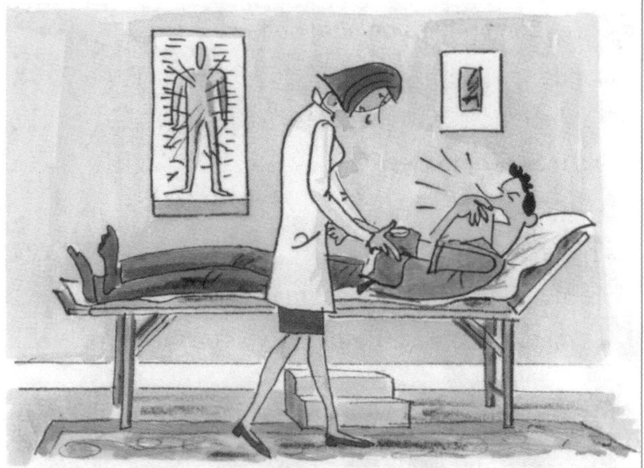

5 Des maux de dos

Le médecin : Bonjour, madame, asseyez-vous. Qu'est-ce qui vous amène ?

La patiente : Voilà, docteur, je viens vous consulter, car **j'ai tout le temps des problèmes de dos, des lumbagos ou des sciatiques**. En ce moment, j'ai vraiment **mal aux reins**.

Le médecin : Vous avez fait des efforts physiques ? Vous avez porté quelque chose de lourd ? Vous êtes tombée ?

La patiente : Non, rien de spécial. Mais je suis très stressée en ce moment, et je passe mes journées assise devant mon ordinateur.

Le médecin : Je vois… Vous avez une activité physique ? De la marche, de la natation ?

La patiente : Euh non, je n'ai absolument pas le temps…

Le médecin : Bon, vous allez **faire un scanner pour voir l'état de votre colonne vertébrale**. Je vais aussi **vous prescrire des séances de kiné**[**sithérapie**]. Mais madame, si vous voulez aller mieux, il faudra vous reposer, prendre des vacances, puis faire de l'exercice…

Grammaire

■ Impératif des verbes pronominaux

- **Se déshabiller :** déshabille-toi ! Déshabillons-nous ! Déshabillez-vous !
- **S'asseoir :** assieds-toi ! Asseyons-nous ! Asseyez-vous !

■ Impératif négatif :

Ne t'assieds pas ! Ne nous asseyons pas ! Ne vous asseyez pas !

Vocabulaire

La consultation médicale

- Le médecin examine / ausculte le patient/ la patiente.
- Il prescrit des médicaments, une radio, un scanner, une IRM (= image à résonance magnétique), des séances de kiné[sithérapie].
- Le patient / la patiente a mal… au dos / aux reins / au ventre / à la tête…

Manières de dire

- J'ai tout le temps des problèmes de…
- Je souffre de…
- J'ai (vraiment) mal à…
- J'ai de la fièvre. Je tousse. J'éternue. Je me mouche.
- Je vais vous examiner / ausculter. Je vais prendre votre tension. Je vais vous prescrire…

ACTIVITÉS

1 Compréhension. Choisissez les réponses possibles.

Dialogue 4

1. Le patient a | de la fièvre | la grippe | un rhume | mal au ventre |.
2. Le médecin | pose des questions | déshabille le patient | l'examine | prend sa tension |.

Dialogue 5

3. La patiente | a mal au dos | est fatiguée | fait de l'exercice | est tombée |.
4. Le médecin | fait un scanner | de la kiné | pose des questions | donne des conseils |.

2 Grammaire. Mettez les phrases suivantes à l'impératif.

1. Nous nous occupons de ce problème. ______________________
2. Tu t'assieds à côté de moi. ______________________
3. Vous vous rhabillez. ______________________
4. Tu ne te sers pas de cette imprimante. ______________________
5. Vous ne vous promenez pas dans ce quartier. ______________________
6. Vous vous installez confortablement. ______________________

3 Vocabulaire et communication. Qui parle ? Le médecin (a) ou le patient (b) ?

1. « Déshabillez-vous ! » ____________
2. « Je tousse tout le temps. » ____________
3. « Je vais prendre votre tension. » ______
4. « Ça vous fait mal ? » ____________
5. « Qu'est-ce que vous me prescrivez ? »______
6. « Vous avez de la fièvre ? » ____________
7. « Ça me fait mal. »____________
8. « Je suis tombé dans la rue. » ____________

4 Communication. Imaginez le dialogue entre le médecin et la patiente.

5 À vous ! Savez-vous expliquer un problème médical au médecin ? Essayez, en employant le vocabulaire et les structures de ce chapitre.

Les renseignements

17 À l'université

1 La vie étudiante

Julien : Chloé, tu **vas à la fac*** ?
Chloé : Oui, Julien mais je vais d'abord au restau-U*. Tu veux qu'on déjeune ensemble ?
Julien : D'accord, mais rapidement, parce qu'après, je passe l'après-midi à la B.U*. **J'ai un exposé à préparer** pour la semaine prochaine. C'est pour mon cours de L3. Et toi, **tu en es où de tes études ?**
Chloé : Moi, je suis en train de **rédiger mon mémoire de master**.
Julien : Au fait, tu fais des études de quoi ? Tu es en quoi ?
Chloé : Je suis en M1 de biologie. Et toi, tu **es en quelle année** ?
Julien : Moi, **je suis en L3 d'**histoire.
Chloé : Il y a **des débouchés,** en histoire ? Ça ne sert à rien, l'histoire !
Julien : Tu plaisantes ! Il n'y a pas que les sciences dures, dans la vie ! Je vais **faire l'ENA** et, justement je suis sur le point **d'envoyer mon dossier. Il faut que je m'inscrive avant le** 30 avril. En attendant, il faut que **je passe mes partiels** !

Grammaire

Le présent et le futur immédiat

- **Être en train de** (= être dans le processus). Je suis en train de préparer mes examens.
- **Actuellement,** je suis inscrit(e) en M**2.**
- **Être sur le point de** (= être au bord d'une action). Je suis sur le point de sortir.

Vocabulaire

L'université et le système universitaire

- La fac* = la faculté = l'université.
- La B.U. : la bibliothèque universitaire.
- Le restau-U : le restaurant universitaire.
- Les années d'études : L[icence]1 ; L2, L3, M[aster]1, M2 ; un doctorat.
- Un [examen] partiel, un examen final.
- Faire un exposé (oral), rédiger un mémoire, passer un examen...

Manières de dire

- Tu fais des études de quoi ? = Tu es en quoi ? Tu es en quelle année ?
— Je suis en L2 de géographie. Je suis étudiant(e) en médecine.
- Est-ce qu'il y a des débouchés (des perspectives professionnelles) ?
- Je prépare / fais mon dossier (administratif) pour...
- Je suis inscrit en... Je voudrais m'inscrire en...
- Je vais faire une grande école (l'ENA, Sciences Po, Polytechnique...).

Remarque culturelle. Une « grande école » est un « établissement d'enseignement supérieur qui recrute ses élèves par concours et assure des formations de haut niveau ». La plupart d'entre elles sont publiques. Les plus prestigieuses sont l'École des mines, l'École polytechnique, l'École centrale, l'École normale supérieure, l'École nationale d'administration (ENA) et HEC (= Hautes Études commerciales, qui est une école privée).

ACTIVITÉS

1 Compréhension. Vrai ou faux ?

	VRAI	FAUX
1. Julien prépare un travail oral pour ses études.	☐	☐
2. Chloé est en quatrième année d'études.	☐	☐
3. Chloé pense que Julien ne trouvera pas facilement du travail.	☐	☐
4. Julien a fini ses examens.	☐	☐

2 Grammaire. Répondez librement en exprimant un présent ou un futur immédiat.

1. Tu es déjà inscrit à la fac ? — ______________________________
2. Vous avez déjà passé vos examens ? — ______________________________
3. Où est-ce que tu en es de ton mémoire de master ? — ______________________________
4. Tu t'en vas ? — ______________________________
5. Tu pars à l'étranger avec le programme Erasmus ? — ______________________________

3 Vocabulaire. De quoi parle-t-on ?

1. C'est la quatrième année d'études universitaires. ______________________________
2. C'est l'endroit où les étudiants déjeunent, en général. ______________________________
3. C'est le nom familier de l'université. ______________________________
4. C'est là que les étudiants empruntent des livres et travaillent. ______________________________
5. C'est ainsi qu'on appelle les perspectives professionnelles. ______________________________
6. C'est l'ensemble des documents administratifs nécessaires. ______________________________

4 Communication. Trouvez une question appropriée.

1. ______________________________
   — Des études de commerce.
2. ______________________________
   — En L2 d'espagnol.
3. ______________________________
   — Au contraire, il y a beaucoup de débouchés, dans ce domaine !
4. ______________________________
   — Oui, probablement Polytechnique ou Centrale.
5. ______________________________
   — Non, pas encore, je suis en train de faire mon dossier.
6. ______________________________
   — Il me reste un partiel à passer la semaine prochaine.

5 À vous ! Un(e) Français(e) vous pose des questions sur vos études universitaires et sur le système universitaire de votre pays. Imaginez et jouez le dialogue, en donnant le plus de renseignements possible.

2 La recherche

L'étudiante : Bonjour, madame, je vous ai demandé un rendez-vous parce qu'**il faut que je précise mon sujet de mémoire de master**.

Le professeur : Sur quel domaine avez-vous choisi de travailler ?

L'étudiante : Ce qui m'intéresse, c'est la période de la guerre froide et les relations internationales à ce moment-là. Je **fais déjà partie d'un groupe de recherche** sur ce thème.

Le professeur : C'est très vaste ! **Il faudra d'abord que vous délimitiez votre sujet,** puis que **vous établissiez une bibliographie**.

L'étudiante : J'ai déjà **fait** pas mal **de recherches** en bibliothèque et sur Internet.

Le professeur : C'est très bien, mais **prenez garde au plagiat**... **Il est indispensable que vous citiez vos sources**, de manière précise et irréprochable.

L'étudiante : Est-ce que je pourrai revenir vous voir dans quelques semaines, quand j'aurai un peu avancé ?

Le professeur : Bien entendu. Justement, je voudrais que vous me rendiez **une première ébauche de votre travail** avant la fin du semestre. En particulier, j'**aimerais que vous me soumettiez un plan** de votre mémoire.

Grammaire

Usage du subjonctif

- **Il faut que** tu fasses...
- **Il est important / utile / nécessaire / indispensable que** vous délimitiez...
- **Je voudrais / J'aimerais que** tu viennes...
- **J'accepte / Je refuse qu'**elle aille...

Vocabulaire

- L'étudiant(e) / le chercheur(-euse) fait de la recherche, Le directeur de recherche dirige la recherche d'un étudiant.
- Appartenir à = faire partie d'un groupe de recherche.
- Citer les sources, établir une bibliographie.
- Choisir un sujet pour le mémoire de master.
- Faire, puis soutenir une thèse de doctorat.
- Donner = rendre = remettre une ébauche (une première version, juste avec les grandes lignes).
- Élaborer = faire un plan (d'un mémoire, d'une dissertation...)

Manières de dire

- Il faut que j'établisse une bibliographie.
- Il est important que vous cerniez = délimitiez votre sujet de recherche.
- Il faudra que vous citiez vos sources.
- Je fais des recherches en bibliothèque / sur Internet.
- Il est indispensable d'éviter les plagiats, de ne pas plagier un article, une thèse...

Remarque d'usage. On s'adresse aux professeurs (de lycée ou d'université) en les appelant simplement « Madame » ou « Monsieur ».

ACTIVITÉS

1 Compréhension. Vrai ou faux ?

	VRAI	FAUX
1. L'étudiante n'a pas encore cerné son sujet.	☐	☐
2. L'étudiante n'a pas encore commencé à travailler sur son domaine de recherche.	☐	☐
3. Le professeur voudrait lire le premier chapitre du mémoire.	☐	☐
4. L'étudiante reverra bientôt son professeur.	☐	☐

2 Grammaire et vocabulaire. Complétez par un verbe approprié au subjonctif.

1. Le professeur veut que les étudiants ______________________ un exposé.
2. Je trouve important que vous ______________________ à un groupe de recherche.
3. Il est important que l'étudiant ______________________ une bibliographie.
4. Je voudrais que vous ______________________ votre sujet de recherche.
5. Le professeur aimerait que les étudiants lui ______________________ leur travail avant la fin de l'année.
6. Il est important que l'étudiant ______________________ son plan à son professeur.

3 Vocabulaire. De quoi ou de qui parle-t-on ?

1. La liste des livres sur un sujet : ______________________
2. La première version d'un travail : ______________________
3. L'ensemble des personnes qui travaillent sur un même sujet : ______________________
4. Le fait de copier un travail fait par quelqu'un d'autre : ______________________
5. La structure d'un mémoire, d'une dissertation : ______________________
6. Le travail écrit qui se fait en master : ______________________

4 Communication. Imaginez une réponse aux questions suivantes.

1. Sur quel domaine travaillez-vous ?
   — ______________________
2. Où en êtes-vous de vos recherches ?
   — ______________________
3. Vous avez déjà lu des articles sur le sujet ?
   — ______________________
4. Est-ce que vous avez déjà un plan de votre travail ?
   — ______________________
5. Quand pourrez-vous me rendre une ébauche de votre mémoire ?
   — ______________________
6. Que demandez-vous à votre directeur de recherche ?
   — ______________________

5 À vous ! Un(e) étudiant(e) français souhaite faire des études universitaires dans votre pays, et en particulier au niveau du master. Expliquez-lui les ressemblances et les différences en ce qui concerne le directeur de recherche, les ressources, les exigences universitaires...

BILAN N° 2

1 Trouvez une autre manière de dire.

1. Où est la réception, s'il vous plaît ? ____________________
2. Il va chercher des informations. ____________________
3. Où est-ce que j'ai mis mes clés ? ____________________
4. Vous pouvez avoir une réduction de 15 % sur ce produit. ____________________
5. On m'a volé mon portefeuille. ____________________
6. J'ai tout le temps mal au dos. ____________________
7. Est-ce qu'il y a une possibilité de changer de cours ? ____________________
8. Nous cherchons une maison à louer. ____________________
9. Vous suivez le fleuve jusqu'au pont. ____________________
10. L'appartement a une vue sur un jardin. ____________________

2 Dans quelle(s) situation(s) pourriez-vous entendre les phrases suivantes ?

1. « Comment ça marche ? » ____________________
2. « Où est-ce que j'ai mis mon billet ? » ____________________
3. « Je vais me renseigner. » ____________________
4. « Nous avons plusieurs formules. » ____________________
5. « Qu'est-ce que tu en as fait ? » ____________________
6. « Le 62 passe juste à côté. » ____________________
7. « Ça donne sur une petite rue calme. » ____________________
8. « Vous souhaitez reprendre le même numéro ? » ____________________
9. « Je vais vous envoyer mon préavis. » ____________________
10. « Il faut que je fasse opposition. » ____________________

3 Complétez librement (mais logiquement !) ces mini-dialogues.

1. Ça vous fait mal ? — ____________________
2. Je peux vous renseigner ? — ____________________
3. Mais qu'est-ce qui vous est arrivé ? — ____________________
4. Vous faites des études de quoi ? — ____________________
5. Ça s'est passé quand et où ? — ____________________
6. Comment est-ce que vous vous êtes fait ça ? — ____________________
7. Qu'est-ce qui vous amène ? — ____________________
8. C'est à combien de kilomètres d'ici ? — ____________________
9. Ça s'est passé à quelle heure ? — ____________________
10. Vous êtes en quelle année ? — ____________________

4 **Dans les situations suivantes, quelle(s) expression(s) pourriez-vous utiliser pour entamer la conversation ?**

1. Vous entrez dans un club de tennis et vous désirez des informations.

2. Vous demandez votre chemin.

3. Vous ne connaissez pas le fonctionnement d'une machine.

4. Vous voyez quelqu'un qui vient de tomber dans la rue.

5. Vous cherchez à savoir quelles études fait un(e) étudiant(e) à qui vous parlez.

6. Vous devez acheter un téléphone mobile et vous ne connaissez pas les offres.

7. Vous voulez connaître les ressources culturelles d'une région.

8. Vous voulez vous inscrire à l'université et vous ne savez pas comment faire.

9. Vous avertissez votre propriétaire que vous allez déménager.

10. Vous demandez le montant du loyer.

5 **Imaginez une réponse aux questions suivantes.**

1. « Qu'est-ce que vous aviez, dans votre portefeuille ? »

2. « Qu'est-ce que ça veut dire, "tarif" » ?

3. « Où est-ce que je peux me renseigner ? »

4. « Pour aller à la gare, par où est-ce que je dois passer ? »

5. « À partir de quand est-ce que je peux résilier le contrat ? »

6. « Où est-ce que vous avez mal ? »

18 Téléphoner

1 Au standard

Florence : Bonjour, je voudrais parler à Pekka Häkkinen, s'il vous plaît.
La standardiste : Pardon ? **Qui demandez-vous ?**
Florence : Monsieur Häkkinen.
La standardiste : Monsieur qui ? **Vous pouvez épeler le nom ?**
Florence : Häkkinen : h – a tréma – deux k – i – n – e – n. C'est un ingénieur finlandais.
La standardiste : Ah oui, je vois. **C'est de la part de qui ?**
Florence : Florence Dupuis.
La standardiste : Ne quittez pas. (…) Je suis désolée, madame, **son poste ne répond pas. Vous voulez laisser un message ?**
Florence : Non merci, **je le rappellerai plus tard**. Oh non, finalement, je préfère lui laisser un message. **Est-ce vous pourriez lui demander de me rappeler** avant 8 heures ? C'est important et urgent.
La standardiste : D'accord, c'est noté. Il a vos coordonnées ?
Florence : Oui, il **a mon numéro de téléphone**.

2 Il est en ligne

L'employé : Société « Internationale des meubles », François Chavier, à votre service, j'écoute !
La cliente : Bonjour, monsieur, **est-ce que vous pouvez me passer** le service des livraisons, s'il vous plaît ?
L'employé : Un instant, s'il vous plaît, **je vous passe mon collègue**. *(Quelques minutes après)* Je suis désolé, mon collègue **est en ligne, est-ce qu'il peut vous rappeler ?**
La cliente : Oui, s'il vous plaît. **Je vous donne mes coordonnées : il peut me joindre sur mon portable au** 06 07 08 09 00.

Grammaire

Pronoms personnels compléments + verbes semi-auxiliaires

Vous pouvez **me** passer… Ils ne vont pas **en** acheter. Je n'ai pas voulu **les** inviter.

Tu n'aurais pas dû **y** aller.

Vocabulaire

- Appeler qqn = téléphoner à qqn ; rappeler qqn.
- Les coordonnées (= numéro de téléphone, adresse).
- Joindre = contacter qqn sur le [téléphone] fixe ≠ le portable = le mobile.

Manières de dire

- C'est de la part de qui ? = Vous êtes monsieur /madame ?
- Qui demandez-vous ?
- Vous pouvez épeler le nom ?
- Un instant = ne quittez pas. Vous patientez ? (= vous attendez ?) Je vous (le/la) passe…
- Il est en ligne = sa ligne est occupée.
- Son poste ne répond pas, vous voulez laisser un message ?

ACTIVITÉS

1 **Compréhension. Relisez les dialogues ci-contre et associez les phrases de même sens.**

1. Je voudrais lui parler.
2. Elle est en ligne.
3. Il a vos coordonnées ?
4. Je peux prendre un message ?
5. Ne quittez pas !

a. La ligne est occupée.
b. Un instant, s'il vous plaît !
c. Vous pouvez me la passer ?
d. Il a votre numéro ?
e. Vous voulez laisser un message ?

2 **Grammaire. Introduisez les verbes suivants dans les phrases en respectant le temps.**

1. Nous l'aurions contacté ! *(devoir)* ____________________
2. Elle en achèterait quelques-uns. *(pouvoir)* ____________________
3. J'y suis allé hier. *(vouloir)* ____________________
4. Tu ne les verras pas ? *(pouvoir)* ____________________
5. Nous leur demandons. *(aller)* ____________________

3 **Vocabulaire et communication. Choisissez la ou les bonne(s) réponse(s).**

1. Est-ce que vous pouvez me passer Paul Mosnier, s'il vous plaît ?
   ☐ **a.** Ne me quittez pas ! ☐ **b.** Ne quittez pas ! ☐ **c.** Un instant, s'il vous plaît.
2. Vous pouvez épeler, s'il vous plaît ?
   ☐ **a.** Il s'appelle Kostrzewa. ☐ **b.** k-o-s-t-r-z-e-w-a. ☐ **c.** De la part de Kostrzewa.
3. Elle a vos coordonnées ?
   ☐ **a.** Oui, je lui laisse un message. ☐ **b.** Non, je ne crois pas. ☐ **c.** Oui, elle a mon numéro de portable.
4. C'est de la part de qui ?
   ☐ **a.** Claire Miquel ☐ **b.** Qui demandez-vous ? ☐ **c.** m-i-q-u-e-l.
5. Vous voulez laisser un message ?
   ☐ **a.** Je peux prendre un message. ☐ **b.** Oui, je le rappellerai. ☐ **c.** Non merci, je le rappellerai.

4 **Communication. Complétez par une expression appropriée.**

1. Allô, bonjour, ____________ à Peter Feuchtwanger, s'il vous plaît, de la part de Claire.
2. — ____________________ ?
   — Monsieur Feuchtwanger.
3. — ____________________ ?
   — Oui : f-e-u-c-h-t-w-a-n-g-e-r.
4. — Monsieur Feuchtwanger est en ligne, est-ce que ____________ ?
5. — Oui, s'il vous plaît. Est-ce que ____________ ?
6. — D'accord. Il a vos ____________ ? — Non, je vous les laisse : c'est le 01 72 36 30 65.

5 **À vous ! Vous demandez à parler à madame Demeung. La standardiste vous demande d'épeler le nom, puis d'attendre, car le poste est occupé. Vous décidez de laisser un message en laissant vos coordonnées. Imaginez et jouez le dialogue.**

3 Sophie est là ?

Léon : Allô, Julien ? Salut, c'est Léon ! **Est-ce que Sophie est là ? Tu peux me la passer ? J'essaye d'appeler sur son mobile**, mais ça ne marche pas. **Je n'arrive pas à la joindre** en ce moment…

Julien : Attends, **ne quitte pas**, je vais voir si elle est là. (…) Non, elle n'est pas là.

Léon : Tu pourras lui dire de me rappeler quand elle reviendra ?

Julien : D'accord, Léon. Par prudence, **je lui laisse un mot sur la table** !

4 Une erreur

Clément : Bonjour, **je suis bien chez** Mme Granger ?

Une dame : Non, monsieur, **vous avez fait erreur**. Je ne suis pas Mme Granger. **Vous devez vous tromper de numéro.**

Clément : Tiens, c'est bizarre… Ah, je comprends, **j'ai confondu votre numéro avec** celui de quelqu'un d'autre… **Excusez-moi,** madame.

Une dame : Je vous en prie, monsieur.

5 Un faux numéro

Juliette : Bonjour, **est-ce que je pourrais parler à** Fabrice, s'il vous plaît ?

Un monsieur : Ah, je crois que **vous avez fait un faux numéro**. Il n'y a pas de Fabrice, ici.

Juliette : Mais, **c'est bien le** 01 45 87 44 00 ?

Un monsieur : Oui, **c'est bien ce numéro**, mais il n'y a pas de Fabrice !

Juliette : Oh excusez-moi, monsieur !

Un monsieur : Je vous en prie !

Grammaire

Doubles pronoms personnels

Je (ne) **te la** passe (pas).
Il (ne) **m'en** parle (pas).
Je (ne) **la lui** donne (pas).
Il (ne) **nous l'**envoie (pas).
Elle (ne) **vous les** envoie (pas).
Je (ne) **les leur** communique (pas).

Vocabulaire

Les erreurs

- J'ai fait une erreur de numéro / d'adresse / dans mes calculs.
- Je me suis trompé(e) de numéro / d'adresse dans mes calculs.
- Je confonds toujours ces deux jumeaux !
- Vous avez fait une faute… de grammaire / d'orthographe / de frappe.
- J'ai encore fait une (grosse) bêtise* = une action stupide et/ou maladroite.
- J'ai dit « idiot » pour « bien », j'ai fait un lapsus (freudien) = une erreur de l'inconscient.

Manières de dire

- Tu peux me passer Anne ? Anne est là ?
- Tu peux me la passer ?
- Je suis bien chez… ?
- C'est bien le… ?
- J'essaye de la joindre (= contacter) sur son mobile (= portable).
- J'ai fait un faux numéro.
- Je n'arrive pas à le / la joindre.

ACTIVITÉS

1 Compréhension. Vrai ou faux ?

	VRAI	FAUX
Dialogue 3		
1. Julien enverra un texto à Sophie.	☐	☐
Dialogue 4		
2. Mme Granger a un numéro qui ressemble à un autre.	☐	☐
Dialogue 5		
3. Juliette s'est trompée de numéro de téléphone.	☐	☐

2 Grammaire. Répondez en remplaçant les termes soulignés par les pronoms appropriés.

1. Tu leur as donné mon adresse ? — Oui, ____________________
2. Il t'a expliqué la situation ? — Non, ____________________
3. Elle vous parle de ses problèmes ? — Oui, ____________________
4. Ils ne t'ont pas rendu les clés ? — Si, ____________________
5. Vous m'enverrez les documents ? — Non, ____________________

3 Vocabulaire. Trouvez une autre manière de dire.

1. J'ai écrit « ttttable » au lieu de « table ». ____________________
2. L'une s'appelle Julie, l'autre Julia, c'est dur pour moi. ____________________
3. 130 + 25 = 165 ? Oh non, ____________________
4. J'ai dit « Bonjour, Sabine » à mon amie Bénédicte. ____________________
5. J'ai jeté par erreur des billets de spectacle ! ____________________

4 Vocabulaire et communication. Quelle(s) expression(s) utilisez-vous au téléphone pour...

1. demander à parler à quelqu'un ? ____________________
2. demander d'attendre ? ____________________
3. vérifier le numéro ? ____________________
4. s'excuser parce qu'on s'est trompé ? ____________________
5. expliquer à l'interlocuteur qu'il s'est trompé ? ____________________

5 Communication. Trouvez une réponse appropriée.

1. C'est de la part de qui ? — ____________________
2. Non, il n'y a pas d'Antonio à ce numéro ! — ____________________
3. Elle n'est pas là, je peux prendre un message ? — ____________________
4. Il a vos coordonnées ? — ____________________
5. Tu peux demander à Noémie de me rappeler ? — ____________________

6 À vous ! Vous composez le numéro de téléphone d'un(e) ami(e), mais vous tombez sur quelqu'un d'autre. Imaginez et jouez le dialogue.

19 Les rendez-vous

1 Déjeuner ensemble ?

Audrey : Dis-moi, Elsa, **tu ne veux pas déjeuner avec moi**, un de ces jours ?

Elsa : Si, Audrey, **avec plaisir** ! Ça fait une éternité qu'on ne s'est pas vues. **Quel jour t'irait le mieux ?**

Audrey : Mercredi ou vendredi prochain, ou alors **le mardi d'après, si ça te convient.**

Elsa : Attends... Mercredi, **je suis prise**. Vendredi, **ce sera un peu juste**, parce qu'il faut que je sois à 14 h chez le dentiste. Donc, disons le mardi d'après, **ça ira très bien.**

Audrey : On se retrouve où et à quelle heure ?

Elsa : On pourrait se retrouver à la librairie « Les belles feuilles », vers midi ?

Audrey : Oui, bonne idée, comme ça, s'il pleut, on pourra bouquiner* en attendant !

2 Ça ne t'ennuie pas ?

Raphaël : Allô, Didier ? C'est Raphaël. Dis-moi, je vais à Roland-Garros tout à l'heure, pour les quarts de finale messieurs. **Ça t'intéresserait de venir ?** J'ai deux places.

Didier : Ah oui, super* ! Mais le problème, c'est qu'avec mon dos fragile, je ne me déplace pas bien. **Tu pourrais venir me chercher ?**

Raphaël : Bien sûr, **je passe te prendre* en voiture. Tu m'attends devant chez toi aux alentours de 13 h ?**

Didier : D'accord. Merci et à tout à l'heure !

(Après le match)

Grammaire

Expressions de temps (2)

- **« Ça fait longtemps que » + passé composé négatif** = passé composé négatif + « depuis longtemps ».

Ça fait 2 mois que je ne l'ai pas vu = je ne l'ai pas vu depuis 2 mois.

Vocabulaire

- Ce sera un peu juste (= difficile temporellement).
- Le jeudi d'avant ≠ d'après.
- Une éternité = très longtemps.
- Tout à l'heure = dans peu de temps = plus tard.
- Aux alentours de... midi = vers... midi.

Manières de dire

- On se retrouve où / à quelle heure ? Je te retrouve devant le théâtre à 19 h.
- Ça te va ? Ça t'irait ? Ça te convient ? Quel jour te va ? Qu'est-ce qui te va ?
- Je vous rejoins directement au restaurant. Paul nous rejoindra après son travail.
- Ça t'intéresserait de... ? Ça (ne) t'embêterait* (pas) de... ? Tu pourrais... ? *(+ infinitif)*
- Tu ne veux pas... ? On pourrait... *(+ infinitif)*
- Je passe te/vous prendre en voiture = Je viens te/vous chercher.

ACTIVITÉS

1 Compréhension. Vrai ou faux ?

	VRAI	FAUX
Dialogue 1		
1. Elsa n'est pas disponible mercredi prochain.	☐	☐
2. Les deux filles vont se retrouver à la bibliothèque.	☐	☐
Dialogue 2		
3. Raphaël va voir un match de tennis.	☐	☐
4. Didier attendra Raphaël vers une heure de l'après-midi.	☐	☐

2 Grammaire. Répondez librement aux questions suivantes.

1. Ça fait combien de temps que vous n'avez pas vu vos voisins ? ____________

2. Depuis combien de temps est-ce que vous n'avez pas écrit de texte en français ? ____________

3. Ça fait longtemps que vous n'êtes pas allé(e) au cinéma ? ____________

4. Ça fait longtemps que vous ne vous êtes pas intéressé(e) à un livre ? ____________

5. Depuis combien de temps est-ce que vous n'avez pas rejoint quelqu'un au restaurant ? ____________

3 Vocabulaire et communication. Associez une question et une réponse.

1. Vendredi, ça te va ?
2. Vers quelle heure ?
3. Ce vendredi ?
4. Tu viens ?
5. Ça fait combien de temps ?

a. Tout à l'heure !
b. Une éternité !
c. Aux alentours de 10 h.
d. Non, pas vendredi, ce sera trop juste.
e. Non, celui d'après.

4 Communication. Pour chaque mini-dialogue, trouvez une question.

1. ____________ ?
— D'accord, je viens te chercher.

2. ____________ ?
— On peut se donner rendez-vous devant le cinéma.

3. ____________ ?
— Je ne sais pas, vers 7 heures et demie, à peu près.

4. ____________ ?
— Mardi prochain ou vendredi, comme tu veux.

5. ____________ ?
— Non, je préfère vous rejoindre directement au restaurant.

6. ____________ ?
— Si, bien sûr, cela me ferait grand plaisir !

5 À vous ! Vous cherchez à prendre rendez-vous avec un(e) ami(e) pour déjeuner ou dîner, mais vos emplois du temps sont chargés. Imaginez et jouez le dialogue.

3 Remettre un rendez-vous

M. Barrault : Bonjour, madame. Paul Barrault, à l'appareil. Voilà, j'avais rendez-vous avec Anouk Frémond lundi prochain, mais **j'ai un empêchement ce jour-là. Est-ce qu'il serait possible de reporter la réunion à** mercredi prochain ?

La secrétaire : Mercredi, non, ce n'est pas possible, Mme Frémond **sera en déplacement** jusqu'à la fin du mois. **Le prochain créneau disponible**, c'est vendredi 3 à 13h30, si vous voulez. Sinon, ce sera la semaine suivante, mercredi 12 à 16 h.

M. Barrault : Dans ce cas, mercredi 12 me convient.

4 Un retard

M. Klein : Bonjour, madame, François Klein, à l'appareil. **Je vous prie de m'excuser, j'ai été retardé par** un client. Je serai chez vous un peu plus tard que prévu.

Madame Bertrand : Merci, **c'est gentil de me prévenir. Vers quelle heure est-ce que vous pensez arriver ?**

M. Klein : D'ici une petite heure, j'espère !

5 Sur la boîte vocale

« Bonjour, monsieur. Je suis désolée, mais **je vais être obligée d'annuler le rendez-vous que nous avions fixé pour** jeudi 17. **Je vous rappellerai** très bientôt **pour reprendre rendez-vous.** Merci beaucoup. »

Grammaire

■ **« Il est » + adjectif + « de » + infinitif / C'est + adjectif :**

- Il est utile d'avoir un portable. C'est utile !
- Avoir un portable, c'est utile.

■ **« C'est » + adjectif + « de » + infinitif** *(forme familière)*

- C'est gentil de* me prévenir.
- Ce sera agréable de* se promener dans ce quartier ! C'est intéressant de* lire cet article.

Vocabulaire

- Être en déplacement (= à l'extérieur du bureau).
- Avoir un empêchement (= ne pas pouvoir venir à un rendez-vous/une réunion).
- Trouver un créneau dans son emploi du temps.
- Être disponible = libre ≠ pris(e), occupé(e).
- D'ici une heure = dans une heure environ.
- Prévenir d'un retard.

Manières de dire

- Serait-il possible de reporter = remettre = repousser le rendez-vous à…
- Je serai en déplacement / en voyage / en réunion…
- Je risque d'arriver en retard. J'ai été retardé par…
- Il est difficile de trouver un créneau dans mon emploi du temps.
- J'arriverai d'ici une heure.

Remarque de vocabulaire. Une « petite » heure = un peu moins d'une heure.

ACTIVITÉS

1 Compréhension. Choisissez la bonne réponse.

Dialogue 3

1. Paul Barrault voudrait | annuler | remettre | la réunion.
2. Anouk Frémond est | en voyage | en réunion | jusqu'à la fin du mois.

Dialogue 4

3. François Klein est | en déplacement | en retard |.

Dialogue 5

4. La dame | recontactera | préviendra | le monsieur.

2 Grammaire. À partir des éléments suivants, constituez une phrase complète, en variant les structures (familières ou correctes).

1. Important / respecter les horaires ________________________________
2. Poli / prévenir d'un retard. ________________________________
3. Embêtant* / remettre le rendez-vous ________________________________
4. Utile / organiser une réunion ________________________________
5. Obligatoire / demander un visa ________________________________

3 Vocabulaire et communication. Choisissez la bonne réponse.

1. Je suis désolé, j'ai | un créneau | un empêchement |.
2. Le directeur est absent, il | est en déplacement | a un emploi du temps |.
3. Est-ce que vous seriez | libre(s) | pris |, mardi après-midi, pour une réunion ?
4. Je suis désolé, j'ai été | tard | retardé | par des embouteillages sur l'autoroute.
5. Malheureusement, elle doit | annuler | rappeler | le rendez-vous.

4 Communication. Vous téléphonez pour prendre, modifier ou annuler un rendez-vous. Imaginez les dialogues dans chaque cas.

1. RV avec des amis – samedi soir – devant le cinéma à 19h30.
2. RV avec le dentiste – urgent – demain si possible.
3. Avec le coiffeur – le RV est samedi – vous préférez mardi, à n'importe quelle heure.
4. RV chez le médecin – vous êtes en retard, bloqué(e) sur la route.
5. Annuler le RV avec l'électricien – vous rappellerez.

5 À vous ! Vous téléphonez au médecin. Votre rendez-vous était jeudi à 16 h, mais vous avez un empêchement. Vous demandez à changer pour un autre jour. Ce n'est pas possible. La secrétaire propose un autre créneau, qui vous va. Imaginez et jouez le dialogue.

20 Demander de faire quelque chose

1 Du bricolage

Laure : Chéri, **tu ne voudrais pas m'aider ?**
Nathan : À faire quoi* ?
Laure : À accrocher ce tableau au mur.
Nathan : D'accord. **Passe-moi** le marteau et les clous.
(Quelques minutes plus tard)
Laure : Tu as vu, il n'y a plus de lumière dans la salle de bains !
Nathan : Bah* oui, c'est l'ampoule qui doit être grillée.
Laure : Ça ne t'embêterait* pas de la changer ?
Nathan : Tu ne sais pas changer une ampoule ?
Laure : Si, je sais, mais...
Nathan : D'accord... **Tu pourras** aller me chercher la boîte bleue qui est dans la cuisine ?
Laure : J'y vais. *(Quelques minutes plus tard)* Tu sais, **je crois qu'il faudra** racheter des ampoules. Il n'y en a plus qu'une.
Nathan : Dans ce cas, **ce serait bien que** tu fasses une liste de ce qui manque !

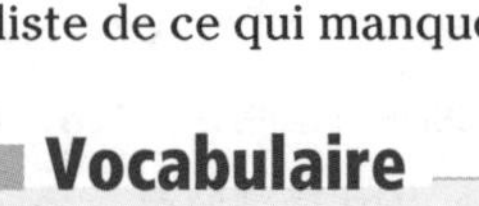

Grammaire

■ « Si » après une question négative

- Vous n'habitez pas ici ? — **Si** / Mais **si** !
- Tu ne sais pas changer une ampoule ?
- — Bien sûr que **si** !

■ « Devoir » + infinitif présent ou passé

- Ça **doit** le déranger. Léo **doit** avoir oublié l'heure du rendez-vous ! *(exprime la probabilité)*

Vocabulaire

Un peu de bricolage

- Changer une ampoule électrique.
- Dans une boîte à outils : un marteau, un tournevis, une pince, des clous...
- Accrocher un tableau au mur.
- Recoller un objet cassé.
- Un pinceau, un rouleau et de la peinture.

Manières de dire

- Tu ne voudrais pas m'aider ? Vous ne pourriez pas me renseigner ?
- Ça ne t'/vous embêterait* pas de... Ça ne te / vous dérangerait pas de...
- Tu pourras / vous pourrez me donner votre adresse ?
- Ce serait bien que... *(+ subjonctif)*
- Passe-moi le marteau ! Viens me voir !

ACTIVITÉS

1 Compréhension. Vrai ou faux ?

	VRAI	FAUX
1. La femme n'est pas très bricoleuse.	☐	☐
2. Le couple n'a plus de boîte à outils.	☐	☐

2 Grammaire. Trouvez une autre manière de dire avec le verbe « devoir ».

1. Il a sans doute pris l'avion pour aller à Amsterdam. ____________________
2. Ça l'embête* probablement. ____________________
3. Ils ont probablement vu le film hier. ____________________
4. Elle s'est probablement perdue. ____________________
5. Probablement, ils ne connaissent pas le chemin. ____________________

3 Vocabulaire. Choisissez la bonne réponse.

1. J'enfonce des [clous | ampoules] avec un [marteau | tournevis].
2. J'aimerais bien accrocher [cette table | ce tableau] au mur.
3. Le vase est [cassé | collé], je dois le recoller.
4. Il me faut [une pince | un pinceau] pour repeindre ce meuble.
5. [L'ampoule | La peinture] est grillée, il faut la changer.

4 Communication. Choisissez la phrase la plus aimable.

1. La vaisselle est à faire. La femme demande à son mari :
   ☐ **a.** Fais la vaisselle ! ☐ **b.** Ça ne t'embêterait* pas de faire la vaisselle ?
2. Il faut préparer la salade. Le père demande à son fils de 15 ans :
   ☐ **a.** J'exige que tu prépares la salade ! ☐ **b.** Tu ne veux pas nous préparer une belle salade ?
3. Vous êtes avec votre meilleur(e) ami(e) et vous préparez un dîner :
   ☐ **a.** Ce serait bien de préparer l'apéritif à l'avance. ☐ **b.** Quelle idée de préparer l'apéritif à l'avance !
4. Il faut aller à la poste. La vieille mère demande à sa fille de 50 ans :
   ☐ **a.** Ça ne te dérangerait pas d'aller à la poste ? ☐ **b.** Tu ne veux pas aller à la poste ?
5. Il manque une bouteille d'eau sur la table. La mère dit à sa fille de 8 ans :
   ☐ **a.** Tu pourras apporter une bouteille d'eau, s'il te plaît ? ☐ **b.** Tu devras apporter une bouteille d'eau.
6. Vous demandez à un(e) ami(e) :
   ☐ **a.** Tu m'aideras à porter ce sac ? ☐ **b.** Tu pourras m'aider à porter ce sac ?

5 À vous ! Voici la liste de tâches pour aujourd'hui. Vous demandez à votre mari / femme / compagnon / compagne de les faire :
accompagner les enfants à l'école – laver la voiture – passer à la pharmacie – faire les courses pour le dîner – prévenir les voisins qu'il y aura une fête samedi.

2 Chez le mécanicien

La dame : Bonjour, monsieur. J'ai un petit problème, j'ai le phare arrière droit qui ne marche plus. **Est-ce que vous pourriez** changer l'ampoule ?

Le mécanicien : Je vais tout vérifier. (...) Madame, vous n'avez plus de stops non plus !

La dame : Oh là là, c'est dangereux ! **Changez-moi** les ampoules, alors. Est ce que vous auriez un miroir de rétroviseur extérieur droit ? Le mien est fêlé et il risque de tomber. **Il faudrait le remplacer.**

Le mécanicien : Je vais voir ça. Comme c'est un vieux modèle, je ne l'aurai pas forcément. *(Quelques minutes plus tard)* Vous avez de la chance, il m'en reste juste un.

La dame : Vous pouvez faire ça maintenant ?

Le mécanicien : Il faut d'abord que je finisse la voiture du monsieur, là-bas, puis je m'occupe de la vôtre. **Vous pourriez** repasser dans une petite heure ?

La dame : D'accord. **Faites-moi aussi** un lavage, ce ne sera pas du luxe...

Grammaire

Les pronoms possessifs

Le mien, la mienne, les miens, les miennes
Le tien, la tienne, les tiens, les tiennes
Le sien, la sienne, les siens, les siennes
Le/la nôtre, les nôtres
Le/la vôtre, les vôtres
Le/la leur, les leurs

Vocabulaire

Un peu de mécanique automobile : le phare, le stop, le clignotant, les pneus, le rétroviseur, la roue de secours

Les problèmes d'un véhicule :

- L'ampoule est grillée ; il n'y a pas de stops ; le clignotant ne marche pas.
- Le rétroviseur est fêlé < cassé.
- La voiture est en panne, elle ne marche pas.
- Il y a un bruit bizarre.
- Le voyant ne s'allume pas.
- Le pneu est crevé.

Manières de dire

- Est-ce que vous pourriez... *(+ infinitif)*
- Il faudrait que... *(+ subjonctif)*
- Il faut/faudrait... *(+ infinitif)*
- Est-ce que vous pourriez... *(+ infinitif)* ? Vous pouvez... *(+ infinitif)* ?
- On peut aussi utiliser l'impératif et un pronom personnel très idiomatique, mais avec une intonation aimable, sinon cela devient impoli ou même agressif : « Changez-**moi** l'ampoule ! » « Faites-**moi** un lavage. »

ACTIVITÉS

1 Compréhension. Vrai ou faux ?

	VRAI	FAUX
1. Il y a plusieurs ampoules à changer.	☐	☐
2. Le miroir est cassé en mille morceaux.	☐	☐
3. Il s'agit d'une voiture de luxe.	☐	☐

2 Grammaire. Remplacez les termes soulignés par le pronom possessif approprié.

1. Je ne prends plus ma voiture, car nous utilisons sa voiture. ____________________
2. Mes voisins ont mis leur maison en vente. ____________________
3. Est-ce que tu as pris tes affaires ? ____________________
4. Nous vendons notre moto. ____________________
5. Mes phares ne marchent pas. ____________________
6. Vous me prêter votre stylo ? ____________________

3 Vocabulaire. Il s'agit d'une voiture. De quoi parle-t-on ?

1. Cette petite lumière renseigne sur le fonctionnement de quelque chose. ____________________
2. On s'en sert pour montrer que l'on va tourner. ____________________
3. Il peut être crevé, malheureusement ! ____________________
4. Elle est grillée ! ____________________
5. Cela permet de voir qu'une voiture freine. ____________________
6. Grâce à lui, on voit les véhicules qui sont derrière soi. ____________________

4 Communication. Parmi les expressions suivantes, lesquelles permettent de demander à quelqu'un de faire quelque chose ?

1. « Vous savez utiliser cet ordinateur ? » ____________________
2. « Tu pourrais m'aider à utiliser cet ordinateur ? » ____________________
3. « Est-ce que tu as envie d'un ordinateur ? » ____________________
4. « Ça vous ennuierait de me montrer comment ça marche ? » ____________________
5. « Est-ce que tu veux un ordinateur ? » ____________________
6. « Tu ne pourrais pas m'aider à utiliser cet ordinateur ? » ____________________

5 À vous ! Formulez ces demandes de manière appropriée. Vous demandez...

1. ... à votre mari/femme d'acheter du lait. ____________________
2. ... à votre professeur de mathématiques d'expliquer quelque chose. ____________________
3. ... à un technicien de réparer votre ordinateur. ____________________
4. ... à un(e) ami(e) de vous aider à déménager. ____________________
5. ... à quelqu'un dans la rue de vous aider à porter un sac trop lourd. ____________________
6. ... à une vendeuse de vous faire un paquet-cadeau. ____________________
7. ... à votre voisin, dans le train, de baisser le volume de sa musique. ____________________

3 Entre voisins

Violaine : Bonjour, madame. **Excusez-moi de vous déranger, j'aurais un petit service à vous demander.**

La voisine : Oui, dites-moi.

Violaine : Eh bien, voilà. J'ai une cousine qui va arriver demain dans l'après-midi, mais je ne serai pas encore de retour. Est-ce que **cela vous ennuierait de** lui ouvrir la porte d'entrée puis de lui donner la clé de chez moi ?

La voisine : Non, **ça ne me gêne pas du tout**, mais **ça dépend de** l'heure à laquelle elle va arriver.

Violaine : Son train arrive à 16h20, donc elle sera ici vers 17 h.

La voisine : Dans ce cas, il n'y a pas de problème, je serai là. Elle s'appelle comment ?

Violaine : Laurence Granville. Vous voulez que je vous écrive son nom ?

La voisine : Non merci, ce n'est pas la peine. Je m'en souviendrai. Par contre*, **ce serait bien que** vous me donniez votre numéro de mobile, au cas où*.

Violaine : Bien sûr. Et voici la clé de mon appartement. **Je vous remercie beaucoup, c'est vraiment gentil de votre part.**

La voisine : Je vous en prie ! Entre voisins, c'est bien normal de se rendre service.

Violaine : *(in petto)* Elle est vraiment adorable, cette dame, toujours serviable !

Grammaire

Subjonctif ou infinitif ?

- Ce serait bien **que** vous veniez.
  Ce serait bien **de** venir. *(opinion générale)*
- Ça **m'**ennuie qu'**ils** ne sachent pas conduire.
  (sujets différents dans les deux phrases)
- Ça **m'**ennuie **de** ne pas savoir conduire.
  (même sujet dans les deux phrases)

Vocabulaire

- Excusez-moi / Veuillez m'excuser…
- Je vous remercie… beaucoup, infiniment.
  — Je vous en prie ! C'est bien normal.
- Vous voulez que… *(+ subjonctif)* ?
  — Non merci, ce n'est pas la peine.
- (Ne pas) déranger quelqu'un.
- Être serviable = aimer rendre service à qqn.

Manières de dire

- J'aurais un petit service à vous demander.
- Excusez-moi de vous/te déranger…
- Cela (ne) vous ennuierait (pas) de… ? Ça ne t'/vous embêterait* pas de… ?
  — Non, ça ne me gêne / m'ennuie / m'embête* pas du tout.
- C'est bien normal de rendre service à qqn.
- C'est vraiment gentil de votre part.
- Je vous remercie beaucoup / infiniment.

ACTIVITÉS

1 Compréhension. Vrai ou faux ?

	VRAI	FAUX
1. La voisine devra inviter la cousine de Violaine chez elle.	☐	☐
2. Violaine n'arrête pas de demander des services à ses voisins.	☐	☐
3. La voisine n'avait pas la clé de chez Violaine.	☐	☐
4. La voisine aime rendre service aux autres.	☐	☐

2 Grammaire. Mettez le verbe aux temps et/ou mode appropriés.

1. Ce serait bien que vous nous ____________________ dimanche. *(appeler)*
2. Ça me gêne de ____________________ mes voisins. *(ne pas connaître)*
3. C'est une bonne chose de ____________________ service à son entourage. *(rendre)*
4. Ça ne vous dérange pas que je ____________________ du piano chez moi ? *(faire)*
5. Ce serait gentil que vous lui ____________________ la porte. *(ouvrir)*
6. C'est très sympa* de nous ____________________ à votre soirée. *(inviter)*
7. Ça nous déçoit qu'ils ____________________ plus souvent. *(ne pas venir)*

3 Vocabulaire et communication. Choisissez la bonne réponse.

1. Je vous | prie | remercie | infiniment de votre gentillesse !
2. Ce n'est pas | la peine | le service | de venir.
3. Excusez-moi de vous | rendre service | déranger |.
4. | Je voudrais | J'aurais | un service à te demander.
5. | Ça ne m'ennuie pas | Il n'y a pas de problème | d'arroser vos plantes.
6. J'aurais | une gentillesse | un service | à vous demander.

4 Communication. Imaginez une réponse possible.

1. Vous voulez que je vous aide à porter votre valise ? — ____________________
2. Cela vous ennuierait de garder mon courrier pendant mon absence ? — ____________________
3. Cela vous dérange que je laisse ces gros paquets sur le palier ? — ____________________
4. Je vous remercie infiniment ! — ____________________
5. Vous pourriez me donner votre numéro de portable ? — ____________________
6. Excusez-moi de vous déranger. — ____________________

5 À vous ! Vous avez quelques petits services à demander à vos voisins. Imaginez les structures appropriées pour chacune des situations proposées.

1. donner à manger à votre chat
2. vous prêter des outils
3. réceptionner un paquet
4. vous aider à porter un meuble

Les contacts quotidiens

21 Donner des instructions

1 Au jardin public

La mère : Allez, Léo ! Va jouer ! Regarde, tu as un bac à sable. Léo, non, **ne prends pas** le ballon du petit garçon ! **Rends-le** au petit garçon. **Ne tape pas sur** la petite fille ! Elle ne t'a rien fait, elle voudrait juste jouer avec toi ! **Attention**, Léo, **tu vas te salir ! Attention, tu vas tomber ! Donne-moi la main !**

2 Jeux

Le père : Rex ! Viens ici ! Couché ! Couché, je te dis ! Très bien… Maintenant, va chercher la balle ! Doucement, donne-la-moi… Assis !

Léo : Dis, papa, on joue à cache-cache ?

Le père : D'accord, mon chéri, **allons-y**. Rex, couché ! Alors, Léo, tu **vas te mettre** là. **Tourne-toi, tu ne dois pas** regarder où je vais. Tu comptes jusqu'à 30. À 30, tu essayes de me trouver.

Léo : 1, 2, 3…

Le père : Dis donc, Léo, **ne triche pas,** ne regarde pas vers où je vais. **Allez, on recommence !**

Léo : 1, 2, 3, 4, 10, 20…

Le père : Léo ! **Ne saute pas** de chiffres !

Grammaire

Impératif avec pronoms personnels

Donne-**moi** le ballon / la balle / les jouets.
→ Donne-**le(s)-moi** ! Donne-**la-moi** !
Ne **me** donne pas le ballon / la balle / les jouets.
→ Ne **me le/la/les** donne pas…

Vocabulaire

Parler à un chien

- Viens ici ! Assis ! Couché ! Au pied !
- Donne la patte !
- Doucement !
- Ça suffit !
- Mets-toi là ! Va à ta place ! Au panier !
- Attends !

Manières de dire

- Fais/Faites ceci… Ne fais/faites pas cela !
- Viens ici, je te dis !
- Attention, tu vas tomber !
- On recommence !
- Tourne-toi, tournez-vous !
- Allez ! Va jouer ! Allons-y ! Vas-y !
- Tu risques de te salir !
- Ne triche pas !

ACTIVITÉS

1 Compréhension. Vrai ou faux ?

	VRAI	FAUX
Dialogue 1		
1. Léo voudrait jouer avec un ballon.	☐	☐
2. La petite fille essaye de taper sur Léo.	☐	☐
Dialogue 2		
3. Le père veut que son fils joue avec le chien.	☐	☐
4. Léo essaye de voir où son père va se cacher.	☐	☐

2 Grammaire. Transformez les phrases à l'impératif.

1. Tu me passes le sel. ______________________

2. Tu me montres les photos. ______________________

3. Tu ne me prends pas mon ballon. ______________________

4. Tu ne me casses pas ces verres. ______________________

5. Tu me rends la balle. ______________________

6. Tu me fais un bisou. ______________________

3 Vocabulaire. Quel terme pouvez-vous employer pour parler à un chien ?

1. Vous appelez le chien. ______________________

2. Vous voulez qu'il arrête ce qu'il fait. ______________________

3. Vous lui demandez de venir près de vous. ______________________

4. Vous trouvez qu'il est trop brutal. ______________________

5. Vous l'envoyez « chez lui ». ______________________

4 Vocabulaire et communication. Votre enfant joue dans un jardin public. Vous lui parlez. Parmi les phrases suivantes, lesquelles sont appropriées à la situation ?

1. « Ne tape pas sur le petit garçon ! »

2. « Donnez-moi le nom de votre fille ! »

3. « Couché ! »

4. « Rends-lui son ballon ! »

5. « Attention, tu vas tomber ! »

6. « Va chercher ton ballon ! »

7. « Retourne à ton bureau ! »

8. « Va à ta place ! »

9. « Assis ! »

10. « On joue ? »

5 À vous ! Imaginez ce que la mère dit à son petit garçon.

① ② ③ ④

3 Au bureau

Marianne : Juliette, **vous me sortirez** le dossier Chevalier, s'il vous plaît. Je pars en réunion dans dix minutes.

Juliette : Oui, Marianne, tout de suite. Est-ce que je vous imprime le rapport ?

Marianne : Oui, **faites-en** deux exemplaires. Vous **en mettrez un** avec le reste du dossier et **vous enverrez** l'autre à Selim.

Juliette : Vous pouvez signer ces factures, que je les mette au courrier ?

Marianne : Non, Juliette, **attendez** un peu, **ne les envoyez pas** tout de suite, j'ai encore quelques bricoles à vérifier.

Juliette : Marianne, vous vous souvenez, **il faudrait que** vous appeliez René Vallon.

Marianne : Ah oui, vous avez raison, j'allais oublier. **Vous me donnez** ses coordonnées ?

Juliette : Et puis, **il faudra que vous me confirmiez** vos dates de voyages, que je fasse vos réservations.

Marianne : Oui, je vous les donne tout de suite. **Pensez à prévenir** Zohra que je serai de passage à Toulouse mardi prochain. Une dernière chose : **vous auriez l'amabilité de** réserver une table pour deux pour déjeuner demain ?

Grammaire

Expression de l'ordre

(futur simple, impératif ou simple présent).

- Vous **posterez** la facture.
- **Postez** la facture, s'il vous plaît !
- Vous **postez** la facture ? *(présent à la forme interrogative)*

Vocabulaire

- Sortir ≠ ranger un dossier.
- Faire 3 exemplaires d'un document.
- Envoyer une facture à...
- Rédiger un rapport sur un projet.
- Vérifier des chiffres, une adresse...
- Confirmer des dates.
- Prévenir qqn de qch.
- Être / partir en réunion ≠ sortir de réunion.

Manières de dire

- Pensez à... *(+ infinitif)* (= n'oubliez pas de...)
- Vous penserez à... *(+ infinitif)*
- Il faudra que... *(+ subjonctif)*
- Il faudrait que... *(+ subjonctif)*
- Vous me donnerez... Vous en posterez un exemplaire...
- Vous auriez l'amabilité de... *(+ infinitif)* ?
- Faites... Donnez-moi... Passez-moi...

Remarque de vocabulaire. « Une bricole » est une petite chose. « J'ai faim, je vais manger une bricole. » « Il nous reste quelques bricoles à finir dans l'appartement. » « Nous avons offert une bricole à notre voisine pour la remercier. »

Remarque de grammaire. La conjonction « que » + subjonctif peut signifier la conséquence : « Viens ici, que je te voie ! »

ACTIVITÉS

1 Compréhension. Vrai ou faux ?

	VRAI	FAUX
1. Juliette doit envoyer deux exemplaires du dossier à Selim.	☐	☐
2. Marianne refuse catégoriquement de signer les factures.	☐	☐
3. Marianne doit vérifier la totalité des factures.	☐	☐
4. Marianne n'a pas le numéro de téléphone de la personne qu'elle doit joindre.	☐	☐
5. Marianne déjeunera avec quelqu'un demain.	☐	☐

2 Grammaire. Complétez par un verbe logique au temps approprié.

1. Amandine, vous ________________ l'amabilité de me communiquer l'adresse de ce restaurant ?
2. Fabien, vous ________________ confirmer ma réservation de train ?
3. Il ________________ que vous me communiquiez le nom des participants à la réunion.
4. Manon, vous me ________________ les coordonnées de M. Grenier ?
5. ____________________-moi la photocopie de ce document, s'il vous plaît !
6. ________________ à éteindre les ordinateurs avant de partir !

3 Vocabulaire. Choisissez la ou les réponse(s) possible(s).

1. La secrétaire [confirme | vérifie | prévient] les dates de la conférence.
2. Je dois [rédiger | être | partir] un rapport sur ce projet.
3. Nous devons [confirmer | sortir | envoyer] le dossier.
4. Ils partent en [facture | rapport | réunion].
5. Elle sort [un dossier | de réunion | des dates].
6. Il faut que je prépare dix [photocopies | exemplaires | factures] de ce document.

4 Grammaire et communication. Voici un certain nombre de tâches que votre secrétaire doit faire. Demandez-les-lui, en variant le ton et les tournures.

1. Téléphoner à un client. ______________________________
2. Confirmer l'heure d'une réunion. ______________________________
3. Envoyer une facture à un client. ______________________________
4. Faire deux photocopies d'un document. ______________________________
5. Réserver une chambre d'hôtel pour trois jours. ______________________________
6. Se renseigner sur les horaires d'avion. ______________________________

5 À vous ! Vous partez en vacances et vous donnez des instructions à la gardienne de votre immeuble. Vous lui demandez de : garder votre courrier, arroser vos plantes, donner les clés de votre appartement à un(e) ami(e) qui s'y installera en votre absence. Vous lui proposez de vous appeler s'il y a un problème. Imaginez et jouez le dialogue.

22 Insister

1 Dans la rue

Le policier : Madame, impossible de passer, la rue est barrée !
La dame : Mais vous plaisantez ? J'habite au bout de la rue !
Le policier : Il y a une manifestation, madame, tout est fermé ; vous devez garer votre voiture et finir à pied.
La dame : Mais enfin, monsieur, regardez, j'ai deux enfants dont un bébé, j'ai dix paquets, **comment voulez-vous que** je porte tout ça ? Je ne suis pas assez forte pour y arriver toute seule !
Le policier : Madame, **ce n'est pas la peine d'insister, je vous dis que** c'est barré jusqu'à 15 h. Il y a des incidents en cours, vous devez attendre.
La dame : Monsieur, écoutez, je vais en voiture devant chez moi, je dépose les enfants et les paquets et **je vous assure qu**e je reviens immédiatement garer ma voiture ici.
Le policier : Je regrette, madame, **je vous répète que** c'est impossible. Circulez !

2 À la maison

L'enfant : Maman, je peux sortir avec Bastien pour voir *La Guerre totale* ?
La mère : Non, mon chéri, tu es trop petit pour voir ce film.
L'enfant : Mais si, maman, je t'assure, les copains*, ils disent qu'il est très bien, ce film !
La mère : Non, j'ai dit : non. Tu n'iras pas ! Si tu veux, tu pourras aller voir un dessin animé la semaine prochaine. Mais *La Guerre totale*, **il n'en est pas question !**
L'enfant : Allez, maman...
La mère : Mon chéri, tu devrais le savoir : **non, c'est non, un point, c'est tout* !**

Grammaire

■ Usage particulier de « dont »

- J'ai trois enfants, **dont** un bébé.
- Ils ont de nombreux livres d'art, **dont** un sur Vélasquez.

■ « Trop » / « assez » + adjectif + « pour » (+ infinitif)

- Tu es **trop** petit **pour** voir ce film.
- Elle n'est pas **assez** forte **pour** tout porter.

Vocabulaire

- Une rue est barrée par la police à cause d'une manifestation...
- La rue est fermée pour travaux.
- Garer sa voiture = trouver une place pour la voiture.
- Déposer les enfants à l'école, chez la nounou.
- Un incident < un accident.

Manières de dire

- Il n'en est pas question.
- Non, j'ai dit : non.
- Je regrette, ce n'est pas possible.
- Je vous dis que... = je vous répète que...
- Je t'/vous assure !
- Mais si, mais non, mais pas du tout, mais enfin !

Remarque de syntaxe. « Les copains*, ils disent qu'il est très bien, ce film » : syntaxe très familière. La forme correcte serait : « Les copains* disent que ce film est très bien. »

ACTIVITÉS

1 Compréhension. Vrai ou faux ?

Dialogue 1	**VRAI**	**FAUX**
1. La rue est barrée, car il y a des travaux.	☐	☐
2. Il est peut-être dangereux de passer.	☐	☐
Dialogue 2		
3. Le film a déjà été vu par certains enfants.	☐	☐

2 Grammaire. Complétez par « trop », « assez » ou « dont ».

1. Le petit garçon est ______________ grand pour dormir dans ce lit de bébé.

2. La jeune fille est ______________ mûre pour partir seule à l'étranger faire des études.

3. Il a de nombreux amis étrangers, ______________ plusieurs Sud-Américains.

4. Nous avons vu des tableaux de Matisse, ______________ certains m'ont beaucoup plu.

5. Ce pauvre garçon est ______________ bête pour réussir ses examens !

3 Vocabulaire et communication. Choisissez la ou les réponse(s) la/les plus insistante(s).

1. « Monsieur, vous ne pouvez pas garer votre voiture ici. »
☐ **a.** Mais enfin, j'habite à côté ! ☐ **b.** Ah bon ? ☐ **c.** Tant pis !

2. « Je n'ai pas trouvé que le film était bon. »
☐ **a.** Moi, je le trouve bon. ☐ **b.** Au contraire, il est excellent ! ☐ **c.** Tu plaisantes ? Il est génial !

3. « Tu as encore fumé ? »
☐ **a.** Non, je n'ai pas fumé ! ☐ **b.** Je t'assure que je n'ai pas fumé. ☐ **c.** Je ne fume plus !

4. « Est-ce que je peux sortir avec mes copains*, demain soir ? »
☐ **a.** Oui, si tu veux. ☐ **b.** Mais oui, bien sûr ! ☐ **c.** Je vais réfléchir.

5. « Mais papa, pourquoi tu ne veux pas que je sorte ? »
☐ **a.** C'est comme ça et pas autrement ! ☐ **b.** C'est hors de question ! ☐ **c.** Ne sors pas.

4 Communication. Pour les phrases suivantes, dites qui parle : deux inconnus (a), deux amis (b), ou un adulte et un enfant (c). Imaginez ensuite la ou les situation(s).

1. « Mais je t'assure que ton gâteau est délicieux ! » ______________________________

2. « Mais monsieur, puisque je vous dis que c'est impossible ! » ______________________________

3. « Je te dis que ce n'est pas dans cette rue ! » ______________________________

4. « Non, c'est non ! » ______________________________

5. « Moi, je te dis que tu devrais l'appeler ! » ______________________________

6. « Je regrette, c'est hors de question. » ______________________________

7. « Tu n'iras pas, un point, c'est tout ! » ______________________________

5 À vous ! Votre fille de 12 ans voudrait partir en voyage avec des amis pour trois semaines. Vous avez déjà refusé. Elle insiste et a des arguments (copains* sérieux, voyage non dangereux...). Vous maintenez votre position, elle insiste encore. Imaginez et jouez le dialogue.

3 À la préfecture de police

Le monsieur : Bonjour, madame, il me faudrait un nouveau passeport urgemment, parce que je dois partir dans trois jours pour le Japon.

L'employée : Ah, non, monsieur, c'est impossible ! Il faut au moins dix jours pour obtenir le renouvellement du passeport biométrique.

Le monsieur : Ce n'est pas possible ! Mais qu'est-ce que je vais faire, alors ? C'est un voyage professionnel très important !

L'employée : Monsieur, **je vous dis que** c'est comme ça. Et d'ailleurs, pourquoi vous demandez ce passeport à la dernière minute ? Le vôtre est périmé depuis deux mois !

Le monsieur : Mais parce que je ne savais pas du tout que je devais aller au Japon ! Madame, **j'ai absolument besoin de** ce passeport. **Ça aurait des conséquences désastreuses** pour moi, **si** je ne pouvais pas partir.

L'employée : Monsieur, ce n'est pas ma faute !

Le monsieur : Bien sûr, je ne vous accuse pas. **Mais il faut absolument que** je trouve un moyen d'obtenir ce passeport. C'est une nécessité professionnelle. Qu'est-ce que vous me conseillez de faire ?

L'employée : Bon, attendez un instant, je reviens. *(Quelques minutes plus tard)* Allez, donnez-moi votre dossier…

Le monsieur : Ah, madame, je vous remercie infiniment !

L'employée : Vous pouvez repasser demain, vous aurez votre passeport.

Grammaire

« Si » + imparfait à conditionnel présent

- Si je ne **pouvais** pas partir, cela **aurait** de graves conséquences.
- Il **partirait** en voyage, s'il **connaissait** quelqu'un pour l'accompagner.

Vocabulaire

L'administration

- Demander, faire renouveler, faire établir, obtenir, recevoir… un papier, une carte de séjour, un passeport biométrique…
- Un document périmé ≠ en cours de validité.
- Apporter tous les documents pour constituer le dossier de renouvellement.

Manières de dire

- J'ai absolument besoin de…
- Il faut absolument que…
- C'est très important / c'est essentiel / c'est vital !
- Ça aurait des conséquences graves / désastreuses pour…

ACTIVITÉS

1 Compréhension. Relisez le dialogue ci-contre et choisissez la bonne réponse.

1. Le monsieur voudrait [demander] [renouveler] un passeport.
2. Il demande son passeport [à la dernière minute] [dix jours à l'avance].
3. Le monsieur aura son passeport [dans dix jours] [à temps].

2 Grammaire. Mettez les verbes à l'imparfait ou au conditionnel présent.

1. Nous _______________ *(obtenir)* ce document rapidement si nous le _______________ *(demander)* tout de suite.
2. Si vous _______________ *(apprendre)* à vous servir de ce logiciel, vous _______________ *(avoir)* la possibilité de mieux gérer vos dossiers.
3. S'il _______________ *(ne pas recevoir)* son visa à temps, il _______________ *(ne pas pouvoir)* se rendre au Brésil.
4. Ils _______________ *(s'entendre)* mieux s'ils_______________ *(communiquer)* davantage !
5. Je vous _______________ *(soutenir)* si vous _______________ *(être)* en difficulté.

3 Vocabulaire et communication. Classez les phrases par ordre d'intensité.

a. « Ce voyage professionnel en Grèce est fondamental pour moi ! » _______________
b. « Il faut que je parte en Grèce. » _______________
c. « Si je ne pars pas en Grèce, ce sera une catastrophe pour mon entreprise ! » _______________
d. « Ce voyage professionnel en Grèce est très important pour moi. » _______________
e. « Il faut absolument que je parte en Grèce ! » _______________

4 Communication. Quelle réponse pouvez-vous faire, en insistant ?

1. « Non, monsieur/madame, la banque va fermer, vous devez revenir lundi. »
____
2. « Il est impossible de passer par là, parce qu'il y a une fête au village. »
____
3. « Vous ne pouvez pas visiter ce château, il est privé. »
____
4. « Allez, maman, laisse-moi aller chez Bérénice ! »
____
5. « Moi, je te dis que nous sommes déjà venus ici ! »
____
6. « Je trouve que ce candidat n'a aucune personnalité ni aucun programme clair. »
____

5 À vous ! Votre voiture est en panne. Le mécanicien dit qu'il ne peut pas la réparer avant demain. Vous en avez absolument besoin ce soir. Il dit qu'il ne peut vraiment pas la réparer aujourd'hui. Vous insistez. Imaginez et jouez le dialogue.

Les contacts quotidiens

23 Contester

1 Une livraison

Le livreur : Bonjour, madame, on vient vous livrer les chaises et la table que vous avez commandées.

La cliente : Ah, très bien. *(Quelques minutes plus tard)* **Mais qu'est-ce que c'est que ça* ? Il y a une erreur !** J'avais commandé des chaises noires ! Regardez, elles sont blanches !

Le livreur : Mais madame, c'est pourtant la bonne référence ! **Vous vous êtes peut-être trompée dans la commande.**

La cliente : Bien sûr que non, regardez le bon de commande ! **C'est la bonne référence, mais ce ne sont pas les chaises que j'ai commandées.**

Le livreur : Ah oui, c'est vrai, **il a dû y avoir une erreur.** Ce n'est pas notre faute !

La cliente : Bien sûr que* ce n'est pas votre faute, mais vous savez, c'est la deuxième fois que ça arrive avec votre magasin… **Je ne trouve pas ça normal.**

Le livreur : Madame, il faut que vous téléphoniez au service clientèle.

2 Un petit accident

La dame : Monsieur ! Attention ! Vous n'avez pas vu le feu rouge ?

Le chauffard : Mais madame, **c'est vous qui** êtes passée sans regarder !

La dame : Ça, c'est extraordinaire ! C'était au rouge pour les voitures !

Le chauffard : Pas du tout, vous avez couru sans regarder ! On regarde, avant de traverser !

La dame : Ça, c'est incroyable !

Grammaire

La mise en relief

C'est toi qui as pris mon stylo ?

Bien sûr que* je suis content !

Ça, c'est incroyable…

Cette voisine, je **la** vois tous les jours.

Vocabulaire

- La commande, le bon de commande, la référence.
- Le service clientèle = le service après-vente.
- La facture (payée ou non).
- La livraison à domicile : le livreur vient livrer les articles commandés.

Manières de dire

- J'avais commandé… mais j'ai reçu…
- C'est peut-être le bon numéro, mais ce n'est pas le bon article… *(bon = correct)*
- Je ne trouve pas normal que… *(+ subjonctif)*
- Oui, ce n'est pas votre faute, mais je trouve que…
- C'est vous qui…
- Qu'est-ce que c'est que ça ? *(fam.)*
- C'est inadmissible !
- Je trouve ça scandaleux !

ACTIVITÉS

1 Compréhension. Vrai ou faux ?

	VRAI	FAUX
Dialogue 1		
1. La cliente a fait une erreur dans sa commande.	☐	☐
2. Le magasin a déjà eu des problèmes de livraison.	☐	☐
Dialogue 2		
3. Le conducteur a brûlé le feu rouge.	☐	☐

2 Grammaire. Reformulez les phrases pour mettre en valeur la partie soulignée.

1. Je prendrai en charge ce projet. ______________________

2. C'est inadmissible ! ______________________

3. Oui, c'est une bonne idée ! ______________________

4. Ils traversent cette rue tous les jours. ______________________

5. Vous vous êtes occupé de la livraison ? ______________________

3 Vocabulaire. De quoi parle-t-on ?

1. C'est le document sur lequel sont notés les articles qu'on a commandés. ______________________

2. C'est le service que l'on appelle quand on a un problème dans un magasin. ______________________

3. C'est la personne qui apporte les objets à la maison. ______________________

4. C'est le numéro de l'article que l'on a commandé. ______________________

5. C'est le document qui prouve qu'on a payé les articles commandés. ______________________

4 Communication. Que pouvez-vous dire dans les situations suivantes ?

1. Votre facture de téléphone est de 250 € au lieu de 50 €. ______________________

2. Vous avez commandé 7 m de moquette, et on vous en livre 5 m. ______________________

3. Au restaurant, vous avez commandé du poisson et on vous apporte un steak. ______________________

4. Au magasin de photos, les photos développées ne sont pas les vôtres. ______________________

5. Vous avez acheté un livre neuf, mais il manque dix pages à l'intérieur. ______________________

6. La chambre d'hôtel « avec vue sur la mer » donne sur une cour. ______________________

5 À vous ! Observez ce que le client avait dans son assiette, puis faites le dialogue entre les deux personnages.

24 Les plaintes

1 Une fuite d'eau

Mme Fraisse : Allô, monsieur Dumaurier ? C'est madame Fraisse. Voilà, **il y a un problème** dans la salle de bains, il y a de l'humidité sur le mur. La peinture est en train de tomber. **Je pense qu'il y a une fuite d'eau.**

M. Dumaurier : Alors, il **faut d'abord voir si c'est bien ça** !

Mme Fraisse : Oui, bien sûr, mais **qu'est-ce qu'on* fera** après ?

M. Dumaurier : Il faut prévenir votre assurance.

2 Un propriétaire négligent

Le locataire : Quand nous avons loué cette maison, **vous deviez** changer les fenêtres. Ça fait trois mois que nous sommes là, personne n'est venu et les fenêtres **ne ferment toujours pas** !

Le propriétaire : Oui, excusez-moi, mais je n'ai pas encore eu le temps…

Le locataire : Écoutez, une fenêtre, ça doit fermer ! **Nous ne pouvons pas** rester avec de l'air qui entre partout ! Nous sommes en décembre, **c'est complètement fou***. Dites-nous quand vous allez faire quelque chose !

Le propriétaire : Je m'en occupe. Je vais envoyer quelqu'un demain, **sans faute** !

Le locataire : J'espère ! **Ça commence à bien faire ! C'est urgent, maintenant !**

Grammaire

Imparfait / passé composé

- Quand **nous avons loué** cette maison *(à ce moment-là précisément)*, vous **deviez** *(depuis un certain temps non précisé)* changer les fenêtres.
- Au moment où ils **sont entrés**, tous les invités **parlaient** ensemble.
- Quand nous **habitions** *(imparfait)* à Rennes, nous **avons organisé** *(une fois)* une grande fête.

Vocabulaire

Les problèmes dans un logement

- Une fuite d'eau : le robinet fuit.
- La porte, la fenêtre ferment mal.
- Une vitre est cassée.
- La prise électrique ne marche plus.
- Le chauffe-eau est en panne.

Manières de dire

- J'ai un problème… Il y a un problème… Je crois qu'il y a un problème…
- Vous deviez… mais vous n'avez pas…
- Ça ne marche toujours pas.
- C'est complètement fou !
- Il faut d'abord…
- Nous ne pouvons plus…
- C'est urgent ! Ça commence à bien faire !
- D'accord, demain, « sans faute » (= certainement)

ACTIVITÉS

1 Compréhension. Vrai ou faux ?

	VRAI	FAUX
Dialogue 1		
1. Le propriétaire n'est pas sûr qu'il y ait une fuite d'eau.	☐	☐
2. On doit prévenir l'assurance du propriétaire.	☐	☐
Dialogue 2		
3. Les fenêtres sont en mauvais état depuis plus de trois mois.	☐	☐
4. Le propriétaire a une bonne raison de ne pas avoir changé les fenêtres.	☐	☐

2 Grammaire. Mettez les verbes à l'imparfait ou au passé composé, selon le cas.

1. Quand elle ____________________ *(se rendre)* compte de la fuite d'eau, elle ____________________ *(prévenir)* son propriétaire.

2. Quand il ____________________ *(arriver)* sur place, cela ____________________ *(faire)* déjà longtemps que nous avions commencé à dîner.

3. Le robinet ____________________ *(commencer)* à fuir au moment où nous ____________________ *(rentrer)* de vacances.

4. Dans notre ancienne maison, plusieurs fenêtres ____________________ *(ne pas fermer)* bien. Nous ____________________ *(devoir)* les faire changer.

3 Vocabulaire et communication. Vous êtes propriétaire. Imaginez une réponse à chacune des plaintes d'un(e) locataire.

1. « Je crois qu'il y a une fuite d'eau dans la cuisine. » ____________________

2. « Nous n'avons plus de chauffage depuis deux semaines ! » ____________________

3. « Je ne peux pas rester avec une porte d'entrée qui ne ferme pas ! » ____________________

4. « J'ai un problème d'électricité. » ____________________

5. « C'est urgent, maintenant ! Cela fait des semaines que ça dure ! » ____________________

4 Communication. Classez les phrases suivantes de la plus aimable à la plus agressive.

a. « C'est urgent, maintenant ! » ____________________

b. « Je crois qu'il y a un petit problème d'eau chaude. » ____________________

c. « Ça fait trois semaines que j'attends ! » ____________________

d. « C'est complètement fou ! » ____________________

e. « Nous ne pouvons pas rester comme ça ! » ____________________

5 À vous ! Vous êtes locataire. Votre chauffe-eau ne marche plus. Vous téléphonez pour la deuxième fois à votre propriétaire à ce sujet. Vous laissez un message assez agressif sur son répondeur.

3 Dans un magasin d'informatique

L'employé : Madame, je peux vous aider ?

La cliente : Oui, monsieur. Voilà, **je suis furieuse**, parce que cet ordinateur est déjà en panne, alors que je l'ai acheté chez vous il y a une semaine.

L'employé : Comment ça, il est en panne ? Il est pourtant tout neuf !

La cliente : Oui, **je dis bien** : il est en panne ! Il ne marche pas, l'écran reste noir.

L'employé : Vous êtes sûre que vous l'avez bien branché ?

La cliente : Bien sûr que* je l'ai branché ! Essayez-le vous-même, vous allez voir !

L'employé : Tiens, c'est bizarre, je ne comprends pas ce qui se passe. Il doit y avoir un défaut de fabrication. Je vais l'envoyer chez le technicien. De toute façon, il est sous garantie, vous n'aurez rien à payer.

La cliente : Encore heureux ! Et ça va prendre combien de temps ?

L'employé : Oh, une quinzaine de jours, à peu près.

La cliente : Quoi* ? Quinze jours ? Monsieur, **ce n'est pas possible** ! J'en ai besoin aujourd'hui même ! **Je ne peux absolument pas attendre.**

L'employé : Madame, je suis désolé, mais il n'y a pas d'autre solution.

La cliente : Comment ça, il n'y a pas d'autre solution ? Vous plaisantez ! Si j'achète un ordinateur neuf, c'est pour qu'il marche, non ? Alors, soit vous me changez cet ordinateur immédiatement, soit vous me remboursez intégralement. Voilà la facture.

L'employé : Non, madame, je suis désolé, on ne peut pas faire ça.

La cliente : On croit rêver ! Je trouve ça inadmissible. Vous pouvez appeler votre responsable, s'il vous plaît ?

Grammaire

Expression de l'opposition

- La voiture est en panne **alors qu'**elle est neuve ! = Elle est en panne. **Pourtant,** elle est neuve !
- C'est une excellente voiture. **Cependant,** elle a quelques petits défauts.

Vocabulaire

- L'appareil marche ≠ ne marche pas ; il est en panne = il a un sérieux problème technique.
- Un problème / un défaut de fabrication.
- Un écran ; une souris ; une clé USB.
- « Huit jours » = une semaine ; « quinze jours » = deux semaines.

Manières de dire

- Quoi ? Comment ça ? Vous plaisantez ! Ce n'est pas possible ! On croit rêver !
- C'est inadmissible !
- Je trouve ça inacceptable !
- Je dis bien…
- Je suis furieux (-euse)

ACTIVITÉS

1 Compréhension. Choisissez la bonne réponse.

1. La cliente ne devra pas payer la réparation.
2. La cliente voudrait voir le chef de l'employé.

2 Grammaire. Reliez les deux parties de phrase en employant « alors que », « pourtant » ou « cependant ».

1. Cette voiture ne marche pas ____________________ elle est toute neuve !
2. Il ne m'a pas rejoint à temps. ________________, je lui avais rappelé l'heure du rendez-vous !
3. L'écran ne s'allume pas ________________ j'ai fait tout ce qu'il fallait !
4. Cet appareil photo est de très grande qualité. ______________, il est un peu trop lourd.
5. Ils ont changé de portable ________________ ils n'en avaient pas besoin.

3 Communication. Pour chacune des phrases suivantes, choisissez la situation la plus appropriée.

1. « C'est absolument inadmissible ! »
   ☐ **a.** Vous avez payé votre billet d'avion et le vol est annulé à la dernière minute.
   ☐ **b.** Le serveur a fait une erreur dans l'addition : c'est 14 € et non 14,50 €.
2. « Vous plaisantez ! »
   ☐ **a.** Vous voulez réserver une table au restaurant, mais il est complet.
   ☐ **b.** Un employé d'administration vous demande de revenir pour la cinquième fois.
3. « On croit rêver ! »
   ☐ **a.** La vieille photocopieuse de votre bureau est en panne.
   ☐ **b.** Un jeune garçon de 10 ans bouscule une vieille dame et ne s'excuse pas.
4. « Comment ça ? »
   ☐ **a.** L'hôpital a perdu votre dossier médical.
   ☐ **b.** Vous ne trouvez plus votre parapluie.
5. « C'est scandaleux ! »
   ☐ **a.** C'est la troisième fois qu'une livraison est reportée et que vous attendez en vain.
   ☐ **b.** Vous avez reçu un magazine avec un jour de retard.

4 À vous ! Imaginez ce que disent les personnages.

4 Des voisins bruyants

M. Lopez : Bonjour, je viens encore vous voir à cause du bruit que vous faites. **Ça ne va plus du tout** : le rock à trois heures du matin, un jour sur deux, **ça commence à bien faire !**

Arthur : Ouais... mais on fait ce qu'on veut chez soi !

M. Lopez : Oui, bien sûr, mais puisque vous vivez dans un immeuble, il faut apprendre à se respecter les uns les autres !

Arthur : On ne va pas arrêter de vivre, quand même !

M. Lopez : Jeune homme, **le règlement** de la copropriété, **c'est qu**'on ne doit pas faire de bruit entre 22 h et 7 h du matin !

Arthur : 22 h, c'est beaucoup trop tôt !

M. Lopez : C'est comme ça, c'est le règlement. Et puis, ici, tout le monde travaille. **Vous dérangez l'ensemble de l'immeuble**. Comme vous le savez très bien, **il y a déjà eu des plaintes**...

Arthur : Pfui...

M. Lopez : ... et la police est déjà venue plusieurs fois. **Ça va mal finir**, si vous continuez comme ça. Tiens, j'ai une idée : je peux venir vous réveiller tous les matins à 7 h, juste pour voir si cela ne vous dérange pas...

Arthur : Bon, bon, d'accord, on fera attention...

Grammaire

- **Puisque** ce sont les vacances, tout le monde est parti. *(cause évidente ou connue)*
- **Comme** ma mère vient dîner, je vais faire le plat qu'elle préfère. *(en début de phrase)*
- Il est en retard **à cause des** embouteillages. *(à cause de + nom)*
- Elle est partie en vacances **grâce à** sa grand-mère. *(cause positive)*

Vocabulaire

L'immeuble

- Le gardien/la gardienne de l'immeuble.
- L'entrée avec les boîtes aux lettres.
- Les voisins de palier (= du même étage).
- Le règlement.
- La copropriété (= l'ensemble des copropriétaires).

Manières de dire

- Ça commence à bien faire !
- Vous dérangez tout le monde !
- Je suis désolé, mais c'est le règlement !
- Ça va mal finir !
- Ça ne va plus du tout !
- Tout le monde se plaint du bruit.

ACTIVITÉS

1 **Compréhension. Vrai ou faux ?**

	VRAI	FAUX
1. Le jeune homme fait du bruit une fois par semaine.	☐	☐
2. La copropriété demande qu'on ne fasse pas de bruit après 8 h du soir.	☐	☐
3. Ce n'est pas la première fois qu'il y a du bruit la nuit.	☐	☐
4. Le voisin va réveiller le jeune homme tous les dimanches matin.	☐	☐

2 **Grammaire. Remplacez « parce que » par une autre expression de cause. Vous devrez parfois reformuler la phrase.**

1. Il n'est pas sorti parce qu'il neige. ______
2. Nous n'avons pas dormi parce que les voisins ont fait du bruit. ______
3. Ils ont obtenu une bourse parce qu'ils avaient un très bon dossier. ______
4. Il ne paye pas de loyer parce qu'il est propriétaire de sa maison. ______
5. Ils ne partent pas en voyage parce qu'il y a une grève de transport. ______
6. Il a fait des progrès à l'école parce que ses parents l'ont aidé. ______

3 **Vocabulaire. Il s'agit d'un immeuble. Complétez par les mots manquants.**

1. Nos voisins de ______ viennent de déménager.
2. J'ai demandé au ______ de prendre mon courrier en mon absence.
3. La réunion des ______ a lieu une fois par an.
4. Il est important de respecter le ______ de la ______.
5. Les ______ aux lettres se trouvent dans ______ de l'immeuble.

4 **À vous ! Vous êtes l'un des voisins. Vous allez voir ces jeunes gens, car ce n'est pas la première fois que cela arrive ! Imaginez et jouez le dialogue.**

BILAN N° 3

1 Au téléphone. Trouvez une réponse appropriée.

1. C'est de la part de qui ? — ______
2. Vous voulez laisser un message ? — ______
3. Il/elle a vos coordonnées ? — ______
4. Non, désolé, ce n'est pas monsieur Dubois. — ______
5. Est-ce qu'il/elle peut vous rappeler ? — ______
6. Vous êtes bien Marie-Claude Grangier ? — ______
7. Je suis désolé, son poste est occupé. — ______

2 Que pense-t-elle ?

3 Répondez en insistant.

1. Non, madame, le musée ferme dans 15 minutes, vous ne pouvez pas entrer !
   — ______
2. Ce n'est pas possible, tu n'as pas vu un éléphant sur la place de la Concorde !
   — ______
3. Non, tu ne peux pas aller jouer chez Thomas !
   — ______
4. Non, monsieur, le concert commence, vous ne pouvez pas entrer dans la salle !
   — ______
5. Non, madame, ce n'est pas possible !
   — ______
6. Ce mot-là n'existe pas, j'en suis sûr !
   — ______
7. C'est vous qui vous êtes trompé(e) !
   — ______

4 **Que pouvez-vous dire dans les situations suivantes ?**

1. Vous êtes à la banque. Votre nom, sur votre carte bancaire, a été mal orthographié.

— ______________________________

2. Vous êtes locataire et vous n'avez pas d'eau chaude depuis deux jours. Vous téléphonez pour la deuxième fois à votre propriétaire.

— ______________________________

3. Au restaurant, vous aviez réservé une table pour huit personnes dans le jardin, et on vous donne une table pour six à l'intérieur.

— ______________________________

4. C'est la troisième fois que vous recevez une facture de téléphone avec une erreur importante.

— ______________________________

5. Vos voisins ont un chien qui aboie très souvent dans la journée, quand ils sont absents. Vous allez les voir.

— ______________________________

6. Le téléphone mobile que vous venez d'acheter ne marche pas.

— ______________________________

5 **Trouvez une question possible, et dites dans quel(s) contexte(s) ces mini-dialogues pourraient se produire.**

1. ______________________________

— Mais non, ça ne m'embête* pas du tout !

2. ______________________________

— Disons à 12h30 directement au restaurant ?

3. ______________________________

— Non, je t'ai déjà dit non !

4. ______________________________

— Monsieur, je suis désolé, il n'y a pas d'autre solution !

5. ______________________________

— D'ici une petite demi-heure, je pense.

6. ______________________________

— Non, merci, ce n'est pas la peine.

7. ______________________________

— Mais je vous dis qu'il me faut absolument ce document !

25 Tutoyer ou vouvoyer

1 À la boulangerie

Octave : Maman, je veux un croissant et des bonbons !
La mère : Pardon, je… quoi ?
Octave : Je voudrais un croissant… s'il te plaît, maman.
La mère : Bon, d'accord, allons-y ! Mais c'est toi qui le demandes, po-li-ment.
Octave : Bonjour, un croissant et des bonbons, comme ça, s'il te plaît, madame.
La mère : S'il vous plaît, madame… et s'il te plaît, maman ! Ça fait cent fois que je te le dis.
La boulangère : Voilà, mon petit, ton croissant. Et tu veux une sucette ou des bonbons ?
La mère : Juste un bonbon, ça suffira !

2 C'est difficile…

Rachel : Qu'est-ce que c'est difficile, en français ! **Je ne comprends rien au tutoiement** et **au vouvoiement**. J'ai l'impression que tout le monde s'adresse la parole en se vouvoyant.
Alex : Pas du tout ! Ça dépend des générations, des caractères… Entre jeunes, il est vrai que le tutoiement est immédiat. Mais si **tu te mets à tutoyer** quelqu'un dans la rue, cela risque de choquer. Si tu n'es pas sûre, tu peux toujours poser la question : « **Est-ce qu'on peut se tutoyer ?** »
Rachel : Pourtant, l'autre jour, j'ai entendu un chauffeur de taxi qui insultait un piéton et qui disait : « Espèce de crétin*, *tu* n'as pas vu le feu rouge ? »
Alex : Eh oui, pour insulter, on tutoie…
Rachel : Est-ce qu'il arrive qu'on vouvoie quelqu'un et qu'on l'appelle par son prénom ?
Alex : Ah oui, c'est même très fréquent entre collègues par exemple, ou entre voisins.

Grammaire

Verbes pronominaux à sens réciproque

On fait l'action l'un sur l'autre :

se tutoyer, se vouvoyer, se disputer, s'aimer,
se détester, s'écrire, se téléphoner.

Nous nous aimons. Ils se sont parlé hier soir. Elles se vouvoieront toujours.

Vocabulaire

La communication (1)

- « Je veux » est une structure impolie pour demander quelque chose. → « Je voudrais ».
- Insulter qqn = lui dire des insultes, des phrases blessantes, par exemple « espèce de… » + mot injurieux.
- Adresser la parole à qqn / s'adresser la parole (l'un à l'autre) = commencer à parler.
- Poser une question = demander qqch.

Manières de dire

- Est-ce qu'on peut se tutoyer ? On se tutoie ?
- Le tutoiement et le vouvoiement ne sont pas faciles.
- On appelle quelqu'un par son nom, par son prénom.

ACTIVITÉS

1 Compréhension. Vrai ou faux ?

	VRAI	FAUX
Dialogue 1		
1. Le petit garçon veut manger du pain.	☐	☐
2. Le petit garçon ne sait pas bien utiliser « tu » et « vous ».	☐	☐
Dialogue 2		
3. Entre jeunes, on ne se vouvoie pas souvent.	☐	☐
4. Si on appelle quelqu'un par son prénom, on le tutoie obligatoirement.	☐	☐

2 Grammaire. Mettez le verbe entre parenthèses au temps approprié.

1. Hier, les deux amis ____________________ *(se téléphoner).*

2. Malheureusement, les voisins ____________________ *(ne pas s'entendre).*

3. La prochaine fois qu'ils ____________________ *(se voir),* ils ____________________ *(se tutoyer).*

4. Hélas, nous ____________________ *(se disputer)* durement, le week-end dernier.

5. Heureusement qu'elles ____________________ *(s'aimer)* bien !

6. Nous ____________________ *(se parler)* la semaine dernière.

3 Vocabulaire. Complétez par les termes manquants.

1. Les deux hommes se sont ____________________, ils se sont traités d'imbéciles.

2. Elle refuse de ____________________ la parole à sa collègue !

3. Les étudiants ____________________ de nombreuses questions au professeur.

4. Si on qualifie quelqu'un de lâche, cela peut être une ____________________. En effet, dans certains cas, le mot est ____________________.

4 À vous ! Imaginez un dialogue entre ces personnages, en choisissant le tutoiement ou le vouvoiement selon le cas.

La conversation

3 En famille

Nathan : Maman, ça fait deux ans que Laure et moi vivons ensemble. Tu ne penses pas que **tu pourrais la tutoyer** ? Cela donne l'impression que tu ne l'aimes pas !

La mère : Pas du tout, mon chéri, je l'apprécie beaucoup et je la trouve charmante. C'est juste que **j'ai du mal à tutoyer**, tu le sais bien. Cela me semble toujours **trop familier**.

Nathan : Mais papa la tutoie, ce qui n'est pas **d'une familiarité excessive**, maman, c'est juste gentil de sa part !

La mère : Et Laure vouvoie ton père ! Tu vois, Nathan, ce n'est pas si facile.

Le père : Moi, **je propose que tout le monde se tutoie**. Qu'est-ce que tu en penses, Laure ?

Laure : Comme vous voulez, Hubert…

Le père : Comme *tu veux,* Hubert…

Laure : Oh là là, ça va être difficile…

Nathan : Qu'est-ce que vous êtes compliqués, tous ! **C'est tellement plus simple de se tutoyer**…

La mère : C'est peut-être plus simple, mais c'est infiniment moins intéressant. J'aime bien ne pas **m'adresser** de la même manière **à un inconnu** ou à ton père, par exemple. C'est une question de **proximité**, aussi.

Le père : Je te ferais remarquer, ma chérie, que la petite amie de Nathan **n'est pas vraiment une inconnue, ni même une nouvelle venue** dans la maison !

Nathan : Merci, papa ! Heureusement que tu es nettement plus moderne que maman !

Grammaire

Adverbes d'intensité

- Nettement, vraiment (plus ≠ moins) simple.
- Tellement, infiniment (plus ≠ moins) agréable.
- Extrêmement (= très) gentil.
- C'est juste que… = c'est seulement parce que…

Vocabulaire

La famille et les proches

- Le petit ami, la petite amie / le petit copain*, la petite copine*… (pour les jeunes gens).
- Le compagnon, la compagne (pour les adultes).
- Le fiancé, la fiancée ; se fiancer, puis être fiancé(e) ; célébrer les fiançailles.
- Un(e) inconnu(e) = un étranger/une étrangère.
- Un nouveau venu, une nouvelle venue.

Manières de dire

- Tu pourrais le/la/les tutoyer.
- Avoir du mal à tutoyer.
- Ne pas aimer être trop familier.
- C'est tellement plus simple de se tutoyer !
- S'adresser à quelqu'un d'une manière… / de la même manière que…
- Vouvoyer quelqu'un / tutoyer quelqu'un.
- Faire preuve d'une familiarité excessive ≠ normale.
- Montrer une proximité (psychologique).

ACTIVITÉS

1 Compréhension. Vrai ou faux ?

	VRAI	FAUX
1. Laure et Nathan vont se marier.	☐	☐
2. La mère de Nathan n'aime pas Laure.	☐	☐
3. Le père de Nathan tutoie Laure.	☐	☐
4. Nathan trouve que sa mère est un peu trop conservatrice.	☐	☐

2 Grammaire. Remplacez les mots soulignés par d'autres adverbes, en variant les tournures.

1. C'est <u>beaucoup</u> trop familier. ____________________
2. Il trouve cet appartement <u>vraiment</u> plus confortable ! ____________________
3. Ils tutoient <u>seulement</u> leurs enfants. ____________________
4. Ce genre d'exercice est <u>très</u> facile ! ____________________
5. Je trouve ces voisins <u>vraiment</u> moins sympathiques que les précédents ! ____________________
6. Il lui est <u>très</u> difficile de tutoyer un inconnu. ____________________

3 Vocabulaire. De qui parle-t-on ?

1. C'est une personne qu'on ne connaît pas du tout. ____________________
2. C'est une femme, dans un couple non marié. ____________________
3. C'est la fille avec qui un garçon sort en ce moment. ____________________
4. C'est un homme nouvellement accueilli dans un groupe. ____________________
5. C'est le garçon avec qui une jeune fille sort. ____________________

4 Communication. Trouvez une question appropriée.

1. ____________________ ?
— Oui, bien sûr, c'est tellement plus facile de se tutoyer !
2. ____________________ ?
— Non, c'est bizarre, mais j'ai encore du mal à le tutoyer.
3. ____________________ ?
— Non, bien sûr, je ne m'adresse pas à elle de la même manière !
4. ____________________ ?
— Non, pour moi, ce n'est pas être d'une familiarité excessive !

5 À vous ! Parlez de votre langue et de votre culture, et discutez les questions suivantes.

1. Le tutoiement et le vouvoiement existent-ils ? Si oui, comment sont-ils utilisés ?
2. Si non, existe-t-il d'autres manières de différencier les niveaux de relations personnelles ?
3. Comment les enfants s'adressent-ils aux adultes, en général ?
4. Existe-t-il des termes pour faire la différence entre des personnes vivant ensemble, mais mariées ou non ?

26 Excuser et s'excuser

1 Aïe, mon pied !

Le passant : Oh, pardon, madame, je suis désolé ! Je ne l'ai pas fait exprès !

La dame : Il n'y a pas de mal, monsieur !

2 Un verre cassé

Aurélie : Vincent, regarde ce que j'ai fait… J'ai cassé le verre !

Vincent : Ce n'est pas grave, Aurélie !

Aurélie : Je suis vraiment désolée, c'est ma faute, je suis tellement maladroite…

Vincent : Écoute, **ce n'est rien, ça n'a aucune importance**.

3 Au restaurant

La serveuse : Oh, **excusez-moi, je suis vraiment désolée !**

Le client : Oui, je comprends, vous êtes désolée, mais qu'est-ce que je vais faire, moi ? Ça va laisser une tache !

La serveuse : Monsieur, ne vous inquiétez pas, nous allons vous rembourser le prix du pressing.

Le client : C'est déjà quelque chose, mais…

4 Un contretemps

Romain : Aurore, **tu m'excuseras**, il faut que je décommande notre rendez-vous, ma fille est malade. **Je suis vraiment navré**.

Aurore : Je t'en prie, Romain, je comprends très bien… **Il n'y a pas de problème !**

Grammaire

■ « Ne … aucun(e) » = pas un(e)

- Il n'a aucune excuse. Je n'ai aucun autre manteau. Ça n'a aucune importance.

■ « Aucun(e) … ne »

- Aucune collègue ne m'aiderait. Aucun verre n'a été renversé.

Vocabulaire

Les incidents de la vie quotidienne

- Faire tomber qch ; casser qch.
- Renverser du vin sur… (Se) faire une tache de.
- Heurter, bousculer quelqu'un.
- Marcher sur le pied de quelqu'un.

Manières de dire

- Pardon < Excusez-moi / Excuse-moi < Je suis (absolument) désolé(e) < Je suis navré(e)
- C'est ma faute !
- Je ne l'ai pas fait exprès !
  — Ce n'est rien, ce n'est pas grave, ça ne fait rien, ça n'a aucune importance.
  — Il n'y a pas de mal, il n'y a pas de problème, il n'y a pas de souci…
  — Je t'/vous en prie !

ACTIVITÉS

1 Compréhension. Vrai ou faux ?

Dialogue 1	VRAI	FAUX
1. La dame est furieuse contre le passant.	☐	☐

Dialogue 2	VRAI	FAUX
2. Le verre cassé est précieux.	☐	☐

Dialogue 3	VRAI	FAUX
3. Le vêtement du client doit être nettoyé.	☐	☐
4. C'est le restaurant qui paiera le nettoyage.	☐	☐

Dialogue 4	VRAI	FAUX
5. Romain annule le rendez-vous.	☐	☐

2 Grammaire. Répondez négativement en employant « aucun(e) ».

1. Vous avez cassé des verres ? — ____________________
2. Elle s'est fait des taches ? — ____________________
3. Des musées vendent leurs œuvres ? — ____________________
4. Des amis t'ont aidé à déménager ? — ____________________
5. Il a consulté d'autres livres sur ce sujet ? — ____________________
6. Ils inviteront des voisins ? — ____________________

3 Vocabulaire. Complétez par les termes manquants.

1. Que je suis maladroit ! Je viens de ____________ de la sauce tomate sur la nappe !
2. Zut, je me suis fait ____________ de chocolat sur ma chemise blanche.
3. Dans le métro, quand il y trop de monde, on est toujours ____________ par quelqu'un.
4. L'autre jour, j'ai ____________ sur le pied d'une dame.
5. J'ai fait ____________ tous les paquets par terre, je ne l'ai pas fait ____________ !

4 Communication. Imaginez un dialogue pour chacune des situations suivantes.

1. Chez des amis, Quentin renverse du vin sur la nappe blanche.
2. Caroline a cassé un pot de fleurs chez des amis.
3. Béatrice marche sur le pied d'une dame dans le métro.
4. Chez Juliette, Guillaume fait tomber une assiette remplie de légumes.

5 À vous ! Que disent-ils ? Imaginez et jouez le dialogue. Vous pouvez également raconter la situation en détail.

27 Vérifier, contrôler

1 Une anxieuse

La femme : Chéri, **tu as bien pris** ton passeport ?
Le mari : Mais oui !
La femme : Tu es sûr que tu as éteint le gaz ?
Le mari : Oui !
La femme : Tu es certain que tu as fermé la porte à clé ?
Le mari : Mais c'est toi qui l'as fermée !
La femme : Ah bon ? J'avais oublié. **Tu as pensé à** brancher le répondeur ?
Le mari : Il était déjà branché !
La femme : Tu as ton sac ?
Le mari : Regarde, je l'ai à la main.
La femme : C'est bien d'Orly qu'on part ?
Le mari : Mais oui, c'est écrit sur les billets d'avion !
La femme : On doit enregistrer les bagages maintenant, **non** ?
Le mari : Mais non, nous sommes trois heures en avance !
La femme : On peut garder un bagage en cabine, **c'est ça** ?
Le mari : Oui, je crois.
La femme : Attends, **je vérifie que** j'ai **bien** éteint mon portable.
Le mari *(ironique)* **:** Chérie, tu es sûre qu'on n'a rien oublié ?

Grammaire

Indicatif à la forme affirmative / subjonctif à la forme négative

Je suis sûr / certain que c'est possible.
Je **ne suis pas** sûr que ce **soit** possible.
Je pense/crois qu'il viendra demain.
Je **ne pense/crois pas** qu'il **vienne** demain.

Vocabulaire

- Faire un voyage, partir en voyage, revenir de voyage.
- Enregistrer les bagages à l'aéroport ; l'enregistrement des bagages.
- Garder un bagage / un sac / une petite valise en cabine.
- Les billets d'avion ou de train.

Manières de dire

- Vous avez **bien**...
- Tu as **bien**...
- Il y a **bien** un arrêt de bus ?
- Tu as pensé à *(+ infinitif)* (= tu n'as pas oublié de...)
- Tu es sûr(e) que...
- Tu es vraiment certain(e) que...
- Vraiment ? Ah bon ?
- ..., non ?
- ..., c'est ça ?
- Si j'ai bien compris...
- Je vérifie / contrôle que...

Remarque de vocabulaire. Une simple question peut constituer une vérification : « Tu as pris tes clés ? », « Il n'y a pas de train, le soir ? »

ACTIVITÉS

1 **Compréhension. Relisez le dialogue ci-contre. Vrai ou faux ?**

	VRAI	FAUX
1. La dame a oublié son passeport.	☐	☐
2. C'est elle qui a fermé la porte à clé.	☐	☐
3. Son mari a oublié de brancher le répondeur.	☐	☐
4. Le couple va prendre l'avion.	☐	☐
5. Ils risquent de rater l'avion.	☐	☐
6. Le portable de la dame est déjà éteint.	☐	☐

2 **Grammaire. Mettez le verbe aux temps et mode appropriés.**

1. Ils sont certains que l'avion ____________________ cet après-midi comme prévu. *(partir)*
2. Je ne suis pas sûre que cette valise ____________________ être mise en cabine. *(pouvoir)*
3. Nous sommes convaincus que vous ____________________ un jour à négocier. *(parvenir)*
4. Elle ne croit pas que ce voyage en ____________________ la peine. *(valoir)*
5. Ils sont persuadés que vous ____________________ bien. *(s'entendre)*
6. Je n'ai pas l'impression qu'il ____________________ *(comprendre)* la situation.

3 **Vocabulaire et communication. Complétez le dialogue par des expressions appropriées.**

1. **La mère :** Dis, Bastien, ____________________ tes affaires de gym ?
   Bastien : Oui, maman !
2. **La mère :** ____________________ aujourd'hui que tu as ton cours de violon ?
   Bastien : Non, maman, c'est demain !
3. **La mère :** Élodie, ____________________ à mettre tes papiers dans ton sac ?
   Élodie : Ah zut, c'est vrai, j'ai oublié !
4. **La mère :** Bastien, ____________________ ton anorak ?
   Bastien : Si, si !
5. **La mère :** Élodie, ____________________ ton ordinateur ?
   Élodie : J'y vais, j'y vais...

4 **À vous ! Trouvez une expression appropriée dans les situations suivantes.**

1. Vous vérifiez que votre mari/femme a réservé une table au restaurant. ____________________
2. Vous vérifiez que vous avez pris un dossier important. ____________________
3. Vous contrôlez si votre jeune fils a mis ses chaussures de sport dans son sac à dos. ____________________
4. Vous regardez le jour de votre cours de tennis. ____________________
5. Vous contrôlez si votre fille de 15 ans a fait ses devoirs. ____________________
6. Vous regardez s'il y a du lait dans le réfrigérateur. ____________________

La conversation

28 Affirmer ou nier

1 Dans un bistrot

M. Duvier : Vous savez, monsieur, c'est important d'avoir un bon travail !
M. Lebourg : Oui, certainement !
M. Duvier : Et d'être heureux dans la vie !
M. Lebourg : Évidemment !
M. Duvier : Et d'avoir une bonne santé !
M. Lebourg : Bien sûr que oui !
M. Duvier : Et d'avoir un peu d'argent pour vivre !
M. Lebourg : Bien entendu !
M. Duvier : Et d'avoir de bons amis !
M. Lebourg : Tout à fait ! Justement, vous avez des amis ?
M. Duvier : Euh…

2 D'étranges affirmations

Un policier : Alors, qu'est-ce qu'il a déclaré ?
L'enquêteur : Il **affirme** avoir croisé sa voisine hier matin. Il **certifie qu'**elle n'avait aucun comportement louche. Même après l'avoir **interrogé** pendant des heures, nous avons reçu la même réponse : il **prétend** n'avoir rien remarqué de particulier.
Un policier : Et il t'**a assuré que** c'était bien elle ?
L'enquêteur : Absolument ! Il **soutient** même **qu'**elle lui avait souri ! Il est prêt à témoigner devant la justice.
Un policier : Donc, c'est du sérieux ?
L'enquêteur : D'autant plus qu'il m'**a tout expliqué sur un ton catégorique**. Il avait l'air sûr de son fait.

Grammaire

L'infinitif passé

Il affirme **avoir vu**… (= il affirme qu'il a vu…)

Après **être allée** à la poste, **elle** est rentrée chez elle.

Il a vendu sa maison avant d'**avoir fini** les travaux de rénovation.

Le sujet est le même dans les deux phrases.

Vocabulaire

L'affirmation

- J'affirme = Je soutiens = Je certifie = J'assure qu'il est innocent !
- Les policiers ont révélé la vérité.
- Il parle/répond sur un ton catégorique (= assertif).
- Elle promet < Elle jure que c'est vrai.

Manières de dire

- Oui, bien sûr ! Bien sûr que* oui ! Bien sûr que* si ! Mais oui ! Ah ça*, oui ! Certes !
- Évidemment ! Tout à fait ! Bien entendu ! Certainement ! C'est bien vrai ! Oui, je t'assure !

ACTIVITÉS

1 Compréhension. Vrai ou faux ?

	VRAI	FAUX
Dialogue 1		
1. La conversation n'est pas très originale !	☐	☐
2. Monsieur Duvier n'a probablement pas beaucoup d'amis.	☐	☐
Dialogue 2		
3. L'homme interrogé par la police est un criminel.	☐	☐
4. L'affaire est assez mystérieuse.	☐	☐

2 Grammaire. Transformez en employant un infinitif passé.

1. Nous sommes partis en vacances. → Nous sommes très contents ____________________
2. Elle s'est trompée dans ses calculs. → Elle est furieuse ____________________
3. D'abord, il s'est rasé, puis il est sorti. → Il est sorti après ____________________
4. Elle a oublié ses clés. → Elle prétend ____________________
5. Ils ont réussi à vendre leur maison. → Ils sont heureux ____________________

3 Vocabulaire et communication. Complétez par un verbe logique au passé composé.

1. Les journaux ____________________ l'identité du coupable.
2. Le ministre ____________________ que tout serait fait pour retrouver les malfaiteurs.
3. Le suspect ____________________ qu'il n'avait rien fait de mal.
4. À la question posée, ils ____________________ sur un ton catégorique.
5. Elle ____________________ à son petit garçon de l'emmener au cirque.

4 Communication. Vous avez été témoin d'un hold-up. Répondez aux questions par l'affirmative.

1. Alors, vous avez tout vu ? ____________________
2. Vous n'avez pas appelé la police ? ____________________
3. Est-ce que les malfaiteurs étaient armés ? ____________________
4. Vous avez crié pour attirer l'attention ? ____________________
5. Ils se sont enfuis tout de suite ? ____________________

5 À vous ! Voici quelques « lieux communs ». Commentez affirmativement, en variant les expressions.

1. « Le temps passe vite, n'est-ce pas ? » ____________________
2. « On doit avoir une bonne constitution pour être sportif professionnel, non ? » ____________________
3. « Mieux vaut être riche et bien portant que pauvre et en mauvaise santé ! » ____________________
4. « La vie n'est pas toujours facile ! » ____________________
5. « On ne choisit pas sa famille ! » ____________________
6. « Paris est une belle ville, non ? » ____________________

3 À la sortie d'un magasin

L'agent de sécurité : Monsieur, s'il vous plaît, est-ce que vous pouvez ouvrir votre sac ?

Le client : Et pourquoi ? **Je n'ai rien fait !**

L'agent de sécurité : Monsieur, le bip a sonné…

Le client : Mais non !

L'agent de sécurité : Si, monsieur ! Je vous demanderais de bien vouloir ouvrir votre sac.

Le client : Il n'en est pas question ! Je n'ai rien pris !

L'agent de sécurité : Monsieur, excusez-moi, je dois ouvrir votre sac. Vous avez le ticket de cet article ?

4 Un autre témoignage

L'enquêteur : Elle **nie** s'être trouvée là mardi matin ?

Le policier : Elle **prétend qu'elle n'est plus jamais revenue** dans le quartier. Elle **n'y connaissait pas grand monde**, dit-elle, et elle **n'y avait plus aucune** attache.

L'enquêteur : Mais ce témoin qui dit l'avoir vue ?

Le policier : Elle **conteste** absolument son témoignage. Elle insiste sur le fait que, de toute façon, **elle ne connaît plus personne** dans ce quartier.

L'enquêteur : Donc, elle **n'aurait aucun lien** avec cette histoire ?

Le policier : C'est ce qu'elle soutient, mais **je n'en suis absolument pas persuadé**…

Grammaire

La négation complexe

Je **n'**ai **jamais rien** compris.

Il **n'**est **plus jamais** retourné dans cette région.

Elle **ne** voit **plus personne**.

Je **n'**ai **plus rien** dit.

Ils **n'**ont **jamais** rencontré **aucun** voisin.

Je **ne** connais **pas grand monde.**

Vocabulaire

La négation

- Il nie être allé dans cette ville. Il prétend qu'il n'y est jamais allé.
- Elle refuse de répondre aux questions.
- Elle conteste cette opinion.
- Le ministre a démenti cette annonce (= dire que ce n'est pas vrai).

Manières de dire

- Mais non ! Non, pas du tout ! Non, absolument pas ! Non, certainement pas !
- Il n'en est pas question ! Pas question ! C'est hors de question ! Jamais de la vie !
- Je n'ai/ne suis jamais… je n'ai rien… je n'ai vu aucun(e)…
- Je nie avoir vu/être allé(e)…
- Je conteste cette opinion.
- Je n'en suis pas persuadé(e) / convaincu(e) / sûr(e).

ACTIVITÉS

1 Compréhension. Vrai ou faux ?

	VRAI	FAUX
Dialogue 3		
1. Le client prétend être innocent.	☐	☐
Dialogue 4		
2. Les policiers doutent que la dame dise la vérité.	☐	☐

2 Grammaire. Répondez par la négative en variant les expressions.

1. Vous avez déjà acheté quelque chose dans ce magasin ? ______________________________

2. Est-ce qu'il voit encore quelques cousins ? ______________________________

3. Ils sont retournés dans leur ville natale ? ______________________________

4. Elle continue à inviter du monde chez elle ? ______________________________

5. Tu as encore changé quelque chose dans ton appartement ? ______________________________

3 Vocabulaire. Trouvez une autre manière de dire. Plusieurs solutions sont possibles.

1. Ils ne veulent pas participer à la réunion. ______________________________

2. Le directeur dit que cette information est fausse. ______________________________

3. Le jeune homme assure qu'il n'a jamais participé à ce cambriolage. ______________________________

4. L'avocat n'est pas d'accord avec cette manière de faire. ______________________________

5. Elle soutient qu'elle n'a vu personne. ______________________________

4 Communication. Imaginez une réponse négative en variant les structures.

1. Est-ce qu'elle accepterait un travail ennuyeux mais bien payé ? ______________________________

2. Est-ce qu'il pourrait travailler la nuit ? ______________________________

3. Ils se sont déjà rendus au pôle Nord ? ______________________________

4. Tu envisagerais de faire la traversée de l'Atlantique en solitaire ? ______________________________

5. Elle continue à souffrir de son dos ? ______________________________

5 À vous ! Répondez librement aux questions, affirmativement ou négativement, selon le cas, et avec plus ou moins d'intensité.

1. Vous aimez la bonne cuisine ? ______________________________

2. Vous ne faites jamais de sport ? ______________________________

3. Vous auriez envie d'être multimillionnaire ? ______________________________

4. Vous parlez plusieurs langues étrangères ? ______________________________

5. Vous avez l'intention de partir à l'étranger ? ______________________________

6. Vous buvez du vin, de temps en temps ? ______________________________

7. Vous aimeriez vivre dans une maison isolée ? ______________________________

29 Faire des compliments

1 Le chien

Un passant : Oh, **qu'est-ce qu'il est beau, votre chien !** C'est un quoi ?
Hélène : C'est un lion d'Occitanie.
Le passant : Dites donc, il est énorme !
Hélène : Pourtant, c'est encore un bébé !
Le passant : Un bébé ! Mais il pèse combien ?
Hélène : 25 kg.
Le passant : C'est impressionnant. Comment il s'appelle ?
Hélène : Roméo.
Le passant : Il est méchant ? Il mord ? Ou alors il veut jouer, là ?
Hélène : Couché, Roméo ! N'ayez pas peur, **il est gentil comme tout**. **C'est un amour**.
Le passant : **Comme il est amusant ! Quelle drôle d'expression** il a !
Hélène : Oui, il adore jouer. **Il est absolument magnifique**, n'est-ce pas ?
Le passant : Pas autant que sa maîtresse…

Grammaire

La phrase exclamative

Qu'est-ce que vous êtes beau !
Qu'il est beau !
Comme elle est jolie !
Heureusement que tu es là !

Vocabulaire

Les adjectifs positifs

- Beau/belle < splendide = magnifique = superbe.
- Merveilleux (-euse), extraordinaire, formidable, fantastique, fabuleux.
- Admirable < éblouissant(e) < sublime.
- Imposant(e), majestueux (-euse), grandiose.
- Mignon(ne), adorable, ravissant(e).

Manières de dire

- **Comme** il est beau !
- **Qu'**il est drôle !
- **Qu'est-ce qu'**il est gentil ! *(fam.)*
- Il est beau **comme tout !**
- C'est un magnifique / splendide / superbe animal !
- Il est **tellement/si** beau !
- Il/elle est **vraiment** mignon(ne) / adorable !

Remarque de vocabulaire. **1.** « Magnifique » qualifie quelqu'un ou quelque chose de grand ou de grande valeur. « Mignon » évoque quelque chose ou quelqu'un de petit ou de très jeune. **2.** « Drôle de » = bizarre, étrange : « Tu as une drôle de chemise ! »

ACTIVITÉS

1 Compréhension. Vrai ou faux ?

	VRAI	FAUX
1. Le chien n'est pas méchant.	☐	☐
2. Le chien risque de mordre le passant.	☐	☐

2 Grammaire et communication. Employez une phrase exclamative pour faire des compliments dans les situations suivantes.

1. Votre voisin a un chaton. ____________________
2. Vous voyez un cheval destiné à un concours hippique. ____________________
3. La petite fille vous montre son hamster. ____________________
4. Dans un zoo, vous voyez un singe qui fait des grimaces. ____________________
5. Votre voisin a un très gros chien, qui a l'air gentil. ____________________

3 Vocabulaire. Quel(s) adjectif(s) pourriez-vous utiliser pour décrire les objets suivants ? Faites des phrases.

1. Un concert classique : ____________________
2. La poupée d'une petite fille : ____________________
3. Un énorme château médiéval : ____________________
4. La robe d'été d'une adolescente : ____________________
5. La vue d'en haut de la tour Eiffel : ____________________
6. La vue sur le mont Blanc, dans les Alpes : ____________________

4 Communication. Vous arrivez chez des amis qui ont deux petits chats. Choisissez les phrases appropriées.

1. « Ils sont adorables. »
2. « Ils sont méchants ? »
3. « Ils sont énormes ! »
4. « Qu'est-ce qu'ils sont drôles ! »
5. « Ils sont si mignons ! »
6. « Ils sont impressionnants ! »
7. « Ils mordent ? »
8. « Ils sont sublimes. »

5 À vous ! Quels compliments pourriez-vous faire sur ces animaux ?

2 Une jolie robe

Marie : Dis donc, Émilie, **tu es superbe, avec cette robe** !

Émilie : Oh, merci !

Marie : Qu'est-ce que ça te va bien !

Émilie : Oh, tu sais, je l'ai achetée en soldes, il y a au moins deux ans.

Marie : Eh bien, je trouve que **cette couleur te va à merveille** ! Tu devrais en mettre plus souvent. Tu ne trouves pas, Richard ?

Richard : Si, si, c'est vrai que **tu es jolie comme un cœur**, en bleu.

Émilie : Arrêtez, tous les deux, vous allez me faire rougir !

3 Quelle élégance !

Chloé : Dis-moi, Théo, **tu es d'une élégance !** Je ne te connaissais pas cette cravate, elle est superbe.

Théo : Ah, tu trouves ?

Chloé : Oui, le motif est **original, ça change des** cravates classiques. En plus, la couleur est **assortie à** celle de la veste de Yasmina, **quelle subtilité !**

Yasmina : On ne l'a pas vraiment fait exprès…

Chloé : Eh bien, je vous trouve très beaux tous les deux et très élégants. Qu'est-ce qu'elle est jolie, cette veste !

Théo : Chloé, ça commence à devenir louche, ces compliments…

Vocabulaire

Les accessoires : la cravate, le nœud papillon *(pour les hommes)* ; une écharpe, un châle, un foulard ; une ceinture en cuir ; un chapeau, une casquette, un bonnet de laine.

Les bijoux : un collier, un bracelet, des boucles d'oreilles, une bague, une chaîne et un pendentif, une broche…

- une montre (pour voir l'heure).

Grammaire

La phrase emphatique, l'exclamation (2)

Quelle subtilité ! Quel idiot !

Tu es **d'une** élégance…

Il est **d'une** laideur (extraordinaire) !

Ce raisonnement **d'une** remarquable intelligence !

Manières de dire

- Quelle élégance ! Tu es élégant(e) !
- Que ça te/vous va bien ! Qu'est-ce que ça te/vous va bien ! *(fam.)* Ça te/vous va très bien ! Ça te/vous va à merveille !
- Tu es / vous êtes superbe, avec…
- Tu es jolie comme un cœur.
- « Qu'elle est belle », « Qu'il est beau » *(en s'adressant pourtant à la personne concernée).*
- C'est vraiment original !

ACTIVITÉS

1 Compréhension. Vrai ou faux ?

	VRAI	FAUX
Dialogue 2		
1. Émilie vient juste d'acheter cette robe.	☐	☐
2. La couleur va bien à Émilie.	☐	☐
Dialogue 3		
3. La cravate de Théo est assez banale.	☐	☐
4. La cravate de Théo est de la même couleur que la veste de Yasmina.	☐	☐

2 Grammaire. Transformez les phrases suivantes en forme exclamative.

1. Cet homme est très intelligent. ______________________________

2. Ce bijou est très original. ______________________________

3. Cette couleur est horrible. ______________________________

4. Cette réponse est très bête. ______________________________

5. Cette femme est très créative. ______________________________

3 Vocabulaire. Complétez par les mots manquants.

1. Je regarde l'heure à ma ____________________.

2. Ils ont acheté une ________________ de fiançailles.

3. Le directeur noue sa ________________ sur sa chemise bleue.

4. Elle porte une très jolie ________________ en soie autour du cou.

5. Il cherche une ________________ en cuir pour aller avec son pantalon noir.

6. Elle a mis un ________________ de perle et des ________________ d'oreilles assorties.

4 Communication. Parmi les phrases suivantes, lesquelles sont des compliments ?

1. « Ça te va très bien ! »

2. « Cette forme est démodée. »

3. « Cela vous va à merveille ! »

4. « Que c'est bizarre ! »

5. « Tu devrais éviter cette couleur. »

6. « C'est vraiment original ! »

7. « Ça lui va très mal ! »

8. « Elle est d'une bêtise ! »

5 À vous ! Imaginez un échange de compliments entre vous-même et ces deux personnes.

La conversation

4 Dans un appartement

Denise : Qu'il est mignon, cet appartement !
Rémi : Oui, il n'est pas mal, mais il est minuscule !
Denise : Peut-être, mais **c'est charmant. Chapeau* ! Tu l'as drôlement* bien arrangé !**
Rémi : Pourtant, c'est tout simple, tu sais.
Denise : Oui, mais **on se sent vraiment bien, chez toi.**

5 Une maison rénovée

Colette : Elle est magnifique, cette maison ! Quel charme ! Vous y avez fait beaucoup de travaux ?
Henri : Oh oui, nous avons tout rénové nous-mêmes. Tout était à refaire !
Colette : C'est superbe ! Et on voit que tous les meubles et les rideaux **ont été choisis avec goût**. Ils respectent le style de l'époque, tout comme les bibelots.
Henri : Ça, c'est le goût de ma femme !
Colette : En tout cas, **c'est chaleureux, accueillant. Vous avez fait du beau travail**, tous les deux !
(Quelques minutes plus tard) **Qu'est-ce qu'il est beau, ce tissu !** D'où ça vient ?
Henri : C'est un tissu traditionnel africain.
Colette : C'est une pure merveille ! J'adore ce mélange de couleurs.

Grammaire

■ **Tout(e)** *(adverbe)* = complètement
C'est tout simple. Il est tout content.

■ **Tout** *(pronom indéfini)*
= toutes les choses
Tout est fait. J'ai tout compris.

■ **Tous les/toutes les** = l'ensemble de
Tous les livres sont en français.
Toutes les maisons sont anciennes.

Vocabulaire

- Une maison meublée, avec des meubles anciens/modernes. L'ameublement est ancien.
- Les rideaux sont en tissu coloré.
- Il y a un beau feu de bois dans la cheminée.
- Les bibelots *(= objets décoratifs)* décorent la pièce.

Manières de dire

- Qu'il est mignon, cet appartement ! Qu'est-ce qu'elle est mignonne, cette petite maison !
- C'est superbe, magnifique, splendide.
- Tu l'as / Vous l'avez très bien arrangé(e), avec beaucoup de goût.
- Tu as / Vous avez fait un beau travail.
- On se sent bien, chez toi/vous. C'est chaleureux, accueillant…
- J'aime beaucoup ce genre d'appartement, j'adore ce type de maison. Il/elle est plein(e) de charme.
- Chapeau ! (= toute mon admiration !)
- C'est une pure merveille ! *(Le plus grand compliment à propos d'un objet)*

ACTIVITÉS

1 Compréhension. Vrai ou faux ?

	VRAI	FAUX
Dialogue 4		
1. L'appartement n'est vraiment pas grand.	☐	☐
Dialogue 5		
2. Il y avait énormément de travaux à faire dans la maison.	☐	☐

2 Grammaire. Trouvez une autre manière de dire en employant « tout ».

1. Quand on lui a posé une question, il est devenu <u>très</u> rouge. ____________________

2. Je ne sais plus où j'ai mis <u>l'ensemble de</u> mes affaires. ____________________

3. J'ai vu <u>la totalité des</u> œuvres présentées dans ce musée. ____________________

4. Il y avait une cheminée dans <u>l'ensemble des</u> maisons que j'ai visitées. ____________________

5. Le professeur rendra <u>l'ensemble des</u> devoirs la semaine prochaine. ____________________

3 Vocabulaire et communication. Choisissez le(s) compliment(s) le(s) plus approprié(s).

1. Vous entrez dans un tout petit appartement.
☐ **a.** C'est mignon ! ☐ **b.** C'est magnifique ! ☐ **c.** Que c'est bizarre !

2. Vous regardez un diamant.
☐ **a.** Qu'il est joli ! ☐ **b.** C'est une pure merveille ! ☐ **c.** Il est magnifique !

3. Vous regardez un grand tapis traditionnel africain.
☐ **a.** Qu'est-ce qu'il est beau ! ☐ **b.** Que c'est original ! ☐ **c.** C'est accueillant !

4. Vous arrivez dans une vieille maison, rénovée par des amis.
☐ **a.** Elle est vraiment ancienne ! ☐ **b.** C'est trop vieux ! ☐ **c.** Quel charme !

5. On vous offre un énorme bouquet de fleurs.
☐ **a.** C'est très mignon ! ☐ **b.** Il est splendide ! ☐ **c.** C'est original !

6. On vous montre un très vieux meuble, dont la forme est étrange.
☐ **a.** Qu'il est original ! ☐ **b.** Chapeau ! ☐ **c.** Vous l'avez très bien rénové.

4 À vous ! Quels compliments (sincères ou non...) pourriez-vous faire à propos de cet intérieur ?

La conversation

30 Féliciter, consoler

1 Le jour des résultats

Frank : Alors ?

Damien : Oui, je l'ai eu, mention bien !

Frank : C'est super ! Je te l'avais bien dit ! Appelle les parents, ils sont dans tous leurs états… et après, **on va arroser* ça !**

Damien : Allô, papa ! J'ai eu mon bac, je suis reçu ! J'ai eu la mention « Bien » ! Je suis fou de joie !

Le père : Bravo, mon garçon, **je te félicite ! Nous sommes très fiers de toi, ta mère et moi !** On était certains que tu l'aurais, va ! **On va fêter ça !**

2 Une embauche

Naïma : Ça y est, Antoine, je viens d'avoir la confirmation : je suis embauchée par l'entreprise Trovel.

Antoine : Je suis vraiment content pour toi ! Tu l'as bien mérité, Naïma !

Naïma : J'ai eu de la chance, tout simplement. Il y avait beaucoup de candidats.

Antoine : Peut-être, mais **c'est toi qu'ils ont choisie**, alors, **bravo !** Cela veut dire que **tu leur as plu, que ton CV était bon** et que **tu as su** les convaincre. **Tout le monde n'est pas capable de** faire ça, tu le sais bien.

Grammaire

Pronom personnel « le » indéfini

- Je te **l'**avais dit ! Tu **l'**as mérité !
- Ça va marcher ? — Oui, je **le** pense.
- Doué pour le piano, il **l'**a toujours été et **le** sera toujours !
- Comme vous **le** savez, je vais déménager.

Vocabulaire

Les réactions émotionnelles (1)

- Être (très) content(e) < heureux (-euse) < ravi(e) de qqch, de faire qqch, pour qqn.
- Être « dans tous ses états » = très agité(e) (de joie ou d'énervement).
- Être fier (fière) de… ; éprouver de la fierté…
- Être fou de joie = sauter de joie.

Manières de dire

- Bravo ! Félicitations ! Toutes mes/nos félicitations ! Je te/vous félicite !
- Je suis fier/fière de toi/vous !
- Tu l'as bien mérité / Vous l'avez bien mérité !
- Je suis très heureux (-euse) / très content(e) pour toi/vous !
- C'est super* ! C'est génial* ! C'est cool* !
- Tout le monde n'en est pas capable !
- Nous allons fêter ça ! = Ça s'arrose !* = On va arroser* ça !

Remarque de vocabulaire. « Arroser* » un succès = boire du champagne pour le fêter.

ACTIVITÉS

1 **Compréhension. Vrai ou faux ?**

Dialogue 1	VRAI	FAUX	Dialogue 2	VRAI	FAUX
1. Le jeune garçon a réussi un examen.	☐	☐	3. Antoine pense que Naïma est compétente.	☐	☐
2. Les parents étaient extrêmement inquiets.	☐	☐	4. Naïma reste modeste.	☐	☐

2 **Grammaire et communication. Répondez en employant « le » indéfini. Attention au temps des verbes.**

1. A-t-il toujours été paresseux ? — ____________________
2. Vous saviez que notre fille a été embauchée ? — ____________________
3. Tu avais raison, mon voisin est un voleur ! — ____________________
4. Leur situation s'est enfin améliorée ! — ____________________
5. Tu crois que c'est possible ? — ____________________
6. Vous voyez, je suis très content ! — ____________________

3 **Vocabulaire. Complétez par les termes appropriés.**

1. Le petit garçon a reçu le cadeau qu'il espérait, il ____________________ de joie !
2. La vieille dame est dans ____________________ états, car elle doit déménager.
3. Le père est ____________________ de son fils qui a gagné la compétition.
4. Ils ____________________ une grande joie en entendant cette bonne nouvelle.
5. Je suis très contente ____________________ toi, c'est merveilleux !

4 **Communication. Quelle(s) phrase(s) de félicitations pouvez-vous utiliser dans les situations suivantes ?**

1. Votre meilleur(e) ami(e) a gagné un match de tennis difficile.

____

2. Il/Elle vient d'obtenir une promotion dans son travail.

____

3. Il/Elle a été reçu(e) à un concours très difficile.

____

4. Il/elle vient d'avoir un enfant.

____

5. Le livre que votre ami(e) a publié est devenu un « best-seller ».

____

5 **À vous ! Vous venez de passer une épreuve importante (examen, permis de conduire, soutenance de thèse, entretien d'embauche...). Vous annoncez la bonne nouvelle à votre entourage et vous décidez de fêter votre succès. Imaginez et jouez le(s) dialogue(s).**

3 Le permis de conduire

Maxime : Allô, Julien ? Tu ne sais pas ce qui m'arrive ? J'ai raté mon permis de conduire ! J'en suis malade...

Julien : Oh, tu dois être déçu, Maxime ! Mais **ce n'est pas si grave, ça peut arriver à tout le monde !**

Maxime : Si, c'est grave, tous les candidats l'ont réussi, sauf moi !

Julien : Ce n'est pas la fin du monde ! Mon frère non plus ne l'a pas eu du premier coup. Tu vas reprendre quelques cours et le repasser. Tu verras, **ça marchera beaucoup mieux la prochaine fois.**

Maxime : Je ne sais même pas si j'en suis capable !

Julien : Bien sûr que tu en es capable ! On en reparlera quand tu te seras un peu calmé...

4 Une grosse déception

Sylvie : Tu sais, j'ai le moral à zéro... Figure-toi que je n'ai pas été prise pour le poste de chef de projet. C'est quelqu'un d'autre qui a été embauché.

Céline : Ah, ma pauvre ! Quel dommage ! Je te plains, car cela fait longtemps que tu cherches du travail...

Sylvie : Il faut que je me remette à envoyer des candidatures spontanées. Mais **c'est une grosse déception**, parce que ce poste m'intéressait vraiment.

Céline : Tu n'as vraiment pas de chance, parce que je sais que tu avais un très bon CV.

Grammaire

Utilisation du pronom « en » (1)

■ **Avec un adjectif :**

Je suis malade **de** cette situation / **d'**avoir raté mon examen. → J'**en** suis malade.

Ils seront déçus **de** pas nous voir. →

Ils **en** seront déçus.

Vocabulaire

Les réactions émotionnelles (2)

- Être (très) déçu(e) par... ; c'est une grande déception, quelle déception !
- Avoir « le moral à zéro », être démoralisé(e).
- Plaindre qqn ; éprouver de la pitié, de la compassion pour qqn.
- Consoler = réconforter qqn = remonter le moral à qqn.

Manières de dire

- Mon/ma/le/la pauvre ! Mon pauvre Maxime ! Ma pauvre Sylvie !
- Oh là là ! C'est terrible ! Quelle déception ! C'est une grosse déception.
- Quel dommage ! C'est vraiment dommage !
- Tu n'as vraiment pas de chance !
- Ce n'est pas drôle ! Ce n'est pas marrant* !
- Je te/vous plains !
- Ce n'est pas si grave ! Ça peut arriver à tout le monde ! Ça marchera mieux la prochaine fois ! Ce n'est pas la fin du monde ! Tu y arriveras mieux la prochaine fois !

ACTIVITÉS

1 Compréhension. Vrai ou faux ?

	VRAI	FAUX
Dialogue 3		
1. Maxime a encore une fois raté son permis de conduire.	☐	☐
2. Le frère de Julien n'a jamais réussi le permis de conduire.	☐	☐
Dialogue 4		
3. Sylvie n'a toujours pas de travail.	☐	☐

2 Grammaire. Répondez en employant le pronom « en » et en respectant le temps des verbes.

1. Elle a été contente de son voyage ? — Non, ______________________________
2. Vous seriez étonné(e) de sa réaction ? — Oui, ______________________________
3. Tu étais responsable de cette équipe ? — Non, ______________________________
4. Ils seront déçus de ne pas te voir ? — Oui, ______________________________
5. Tu es ému(e) de l'accueil qu'on t'a réservé ? — Oui, ______________________________

3 Vocabulaire. Complétez par les termes manquants.

1. Elle n'a pas été embauchée dans l'entreprise, elle a ______________ à zéro.
2. Il s'est cassé le bras, je le ______________, car il ne peut plus rien faire !
3. Notre petit chat est mort, j'essaye de ______________ ma petite fille qui pleure.
4. Elle est un peu déprimée, nous allons essayer de lui ______________ le moral.
5. Nous n'avons pas eu de places pour ce magnifique concert, quelle ______________ !

4 Communication. Trouvez une réponse pour féliciter ou réconforter, selon le cas.

1. « Je me suis tordu la cheville en tombant ! » ______________________________
2. « Mon projet a enfin été accepté ! » ______________________________
3. « J'ai raté mon examen… » ______________________________
4. « On m'a volé ma voiture ! » ______________________________
5. « Notre fille vient d'avoir le bac ! » ______________________________
6. « Il y a encore une fuite d'eau dans la maison ! » ______________________________
7. « J'ai perdu le bracelet auquel je tenais tant ! » ______________________________

5 À vous ! Imaginez le dialogue entre ces deux personnages.

31 Bavarder

1 Devant l'ascenseur

Le monsieur : Vous montez ?
Une dame : Non, je descends !
(Quelques secondes plus tard, dans l'ascenseur)
Le monsieur : Vous allez à quel étage ?
Une autre dame : Moi, au cinquième.
Le monsieur : Moi, je m'arrête au premier.

2 À midi

Aurore : Pierre ! Élodie et moi, **on va déjeuner, tu viens avec nous ?**
Pierre : Non, **ne m'attendez pas**, je dois finir ça, c'est urgent. Mais **je vous rejoindrai plus tard à la cantine. Bon appétit !**
Aurore : Merci, à tout à l'heure.
(Un peu plus tard, à la cantine)
Aurore : Où est-ce qu'on se met ?
Élodie : On peut s'installer là-bas, il y a une table libre. Tiens, Bernard ! Tu es seul ? **On peut se joindre à toi ?**
Bernard : Avec plaisir ! Je déteste manger tout seul comme un rat* ! Cela dit, **je ne vais pas m'attarder, je file* en réunion.**

Grammaire

« On » = « nous »

C'est acceptable dans un contexte familier, même professionnel, sauf lorsque l'on fait une conférence, un discours en public.

Dans les courriers électroniques (e-mails), il est tout de même préférable d'employer « nous ».

Michel et moi, on est allés au cinéma.
On aura une réunion à 15 h.
Où est-ce qu'on s'installe ?

Vocabulaire

- La cantine = le restaurant d'entreprise ou d'école.
- Tout seul, « comme un rat » = tout seul, « dans son coin » *(image triste de la solitude).*
- Où est-ce qu'on se met / s'installe ? *(Phrase typique lorsqu'on doit choisir une table pour manger / travailler, une salle de conférence pour faire une réunion…)*
- Rejoindre qqn = retrouver quelqu'un plus tard.
- Se joindre à = s'installer / venir avec qqn.

Manières de dire

- Vous allez à quel étage ? Vous montez ? Vous descendez ?
- On va déjeuner, tu veux venir ? Tu nous rejoins ?
- Vous voulez vous joindre à nous ? On peut se joindre à vous ?
- Où est-ce qu'on se met ? Où est-ce que vous voulez vous mettre / vous installer ?
- Je ne peux/vais pas m'attarder, je file* ! (*fam.* = je pars rapidement)

ACTIVITÉS

1 Compréhension. Vrai ou faux ?

	VRAI	FAUX
Dialogue 1		
1. Tout le monde va au rez-de-chaussée.	☐	☐
Dialogue 2		
2. Pierre ira déjeuner plus tard.	☐	☐
3. Aurore et Élodie vont déjeuner avec Bernard.	☐	☐
4. Bernard ne se dépêche pas.	☐	☐

2 Grammaire. Transformez les phrases avec « on ».

1. Nous ne nous sommes pas installés dans la grande salle. ______________________________
2. Nous pourrions le rejoindre. ______________________________
3. Où est-ce que nous nous assiérons ? ______________________________
4. Pourquoi est-ce que nous avons reçu ce courrier ? ______________________________
5. Nous filons* en réunion. ______________________________
6. Quand est-ce que nous nous verrons ? ______________________________

3 Vocabulaire. Complétez par les mots manquants.

1. Katia va nous ______________ à la ______________ pour déjeuner.
2. Est-ce que vous voulez vous ______________ à nous ?
3. Je déteste déjeuner toute seule comme un ______________.
4. Si tu veux, on peut ______________ là, il y a une table libre.
5. Où est-ce qu'on ______________ ? — Dans cette salle, c'est mieux.

4 Communication. Trouvez une réponse appropriée.

1. Vous montez ? — Non, ______________________________
2. Tu veux déjeuner avec nous ? — Non, ______________________________
3. Je peux me joindre à vous ? — Oui, ______________________________
4. Où est-ce qu'on se met ? — ______________________________
5. Tu vas à quel étage ? — ______________________________
6. On t'attend pour déjeuner ? — Non, ______________________________

5 Communication. Que pouvez-vous dire dans les situations suivantes ?

1. Vous avez fini de déjeuner et vous devez quitter vos collègues : ______________________________
2. Vous dites à quel étage vous allez : ______________________________
3. Vous demandez à vos collègues de ne pas vous attendre : ______________________________
4. Vous dites à vos collègues que vous les retrouverez plus tard : ______________________________

3 Dans un couloir d'entreprise

Laurent : Salut, Philippe, ça va ? **Quoi de neuf ? Ça fait longtemps que je ne t'ai pas vu !**

Philippe : Salut, Laurent. Écoute, ça va assez bien. J'ai changé de service, c'est pour ça que je ne viens plus très souvent ici.

Laurent : Tu es devenu P-DG ?

Philippe *(ironique)* **:** Au moins ! Non, sérieusement, **je viens de passer*** chef des ventes.

Laurent : Bravo, félicitations !

Philippe : Et toi, **qu'est-ce que tu deviens ?**

Laurent : Oh moi, **rien de spécial**. C'est **métro-boulot-dodo***, en ce moment. Mais j'espère que ça va changer. Mon chef m'a parlé d'un poste en Allemagne, qui serait peut-être intéressant. On va voir.

Philippe : Eh bien, j'espère que ça va marcher ! **Bon, allez, je te laisse**, bon week-end !

Laurent : Bon week-end à toi aussi !

4 Le chômage est fini

Léa : Éric ! Ça fait une éternité qu'on ne s'est pas vus !

Éric : Oui, Léa, la dernière fois que je t'ai croisée, c'était quand j'étais encore commercial*.

Léa : Alors, **tu en es où ?**

Éric : J'ai été licencié le mois où je devais avoir une promotion. En fait, l'entreprise a fermé. Je suis resté deux mois au chômage, mais j'ai retrouvé un emploi assez vite. J'ai été embauché comme commercial, encore une fois, dans une PME de la région.

Léa : Tu es content ? **Ça se passe bien ?**

Éric : Oui, très bien.

Grammaire

Les pronoms relatifs « où »/« que »

- La fois **où** je suis parti… La semaine **où** nous avons déménagé…
- La **première** fois, la **dernière** fois, la **dixième** fois **que** je t'ai contacté…

Vocabulaire

- Je viens de passer* (= devenir) directeur.
- Le PDG = le **p**résident-**d**irecteur **g**énéral d'une entreprise.
- Un chômeur est au chômage (= il n'a pas de travail).
- Un poste = un emploi = un travail.
- Être embauché(e) ≠ être licencié(e).
- Une PME (**p**etite et **m**oyenne **e**ntreprise).
- Un(e) commercial(e) = un(e) ingénieur(e) commercial(e).

Manières de dire

- Quoi de neuf ? Qu'est-ce que tu deviens ? Tu en es où ? Ça se passe bien ?
- Rien de spécial ! ≠ Je viens de passer* responsable. J'ai eu une promotion.
- Bon, je te laisse.

Remarque de vocabulaire. **Métro-boulot-dodo** est une expression typiquement parisienne (« boulot » = « travail » ; « dodo » = « dormir »), qui décrit la routine, la vie ennuyeuse et fatigante de beaucoup de Parisiens.

ACTIVITÉS

1 Compréhension. Vrai ou faux ?

	VRAI	FAUX
Dialogue 3		
1. Philippe et Laurent ne se voient pas souvent.	☐	☐
2. Laurent a obtenu un poste en Allemagne.	☐	☐
Dialogue 4		
3. Éric a eu une promotion dans son ancienne entreprise.	☐	☐
4. Il n'est plus au chômage.	☐	☐

2 Grammaire. Complétez par « où » ou « que ».

1. Il a divorcé l'année __________ il a été embauché dans l'entreprise.

2. La première fois __________ nous l'avons rencontré, c'était le jour __________ nos voisins avaient organisé une petite fête.

3. C'est la dixième fois __________ elle me répète la même histoire !

4. L'entreprise a licencié la moitié du personnel, justement au cours de la semaine __________ le gouvernement annonçait de mauvais chiffres du chômage !

5. La dernière fois __________ nous avons vu René, il cherchait du travail.

3 Vocabulaire. Complétez cette histoire par les mots manquants.

Jean avait un __________ de dessinateur industriel dans une usine. Malheureusement, elle a fermé, et Jean a été __________ avec tous ses collègues. Il est resté au __________ pendant quelques mois. Heureusement, il a trouvé un __________ dans une autre usine. Il a été __________ comme responsable de chantier.

4 Communication. Trouvez une question appropriée.

1. ______________________________ ? — Oui, je suis assez contente.

2. ______________________________ ? — Je suis devenu responsable de magasin.

3. ______________________________ ? — Après quelques mois de chômage, j'ai retrouvé du travail.

4. ______________________________ ? — Oui, ça se passe plutôt bien.

5. ______________________________ ? — Eh bien, rien de spécial.

5 À vous ! Vous rencontrez dans la rue une connaissance que vous n'avez pas vue depuis longtemps. Vous échangez des nouvelles. Imaginez et jouez le dialogue.

La conversation

5 Entre amis

Rose : Je ne sais pas si vous vous connaissez déjà, mais voici Nicolas et voilà Grazyna.
Nicolas : Bonjour… Euh excuse-moi, **je n'ai pas bien compris ton prénom** !
Grazyna : Gra-zy-na. Je suis polonaise.
Nicolas : Viens, que **je te présente aux** copains*. Mehdi, tu ne connais pas encore Grazyna ?
Mehdi : Non, mais **j'ai l'impression qu'on s'est déjà vus quelque part**…
Grazyna : Moi aussi, **ton visage m'est familier**.
Mehdi : En tout cas, moi, c'est Mehdi. Ah, je sais ! Tu n'étais pas à la fête de Nora, **par hasard** ?
Grazyna : Si, j'y étais ! Toi aussi ? Voilà, **on a dû se croiser là**.

6 J'ai la mémoire qui flanche…

Anaïs : Tiens, bonjour… Euh… Excuse-moi, **je ne me souviens plus de ton prénom**…
Éric : Éric. Mais… **on se connaît** ?
Anaïs : Mais oui, **tu ne me reconnais pas** ?
Éric : Oh écoute, je suis désolé ! **Je n'ai vraiment pas la mémoire des visages**, c'est terrible.
Anaïs : Non, ce n'est pas grave ! Je suis Anaïs, la cousine d'Ariane !
Éric : Anaïs ! **Mais oui, bien sûr, que je suis bête !**

Grammaire

Adjectif + pronom personnel

Ton visage **m**'est familier…

Cet outil **lui** sera utile…

Cela **leur** était indispensable.

Vocabulaire

- Rencontrer qqn, se rencontrer = faire connaissance, faire la connaissance de…
- Connaître qqn, se connaître.
- Se croiser… dans la rue, dans un couloir…
- Se voir, se revoir.
- Reconnaître qqn.
- Avoir la mémoire des nom/des visages.

Manières de dire

- Je ne sais pas si vous vous connaissez. Vous vous connaissez ?
- Tu me reconnais ? Vous ne me reconnaissez pas ?
- Je vais te/vous présenter à…
- On se connaît ? On s'est déjà vu(e)s ? Je crois qu'on s'est déjà croisé(e)s quelque part.
- Je ne me souviens plus de ton nom/prénom.
- Votre visage/nom m'est familier.

ACTIVITÉS

1 Compréhension. Vrai ou faux ?

	VRAI	FAUX
Dialogue 5		
1. Nicolas ne se souvient pas du prénom de Grazyna.	☐	☐
2. Mehdi pense avoir déjà vu Grazyna.	☐	☐
Dialogue 6		
3. Anaïs n'a pas oublié le visage d'Éric.	☐	☐
4. Éric, finalement, reconnaît Anaïs.	☐	☐

2 Grammaire. Répondez aux questions en employant les pronoms appropriés.

1. Est-ce ce renseignement te sera précieux ? — Oui, ____________________

2. Cet article sera-t-il utile au ministre ? — Non, ____________________

3. Était-il facile à tes voisins de te parler ? — Oui, ____________________

4. L'ordinateur est indispensable à ton collègue ? — Oui, ____________________

5. Est-il difficile à Sylvie de répondre à cette question ? — Non, ____________________

3 Vocabulaire. Complétez par des termes logiques.

1. Mourad a fait ____________ de Stéphane lors d'un congrès.

2. Valentine n'a pas ____________ des noms, elle les oublie toujours !

3. Hier, j'ai ____________ Yves dans la rue. Je partais et il revenait.

4. Jérôme a beaucoup changé, personne ne l'a ____________ !

5. J'espère que nous ____________ un jour !

4 Communication. Choisissez la meilleure réponse.

1. Tu ne me reconnais pas ?	☐ **a.** Mais si, bien sûr !	☐ **b.** Mais oui, c'est certain !
2. On s'est déjà vus ?	☐ **a.** On s'est croisés.	☐ **b.** Oui, mais où ?
3. On se connaît ?	☐ **a.** Je ne pense pas.	☐ **b.** Ça m'est familier.
4. On s'est déjà croisés, non ?	☐ **a.** Oui, je te connais.	☐ **b.** Oui, probablement.
5. Vous vous connaissez ?	☐ **a.** Non, pas encore.	☐ **b.** Non, je ne me souviens plus.
6. Excusez-moi, je n'ai pas compris votre nom.	☐ **a.** Ce n'est pas grave.	☐ **b.** Que je suis bête !

5 À vous ! Que dites-vous dans les situations suivantes ?

1. Vous ne comprenez pas le prénom de quelqu'un : ____________________

2. Vous avez oublié le nom de la personne en face de vous : ____________________

3. Vous ne reconnaissez pas quelqu'un qui vous connaît : ____________________

4. Vous avez l'impression d'avoir déjà vu quelqu'un : ____________________

5. Vous voulez présenter un(e) ami(e) à d'autres personnes : ____________________

BILAN N° 4

1 Trouvez une autre manière de dire.

1. Ce n'est pas grave. ____________________
2. Tu es sûr ? ____________________
3. Absolument pas ! ____________________
4. Évidemment ! ____________________
5. Bravo ! ____________________
6. Je suis désolé pour toi ! ____________________
7. Il n'y a pas de problème. ____________________
8. Il n'en est pas question ! ____________________
9. Nous allons fêter ça ! ____________________
10. Tu viens déjeuner avec nous ? ____________________

2 Répondez librement.

1. Qu'est-ce que vous devenez ? — ____________________
2. On se connaît ? — ____________________
3. On se tutoie ou on se vouvoie ? — ____________________
4. Excusez-moi, je ne l'ai pas fait exprès ! — ____________________
5. Où est-ce qu'on se met ? — ____________________
6. Tu as pensé à allumer le four ? — ____________________
7. Vous montez ? — ____________________
8. Alors, tu en es où ? — ____________________

3 Que pouvez-vous dire dans les situations suivantes ?

1. Une amie arrive avec une très jolie robe.

____

2. Vous dînez chez des amis qui ont préparé un très bon repas.

____

3. Vos amis ont un très jeune chat, et vous aimez les chats !

____

4. Un ami vous fait visiter l'appartement qu'il vient d'acheter.

____

5. Vous admirez une table préparée pour un dîner de fête.

____

6. Vous regardez un très joli bijou.

____

7. Vos enfants vous ont fait un cadeau.

____

8. Des voisins vous montrent leur jardin.

____

4 **Trouvez une réponse appropriée.**

1. « Je me suis fait une entorse à la cheville ! » — _______________
2. « J'ai réussi mes examens ! » — _______________
3. « J'ai cassé ce verre, excuse-moi, je suis tellement maladroit(e) ! » — _______________
4. « Je dois reporter notre rendez-vous, je suis désolé ! » — _______________
5. « J'ai raté mes examens ! » — _______________
6. « Je n'y arriverai jamais ! » — _______________
7. « Excusez-moi, on se connaît ? » — _______________

5 **Dans quelle(s) situation(s) pourriez-vous entendre les phrases suivantes ?**

1. Tu as pensé à éteindre ton portable ?
2. C'est bien ici ?
3. Quelle élégance !
4. Qu'est-ce qu'il est mignon !
5. C'est ma faute !
6. C'est hors de question !
7. Ça s'arrose !
8. Mon pauvre, ce n'est pas drôle !
9. Je ne vais pas m'attarder.
10. Nous sommes très fiers de toi !

6 **Choisissez la ou les bonne(s) réponse(s).**

1. Tu as pensé à fermer la porte ?
   ☐ **a.** Ça ne fait rien ! ☐ **b.** Bien sûr que oui ! ☐ **c.** Il n'y a pas de souci.
2. Excusez-moi, madame !
   ☐ **a.** Il n'y a pas de mal ! ☐ **b.** Je vous en prie ! ☐ **c.** C'est hors de question !
3. J'ai obtenu ma bourse pour aller en Italie !
   ☐ **a.** Félicitations ! ☐ **b.** Je suis navré ! ☐ **c.** Ça s'arrose !
4. Il est important de se faire des amis.
   ☐ **a.** Oui, je t'assure ! ☐ **b.** Certes ! ☐ **c.** Je te félicite !
5. Alors, tu en es où ?
   ☐ **a.** J'ai eu une promotion. ☐ **b.** Je n'en ai aucune idée ! ☐ **c.** Je ne l'ai pas fait exprès.
6. On peut se tutoyer ?
   ☐ **a.** Jamais de la vie ! ☐ **b.** Oui, bien sûr. ☐ **c.** Je préfère vouvoyer.
7. C'est moi qui ai tout organisé !
   ☐ **a.** Chapeau ! ☐ **b.** Vraiment ? ☐ **c.** Absolument pas !

32 Proposer

1 Dissiper un malentendu

Laurent : Qu'est-ce que nous pourrions bien faire pour dissiper les malentendus avec Fabien ?

Nora : Pourquoi ne pas l'inviter à déjeuner ? **Ce serait l'occasion de** discuter dans une atmosphère conviviale, **cela permettrait de** comprendre ce qui se passe.

Laurent : Où est-ce que nous pourrions l'emmener ?

Nora : Et si nous allions à La Belle Fontaine ? C'est bon et agréable.

Laurent : C'est une bonne idée, Nora. **Je propose que** nous demandions aussi à Thomas de se joindre à nous. Son sens diplomatique ne sera pas de trop.

Nora : Vous voulez que je l'appelle tout de suite ?

Laurent : Oui, s'il vous plaît, Nora.

2 Un mauvais payeur

Quentin : Je ne sais pas quoi faire avec ce client qui ne paye toujours pas les factures…

Simon : Est-ce que **tu veux que** je demande à Thérèse de le contacter ?

Quentin : Non, peut-être pas. **Ça ne me paraît pas une bonne idée.**

Simon : Alors, **envoie-lui** un mail de rappel !

Quentin : Oui… Ce sera le troisième !

Simon : Il va peut-être falloir que tu lui écrives une lettre recommandée avec accusé de réception, **histoire* de** le faire réagir !

Grammaire

Expression du but

- **Je** te donne un plan **pour que = afin que** *(+ subjonctif)* **tu** ne te perdes pas. *(2 sujets différents)*
- **Je** prends un plan **pour = afin de** *(+ infinitif)* trouver mon chemin. *(même sujet)*
- **Je** préviens Éric, **histoire* qu'il** fasse *(+ subjonctif)* le nécessaire.
- **Je** pars maintenant, **histoire* d'**arriver à l'heure. *(fam.)*

Vocabulaire

- Un(e) client(e) ; la clientèle (= l'ensemble des clients).
- Un fournisseur = une entreprise qui livre des produits à une autre entreprise.
- Le client doit payer = régler une facture.
- Contacter = joindre qqn.
- Envoyer une lettre recommandée avec accusé de réception *(= assurée et avec preuve de la réception).*

Manières de dire

- Tu veux que… Tu ne veux pas que… *(+subjonctif)* ?
- Pourquoi ne pas… / Pourquoi pas*… *(+ infinitif)*
- Je propose que… *(+subjonctif)*
- Cela permettrait de… Ce serait l'occasion de… *(+ infinitif)*
- Si nous… Et si on*… *(+ imparfait)*
- Nous pourrions… / On pourrait*…
- Je suggère que… *(+subjonctif)*

ACTIVITÉS

1 Compréhension. Vrai ou faux ?

Dialogue 1	VRAI	FAUX
1. Fabien a quitté l'entreprise.	☐	☐
2. Un déjeuner permettrait de dénouer la situation.	☐	☐

Dialogue 2	VRAI	FAUX
3. L'entreprise a déjà demandé au client de payer.	☐	☐

2 Grammaire. Reliez les deux phrases en employant une expression de but.

1. Nous téléphonons à l'entreprise. Nous demandons des renseignements.

____

2. Ils contactent une collègue. Elle viendra à la réunion.

____

3. Elle a téléphoné à son grand-père. Elle voulait prendre de ses nouvelles.

____

4. J'envoie un mail à mon fournisseur. Je le préviens d'un retard dans le paiement.

____

5. Il invite ses voisins. Ils se sentiront moins seuls.

____

3 Vocabulaire et Communication. Complétez les dialogues en variant les structures.

1. ______________________________

— Oui, tu as raison, ce serait mieux de reporter la négociation à plus tard.

2. ______________________________

— Oui, c'est une bonne idée d'aller déjeuner ensemble.

3. ______________________________

— Non, je ne crois pas que cela soit une bonne idée.

4. ______________________________

— Non, peut-être pas.

5. ______________________________

— Oui, bonne idée, téléphone-leur tout de suite.

4 À vous ! Finissez librement les phrases, en faisant des propositions pour la classe (ou pour votre travail).

1. Et si nous / Et si on ______________________________
2. Pourquoi ne pas ______________________________
3. Je propose que ______________________________
4. Est-ce que vous voulez que ______________________________
5. On pourrait ______________________________

3 Ça te dirait ?

Christian : Ça te dirait de partir à la mer ?
Roxane : Ah oui, avec plaisir ! Où est-ce qu'on pourrait aller ?
Christian : Qu'est-ce que tu dirais de la Bretagne ?
Roxane : Oui, bonne idée, ça fait un certain temps qu'on n'y est pas allés.
Christian : Ça ne t'embêterait* pas qu'on s'arrête chez ma mère, sur le chemin ?
Roxane : Non, pas du tout, elle est sympa, ta mère !

4 Sortir ?

Lise : Mon chéri, qu'est-ce qu'on fait, ce soir ? **Tu n'aurais pas envie de** sortir ?
Paul : Bof*, tu sais, on est bien ici... **Non, franchement, je n'ai pas vraiment envie de** sortir.
Lise : Moi, **j'aimerais bien** aller au cinéma.
Paul : Qu'est-ce que tu as envie de voir ?
Lise : Un film néo-réaliste italien, *Le Voleur de bicyclette.*
Paul : Ah non, **ça ne me dit rien du tout. Je préférerais** un bon restaurant.
Lise : Bon, **d'accord pour** le resto*. On y va.

Grammaire

Renforcement de la négation

- Ça **ne** me gêne **pas du tout**.
- Je **n'**ai **pas vraiment** envie...
  Je **n'**ai **vraiment pas** envie...
  Je **n'**ai **absolument pas** envie de...
- Ça **ne** me dit **rien du tout**.

Vocabulaire

Sens idiomatiques du verbe « dire »

- Le nom vous dit (= vous rappelle) quelque chose ?
  — Oui, ce nom me dit quelque chose.
  — Non, ce nom ne me dit rien.
- Ça te/vous dirait de... ? = ça vous tenterait ?
- Qu'est-ce que ça veut dire ? Qu'est-ce que tu veux dire ?
  — Je veux dire que c'est très bien !

Manières de dire

- Tu veux... ? Tu as envie de... ?
  — Oui, avec plaisir ! Oui, j'aimerais bien... Oui, j'ai envie de... Non, je n'ai pas envie de...
- Tu ne veux pas... ? Tu n'aurais pas envie de... ?
  — Si, avec plaisir ! Si, c'est une bonne idée !
- Ça t'embêterait* de... *(fam.)* ? = Ça t'ennuierait de... ?
  — Non, ça ne m'embête* pas. ≠ Oui, ça m'embête* ! Ça m'ennuie = je n'ai pas envie
- Ça te dit/dirait de... ? Ça vous dit/dirait de... ?
  — Non, ça ne me dit rien ! ≠ Oui, ce serait super * *(fam.)* ! Oui, quelle bonne idée !

ACTIVITÉS

1 Compréhension. Vrai ou faux ?

	VRAI	FAUX
Dialogue 3		
1. La mère de Christian habite au bord de la mer.	☐	☐
Dialogue 4		
2. Paul préférerait voir un autre film.	☐	☐

2 Grammaire. Répondez par la négative en variant les structures.

1. Tu aurais envie de faire une promenade en forêt ? ____________________
2. Ça vous embête* de reporter le rendez-vous ? ____________________
3. Ça te dirait d'aller voir un match de rugby ? ____________________
4. Vous aimeriez partir au bout du monde ? ____________________
5. Ça t'ennuierait de me raccompagner chez moi ? ____________________

3 Vocabulaire. Trouvez une autre manière de dire.

1. Quelle est la signification du mot « sympa » ? ____________________
2. Est-ce que ce visage te rappelle quelque chose ? ____________________
3. Tu ne veux pas aller au théâtre ? ____________________
4. C'est bizarre, ce nom ne me rappelle rien. ____________________
5. Vous auriez envie de venir pique-niquer avec nous ? ____________________

4 Communication. Trouvez une réponse appropriée.

1. Est-ce que ça te dirait de voir un match de foot ? — ____________________
2. Ça ne t'embêterait* pas de venir un peu plus tôt ? — ____________________
3. Tu n'aurais pas envie d'aller à la campagne ? — ____________________
4. Qu'est-ce que tu as envie de faire, ce week-end ? — ____________________
5. Ça t'intéresserait de voir une expo de peinture ? — ____________________

5 À vous ! Finissez les dialogues en faisant une autre proposition.

1. Tu ne veux pas voir un film d'action ?
   — Non, pas vraiment.
   — ____________________
2. Tu as envie de rester à la maison ?
   — Non, je n'ai pas envie.
   — ____________________
3. Ça t'intéresserait de voir un documentaire historique à la télé ?
   — Franchement, non, je n'aime pas l'histoire.
   — ____________________
4. Tu n'aurais pas envie d'aller faire du ski, cet hiver ?
   — Non, je n'aime pas beaucoup le ski.
   — ____________________

33 Inviter

1 Un dîner à organiser

Camille : Bonjour, Charlotte, ça vous dirait de venir dîner à la maison, Vincent et toi ?

Charlotte : Oui, Camille, **avec plaisir !**

Camille : Quand est-ce que vous seriez libres ?

Charlotte : Alors, ce mois-ci, **ça me paraît difficile, nous sommes très pris**. Mais le mois prochain, **nous n'avons rien de prévu**.

Camille : Dans ce cas, samedi 30 ou dimanche 31, **ça irait pour moi**. Je vais aussi proposer à Pierre de venir, s'il est **disponible**.

(Quelques minutes plus tard) Allô, Pierre ? **Tu ne veux pas venir dîner**, samedi 30 ou dimanche 31 ? J'essaye d'organiser une petite soirée avec Charlotte et Vincent.

Pierre : Ah, non, **j'aurais bien voulu, mais** ce week-end-là, je suis déjà pris ! C'est dommage, **ça m'aurait fait plaisir vous revoir**, tous les trois.

Camille : Ce sera pour une autre fois, alors.

Pierre : Oui, bien sûr. Dis bonjour à Charlotte et Vincent de ma part.

Grammaire

Conditionnel passé employé seul

- J'aurais voulu, mais…
- Il aurait téléphoné, mais…
- Ça aurait été agréable, mais…
- Je m'en serais bien occupé, mais…

Vocabulaire

La communication (2)

- Vouloir bien = accepter *(et non « vouloir »)* : il veut bien venir = il accepte de venir.
- Dis bonjour à Antoine de ma part.
- Embrasse les enfants de notre part.

Manières de dire

- Vous êtes / seriez libre(s), disponible(s) ?
- Vous avez quelque chose de prévu ? ≠ Vous n'avez rien de prévu ?
- Ça te/vous dirait de… *(+ infinitif)* ?

Accepter

- Oui, volontiers ! Oui, avec plaisir ! Ce serait bien !
- Oui, ça me ferait très plaisir !
- Oui, je veux bien, c'est une bonne idée !
- Oui, super !* Génial !*
- (Samedi), ça devrait aller.

Refuser

- Désolé(e), je suis pris(e).
- C'est dommage, je ne suis pas libre.
- J'aimerais bien, mais je ne peux pas.
- Cette semaine, ça me paraît difficile = ça va être difficile (= impossible !)

ACTIVITÉS

1 Compréhension. Vrai ou faux ?

	VRAI	FAUX
1. Ce mois-ci, Charlotte et Vincent ont un emploi du temps chargé.	☐	☐
2. Le 30 pourrait convenir à tout le monde.	☐	☐
3. Pierre n'a rien de prévu ce jour-là.	☐	☐
4. Pierre avait envie de venir.	☐	☐

2 Grammaire. Mettez les verbes au conditionnel passé.

1. Nous ________________ vous accompagner, mais nous ne pouvons pas. *(vouloir)*

2. Ils ________________, mais ils sont pris, ce soir-là. *(venir)*

3. Elle ________________ sur place, mais elle n'était pas libre. *(se rendre)*

4. Ils ________________ annuler *(pouvoir)*, mais ça ________________ délicat. *(être)*

5. Je lui ________________, mais je n'ai pas osé. *(parler)*

6. Il ________________ des courses *(s'occuper)*, mais il n'a pas eu le temps.

3 Vocabulaire et Communication. Parmi les phrases suivantes, dites lesquelles expriment un refus.

1. « Je suis très pris. »

2. « Je veux bien ! »

3. « Je suis disponible. »

4. « Ça me paraît difficile. »

5. « Je n'ai rien de prévu. »

6. « Ça me ferait plaisir. »

4 Communication. Remettez les dialogues suivants dans un ordre logique, puis dites quel dialogue a le ton le plus amical.

1. a. J'invite Delphine, Fabrice et Philippe à dîner. Ça te dirait de venir ?

b. Samedi soir ? Non, je n'ai rien de particulier.

c. Oui, je veux bien, avec plaisir, j'aimerais bien connaître Fabrice.

d. Allô, Violette ? C'est Agathe. Est-ce que tu as quelque chose de prévu, samedi soir ?

e. Parfait ! Alors, à samedi !

1.__ 2.__ 3.__ 4.__ 5.__

2. a. La semaine d'après, alors ?

b. Oui, samedi soir, c'est très bien.

c. Mathilde, j'aimerais bien qu'on dîne ensemble, un jour. Tu serais libre, la semaine prochaine ?

d. Samedi soir ?

e. Oui, ça devrait aller. Quel jour tu proposes ?

f. La semaine prochaine, ça va être difficile, je suis assez prise.

1.__ 2.__ 3.__ 4.__ 5.__ 6.__

5 À vous ! Vous voulez inviter deux couples à dîner. Tout le monde a envie de venir, mais est assez pris. Après quelques difficultés, vous finissez par trouver un accord. Imaginez et jouez les dialogues.

2 Un empêchement

Véronique : « Roseline et Lucien, bonjour, c'est Véronique. Écoutez, **je suis vraiment désolée, mais nous avons un empêchement, nous allons devoir annuler notre soirée de vendredi**. Ma mère a eu un problème de santé et je dois partir tout de suite l'aider. Je vous rappellerai dès mon retour et nous reprendrons rendez-vous. Je vous embrasse tous les deux ! À bientôt ! »

3 Une invitation reportée

Margot : Allô ? Flo ? C'est Margot. Écoute, **on* a un problème pour ce soir**. Gaspard doit s'absenter pour son travail. Je crois qu'**on* doit remettre notre petite soirée à** samedi prochain, **si ça vous va**.

Flo : Attends, je regarde mon agenda. Oui, je pense que ça va pour samedi prochain, mais je dois en parler avec Simon. Je te rappelle tout à l'heure pour confirmer, d'accord ?

Margot : D'accord, je serai là. À tout à l'heure !

4 Un mail d'annulation

Salut, Selim ! Un petit mot pour t'annoncer une bonne et une mauvaise nouvelle. La bonne nouvelle, c'est que j'ai enfin trouvé du travail, je commence dans huit jours. La mauvaise nouvelle, c'est que je ne pourrai pas partir en vacances avec toi. J'espère qu'**on pourra remettre ça à plus tard**. Allez, à bientôt. Paul.

5 Texto de réponse

Je suis super content pour toi. **Ce n'est que partie remise**, on organisera quelque chose au printemps, si **tu peux te libérer**. On en rediscute dans quelque temps ? Salut ! Selim.

Grammaire

Le pronom « en » (2)

Je parlerai **de** cette soirée. → J'**en** parlerai.

Nous devons discuter **de** ce projet.

→ Nous devons **en** discuter.

Il s'occupera du dîner. → Il s'**en** occupera.

Vocabulaire

L'avenir proche

- Dans 8 jours (= une semaine), dans 15 jours (= 2 semaines).
- Tout de suite = immédiatement.
- Tout à l'heure = un peu plus tard.
- Sous peu, d'ici peu = dans peu de temps.
- À mon retour, dès mon arrivée.
- Dans quelque temps, dans un certain temps, bientôt…

Manières de dire

- Je suis obligé(e) de repousser = reporter = remettre notre rendez-vous.
- Je dois annuler = décommander le déjeuner. Je suis désolé(e), j'ai un empêchement.
- Malheureusement, je ne vais pas pouvoir venir, je suis vraiment désolé(e).
- Ce n'est que partie remise.
- Si vous pouvez vous libérer… Si tu peux te libérer…

ACTIVITÉS

1 Compréhension. Dites à quel(s) texte(s) chacune de ces phrases s'applique.

1. C'est remis à plus tard pour une raison négative. ______
2. Quelqu'un a une obligation professionnelle. ______
3. Il faudra reprendre contact dans un certain temps. ______

2 Grammaire. Répondez librement en employant le pronom « en ».

1. Avez-vous déjà parlé de vos projets à vos amis ? ______
2. Est-ce que vous devez vous occuper du repas ? ______
3. Est-ce que vous êtes content(e) de votre journée ? ______
4. Est-ce que vous vous plaignez parfois du bruit ? ______
5. Est-ce que vous vous êtes servi(e) de votre ordinateur, ce matin ? ______

3 Vocabulaire. Trouvez une autre manière de dire.

1. Mes cousins arriveront dans <u>deux semaines</u>. ______
2. Il nous recontactera <u>bientôt</u>. ______
3. Nous recevrons la commande dans <u>très peu de temps</u>. ______
4. Il nous invitera <u>quand il reviendra de voyage</u>. ______
5. Ils répondent <u>immédiatement</u>. ______

4 Communication. Complétez par des termes appropriés.

1. Nous devons ______ notre dîner à mardi prochain.
2. Je suis désolé, j'ai un ______, je ne peux pas venir.
3. Ce n'est que ______ remise !
4. Si tu peux te ______ samedi, viens dîner avec nous !
5. Il s'est cassé la jambe, il a dû ______ ses vacances et rester à la maison.

5 À vous ! Vous laissez un message sur le répondeur (ou vous envoyez un texto) à ces personnes.

1. Vous organisez une soirée chez vous et vous invitez plusieurs bons copains. Vous savez que certains sont très pris. ______
______
2. Vous devez annuler le dîner avec M. et Mme Charlier, vos anciens voisins. ______
______
3. Vous voulez remettre à la semaine prochaine votre déjeuner avec une ancienne collègue.
______
4. Vous voulez repousser à plus tard le dîner avec Léon, votre frère, et vous proposez un petit restaurant chinois. ______

34 Accueillir

1 Les invités arrivent

Romain : Bonjour, les amis ! Tenez, voici pour vous, ou plutôt, pour Margot !
Margot : Ah, **il ne fallait pas** ! Merci beaucoup, **c'est vraiment gentil, ça me fait très plaisir**. J'adore les fleurs, comme tu sais.
Solène : Moi aussi, **je vous ai apporté un petit quelque chose**. J'espère que vous aimez le chocolat !
Gaspard : Oh **que c'est gentil !** Merci beaucoup !
Solène : Tu sais, **c'est juste une bricole**.

2 L'apéritif

Margot : Gaspard, **tu sers l'apéritif** ?
Gaspard : Qu'est-ce que je vous offre ? Du champagne ?
Un kir ? Un jus de fruit ?
Solène : Je prendrais bien du champagne !
Margot : Chéri, **je veux bien** du champagne aussi.
Gaspard : Et toi, Romain, **tu ne veux pas** de champagne ?
Romain : Je prendrai plutôt un kir, je crois.
Gaspard : Comme tu veux ! Tu préfères un kir royal ou un kir classique ?
Romain : Un kir classique, ce serait très bien. Je n'ai pas une passion pour les bulles…
Margot : Mes amis, **servez-vous, faites comme chez vous**. Voici des canapés au saumon et d'autres à la tapenade. Il y a aussi des cacahuètes et des pistaches.

Grammaire

- **Servir qqn**
  Je vous sers ? Le serveur sert les clients.
- **Servir à faire qqch**
  À quoi ça sert ? — Ça sert à ouvrir les boîtes.
- **Se servir**
  Servez-vous ! Sers-toi ! Je peux me servir ?
- **Se servir de** (= utiliser)
  Je me sers du four pour réaliser ce plat.

Vocabulaire

Prendre un apéritif

- Du muscat ; du Martini ; un kir (= vin blanc + crème de cassis) ; un kir royal (= champagne + crème de cassis) ; du champagne.
- Un jus de tomate, un jus de pomme, un Perrier…
- Des cacahuètes, des pistaches, des olives, des biscuits d'apéritif, des canapés.

Manières de dire

- Voici des fleurs pour vous. / Je vous ai apporté des fleurs. — Il ne fallait pas ! Comme c'est gentil !
- Qu'est-ce que je vous offre ? Qu'est-ce que je peux vous offrir ? Je vous sers un apéritif ?
  — Je prendrais bien… Je veux bien… Je prendrai plutôt…
- Servez-vous ! Faites comme chez vous !

ACTIVITÉS

1 **Compréhension. Vrai ou faux ?**

Dialogue 1	VRAI	FAUX	Dialogue 2	VRAI	FAUX
1. Apporter des fleurs était une erreur.	☐	☐	3. Romain n'aime pas beaucoup le champagne.	☐	☐
2. Solène a apporté un très beau cadeau.	☐	☐	4. Margot ne propose rien à manger.	☐	☐

2 **Grammaire. Complétez en utilisant les diverses constructions du verbe « (se) servir ».**

1. Vous voulez du gâteau ? Je vous en prie, ____________________, faites comme chez vous !
2. C'est quoi, cet objet ? — Ça ____________________ à tenir les livres sur une étagère.
3. Tu ____________________ de l'ordinateur ? — Non, je ____________________ du fax.
4. Voici la tarte. Vous voulez que je vous ____________________ ?
5. *(Le plat est sur la table.)* Est-ce que je peux ____________________ ? — Oui, bien sûr, fais comme chez toi, ____________________ !

3 **Vocabulaire (et civilisation). Vrai ou faux ?**

	VRAI	FAUX
1. Les cacahuètes se mangent avec l'apéritif.	☐	☐
2. Le kir est préparé avec du jus de raisin.	☐	☐
3. Le champagne ne se boit jamais en apéritif.	☐	☐
4. Le kir royal contient de l'alcool.	☐	☐
5. Les pistaches sont une boisson.	☐	☐

4 **Vocabulaire et communication. Qui parle ? La personne qui invite (a) ou l'invité(e) (b) ?**

1. « Je prendrais bien un kir. » ____________________
2. « Tu veux quelques pistaches ? » ____________________
3. « Du champagne, avec plaisir ! » ____________________
4. « Tu ne veux pas d'apéritif ? » ____________________
5. « Il ne fallait pas ! » ____________________
6. « Fais comme chez toi ! » ____________________
7. « Un Martini ? Un jus de tomate ? » ____________________
8. « Sers-toi ! » ____________________

5 **Communication. Imaginez et jouez le dialogue entre les deux personnages.**

6 **À vous ! Vous avez invité de nouveaux amis à dîner. C'est la première fois qu'ils viennent. Ils apportent des fleurs. Vous les remerciez, vous proposez un apéritif. Imaginez et jouez le dialogue.**

3 À table

Romain : Ça sent bon ! C'est très appétissant !
Solène : Oui, **c'est magnifique ! Qu'est-ce que c'est ?**
Margot : C'est un canard à l'orange. C'est une recette de ma grand-mère. **Je vous sers ?**
Romain : C'est délicieux ! Tu es une sacrée* cuisinière, Margot.
Gaspard : Oui, ma chérie, tu es **un vrai cordon-bleu… Quel régal !**
(Un peu plus tard)
Gaspard : Vous reprendrez un peu de canard ? Solène, **je te ressers ?**
Solène : Non, merci, c'était un délice, mais je m'arrête là.

4 Le fromage et le dessert

Margot : Romain, sers-toi de fromage !
Romain : Avec plaisir… C'est de la pure gourmandise, car je n'ai plus faim. Gaspard, **tu peux me passer** du pain ?
Gaspard : Voilà. Solène, **tu prendras bien** un peu de fromage ?
Solène : Non merci, **sans façon**, je me réserve pour le dessert. J'ai aperçu une superbe tarte…
(Un peu plus tard)
Margot : Vous **reprendrez bien** une petite part de tarte ? Il faut la finir !
Romain : Non merci, **j'ai très bien mangé, mais ça va comme ça.**
Margot : Et toi, Solène ?
Solène : Un tout petit morceau, **par gourmandise**… C'est tellement bon, **je me régale** !

Grammaire

Nominalisation (adjectif ou verbe)

- délicieux → un délice
- gourmand → la gourmandise
- se régaler → un régal
- attendre → une attente

Vocabulaire

- La cuisine < la gastronomie.
- Bon(ne) < très bon < délicieux (-euse) < exquis(e) *(concerne le goût)*.
- Se régaler : prendre beaucoup de plaisir à manger.
- Beau (belle) < appétissant(e) < superbe < magnifique < splendide *(concerne la vue)*.

Manières de dire

- Que c'est appétissant ! *(= cela donne envie de manger)*
- Ça sent bon ! ≠ Ça sent mauvais.
- C'est très fin, c'est original.
- Je me régale *(fam.)*. Quel régal !
- Tu es/Vous êtes un(e) très bon(ne) cuisinier (-ière) ! Tu es un vrai « cordon-bleu » !
- Vous reprendrez/Tu reprendras un peu de… ?
  — Avec plaisir, par gourmandise ! = Volontiers, c'est tellement bon !
  — Non, merci, j'ai très bien mangé, mais ça va comme ça. / Non, merci, sans façon *(= avec simplicité)*.
- Tu me passes le pain ? Vous pouvez me passer la carafe d'eau ?

ACTIVITÉS

1 Compréhension. Vrai ou faux ?

	VRAI	FAUX
Dialogue 3		
1. Margot cuisine toujours bien.	☐	☐
Dialogue 4		
2. Solène n'aime pas le fromage.	☐	☐

2 Grammaire. Trouvez le nom correspondant aux verbes et adjectifs suivants.

1. Ce plat est réussi. C'est une ______________________ !

2. La vaisselle est belle. J'admire la ______________ de cette vaisselle.

3. Nous nous régalons ! C'est un ________________ !

4. Nous avons attendu le plat. L'_______________ était un peu longue.

5. Claire est gourmande. Sa _______________ est connue de tous.

3 Vocabulaire et communication. Choisissez la bonne réponse.

1. Je te sers du gâteau ? ☐ **a.** Oui, je veux bien ! ☐ **b.** Je prendrais bien du gâteau.

2. Tu reprendras du fromage ? ☐ **a.** Non merci, j'adore le fromage. ☐ **b.** Non merci, sans façon.

3. C'était bon ? ☐ **a.** Oui, quelle originalité ! ☐ **b.** Oui, quel délice !

4. La tarte était bonne ? ☐ **a.** Oui, elle était magnifique. ☐ **b.** Oui, elle était délicieuse.

5. Qu'est-ce que c'est ? ☐ **a.** C'est un délice. ☐ **b.** C'est une blanquette de veau.

4 Communication. Quelle(s) expression(s) pourriez-vous utiliser dans les situations amicales suivantes ?

1. Vous aimeriez une deuxième part de gâteau. ______________________________

2. Vous voulez le sucre, qui est sur la table. ______________________________

3. Vous encouragez vos amis à se servir. ______________________________

4. On vous propose un café, que vous refusez. ______________________________

5. Vous faites des compliments au cuisinier ou à la cuisinière. ______________________________

5 À vous ! Imaginez le dialogue entre ces personnages.

5 Il se fait tard !

Romain : Bon, **il se fait tard. Nous n'allons pas tarder à rentrer.**
Gaspard : Déjà ?
Solène : Oui, je crois qu'**on va y aller.** Nous avons une baby-sitter jusqu'à minuit.
Romain : En tout cas, merci beaucoup. **Nous avons passé une très bonne soirée.**
Margot : Ah non, c'est nous qui étions heureux de vous avoir à la maison.
Solène : Et la prochaine fois, ce sera chez nous.

6 Le mail de remerciement

Chère Margot, Cher Gaspard,

Un grand merci pour cette très bonne soirée que nous avons passée avec vous ! Des plats délicieux, des vins exquis, une conversation amicale et animée : tous les ingrédients étaient réunis.

Nous n'allons pas rester si longtemps sans nous voir. On se recontacte très bientôt pour décider d'une autre date. Cette fois-ci, ce sera chez nous. Je commence déjà à regarder quelques recettes, histoire d'être à la hauteur…

On vous embrasse tous les deux. Solène et Romain.

Grammaire

■ **Place de l'adjectif :** généralement après le nom (sauf « bon », « mauvais », « grand », « petit », « long », « court » et quelques autres).
- des vins **exquis**, un appartement **moderne**
- une (très) **belle** femme **gourmande**
- une (assez) **courte** interruption

Vocabulaire

Prendre congé
- Ne pas tarder à… (= ne pas trop attendre).
- Il se fait tard = il commence à être tard.
- Passer une (bonne ≠ mauvaise) soirée.
- Rentrer (à la maison).
- Revenir (au point de départ).
- Y aller *(fam.)* / s'en aller = partir.

Manières de dire

- Il se fait tard.
- Nous n'allons pas tarder à rentrer. Nous allons prendre congé de vous.
- On va y aller*. Je vais y aller = je vais partir. Il va falloir que j'y aille.
- Tu t'en vas déjà ? — Oui, il faut que je m'en aille.
- Je vais te/vous laisser. Je te/vous laisse !
- Je vais devoir rentrer.
- J'ai passé une très bonne soirée !

ACTIVITÉS

1 **Compréhension. Vrai ou faux ?**

	VRAI	FAUX
Dialogue 5		
1. Il est déjà minuit.	☐	☐
2. Solène et Romain inviteront un jour Gaspard et Margot.	☐	☐
Texte 6		
3. La date de la prochaine rencontre n'est pas encore fixée.	☐	☐
4. Solène ne sait pas cuisiner du tout.	☐	☐

2 **Grammaire. Placez les adjectifs, accordez-les et construisez une phrase.**

1. serviette *(joli, bleu, petit)* ____________________

2. conversation *(assez intense, long)* ____________________

3. soirée *(très bon, amical)* ____________________

4. meuble *(beau, contemporain)* ____________________

5. kir *(royal, bon)* ____________________

3 **Vocabulaire. Complétez par les mots manquants.**

1. Nous allons ____________ à la maison.

2. Il ____________ tard, je dois partir.

3. Je ne vais pas ____________ à rentrer, il est déjà minuit.

4. Ils ____________ une très bonne soirée avec leurs amis.

5. J'espère que mes amis ____________ une autre fois !

6. Il faut que je m'____________, j'ai un autre rendez-vous !

4 **Communication. Vous avez été invité(e) à dîner chez de nouveaux amis (que vous ne connaissez pas encore très bien) et vous écrivez un mail ou un texto pour les remercier.**

____

____

5 **À vous ! Imaginez le dialogue entre ces personnages.**

35 Exprimer la surprise

1 Une rencontre fortuite

Patrick : Caroline ! **Toi ici ! Quelle bonne surprise !**
Caroline : Patrick ! **Ce n'est pas vrai* ! Je n'en reviens pas !**
Patrick : Mais qu'est-ce que tu fais ici ?
Caroline : Je travaille et j'habite à Dijon !
Patrick : Ça alors, c'est extraordinaire ! Moi aussi, je viens de m'installer à Dijon !
Caroline : Ça fait combien de temps qu'on ne s'est pas vus ?
Patrick : Au moins quinze ans, je crois.
Caroline : Et on se retrouve ici, dans ce café, à Dijon... Le monde est petit !

2 Un peu d'inquiétude

Frédéric : Dis-moi, Odile, tu n'aurais pas vu Céline, par hasard ?
Odile : Non, Frédéric, je ne l'ai pas vue de la matinée.
Frédéric : Tiens, c'est curieux... Elle devait arriver à 10 h et nous rejoindre dans mon bureau.
Odile : Elle aura peut-être oublié ?
Frédéric : Ça m'étonnerait. Ce n'est pas du tout son style.
Odile : Tout simplement, son réveil n'aura pas sonné.
Frédéric : Cela me semble bizarre. Ça me tracasse*, je vais essayer de l'appeler sur son portable personnel.

Grammaire

Futur antérieur pour exprimer la probabilité

Elle **aura oublié**. Il **ne sera pas parti** assez tôt. Ils **se seront couchés** trop tard.

Vocabulaire

- L'inquiétude : être inquiet (-ète), (s')inquiéter ; être anxieux (-euse), l'anxiété.
- Se faire du souci pour qqn ; (se) tracasser*.
- La surprise : être surpris(e), cela me surprend.
- L'étonnement : être étonné(e) ; cela m'étonne ! C'est étonnant !
- La stupéfaction : être stupéfait(e).
- Je n'en reviens pas ! Elle n'en est pas encore revenue !

Manières de dire

- Tiens ! Ça alors ! Quoi ? Incroyable ! Extraordinaire ! Ah bon ?
- Tiens, c'est curieux ! Tu plaisantes ?
- Ça m'étonne que... *(+ subjonctif)* C'est étonnant que... *(+ subjonctif)*
- Quelle surprise ! Je n'en reviens pas !
- Ce n'est pas possible ! Ce n'est pas croyable !
- Ça m'inquiète, ça me tracasse*, ça me semble bizarre.

ACTIVITÉS

1 Compréhension. Vrai ou faux ?

	VRAI	FAUX
Dialogue 1		
1. Caroline et Patrick se rencontrent par hasard.	☐	☐
2. Les deux s'étaient perdus de vue.	☐	☐
Dialogue 2		
3. Céline a tendance à oublier les rendez-vous.	☐	☐
4. Elle est peut-être en train de dormir.	☐	☐
5. Frédéric se fait du souci.	☐	☐

2 Grammaire. Reformulez les phrases en employant un futur antérieur.

1. Ils se sont probablement perdus. ____________________

2. Elle doit avoir compris le problème. ____________________

3. Il n'est probablement pas revenu à temps. ____________________

4. Ils doivent être bloqués sur l'autoroute. ____________________

5. Ils ne sont pas arrivés à la joindre. ____________________

6. Elle s'est probablement trompée de jour. ____________________

3 Vocabulaire et communication. Choisissez la bonne réponse.

1. Ils ne sont pas là ? C'est [étonné | étonnant] !

2. Elle a raté son examen ? Je n'en [viens | reviens] pas !

3. C'est bizarre, il ne m'a pas encore téléphoné, [cela m'inquiète | il se fait du souci].

4. Ne vous [étonnez | tracassez*] pas, ils finiront par vous contacter !

5. Elle a été complètement [stupéfaite | anxieuse] par cette extraordinaire nouvelle !

4 Communication. Voici ce que vous dit un(e) ami(e). Exprimez votre surprise de différentes manières.

1. « J'ai gagné 50 000 € à la Loterie nationale ! » ____________________

2. « Figure-toi que je suis tombé(e)* sur un(e) ami(e) d'enfance dans le métro ! » ____________________

3. « J'ai entendu un grand cri, cette nuit, dans la rue ! » ____________________

4. « On vient de me proposer de jouer dans un film à Hollywood ! » ____________________

5. « Je viens de recevoir une lettre qui a été postée il y a dix ans ! » ____________________

6. « Je n'ai toujours pas de nouvelles de Véronique ! » ____________________

7. « J'ai décidé de publier mon premier roman ! » ____________________

5 À vous ! Quelle a été la meilleure surprise de votre vie ? Racontez la situation sous forme de dialogue.

3 Une nouvelle stupéfiante

Patricia : Allô, Nadège ? C'est Patricia. **Tu es assise ? Tu ne sais pas la dernière ? Figure-toi que** Gaspard va se marier avec Solène !

Nadège : Quoi* ? Tu plaisantes !

Patricia : Mais oui ! **Imagine ma stupéfaction** quand Gaspard me l'a annoncé.

Nadège : Je n'arrive pas à le croire. Mais Margot doit en être malade ! Ils se sont quittés tellement récemment…

Patricia : Et Gaspard, qui avait toujours dit qu'il ne se marierait jamais… **Je rêve !**

Nadège : Ça, ce n'est pas croyable ! Décidément, on n'est jamais à l'abri d'une surprise. **Tu l'aurais cru**, toi ?

4 Si on m'avait dit que…

Julie : Devine ce qui m'arrive ! Je viens d'être acceptée dans un programme d'échange avec le Brésil.

Maxime : C'est* pas vrai ! Mais c'est super*, Julie ! Toi qui étais toujours convaincue que tu n'aurais aucune chance…

Julie : Mais c'est vrai que si on m'avait dit qu'un jour je poursuivrais mes études à l'autre bout du monde…

Maxime : Figure-toi que moi, je ne suis pas surpris, j'étais sûr que ça marcherait !

Grammaire

Plus-que-parfait

- Il **avait** toujours **dit** que…
- Ils **s'étaient juré** de ne jamais…
- J'**avais** toujours **pensé** que…
- Si on m'**avait dit** que…

Vocabulaire

Expressions idiomatiques

- Décidément = manifestement.
- Tu es assis(e) ? *(pour éviter le choc de la surprise).*
- Tu ne sais pas la dernière ? (= la dernière nouvelle).
- Figure-toi que… Figurez-vous que… (= imaginez-vous)

Manières de dire

- Tu ne sais pas la dernière ? *(fam.)*
- Devine ! Devine ce qui se passe / ce qui m'arrive !
- Imagine ma surprise < ma stupéfaction…
- Je n'arrive pas le croire / à croire que…
- Je rêve ! *(fam.)*
- Vous l'auriez cru ? Tu l'aurais cru ?

Remarque. Dans la langue orale, le « ne » de la négation disparaît de plus en plus, en particulier dans ces expressions rapides et spontanées : « C'est* pas vrai ! »

ACTIVITÉS

1 Compréhension. Vrai ou faux ?

Dialogue 3	VRAI	FAUX	Dialogue 4	VRAI	FAUX
1. Gaspard a été en couple avec Margot.	☐	☐	**3.** Julie n'a pas confiance en elle.	☐	☐
2. Il n'avait pas l'intention de se marier.	☐	☐	**4.** Maxime n'en revient pas.	☐	☐

2 Grammaire. Mettez les verbes au plus-que-parfait.

1. Il ______________________ ce chanteur quelques années auparavant. *(entendre)*

2. Mes amis ______________________ que je partirais avec eux. *(espérer)*

3. Nous ______________________ de nous revoir avant Noël. *(se promettre)*

4. Tu ______________________ compte de ton erreur ? *(se rendre)*

5. Vous ______________________ de lui ? *(ne jamais s'occuper)*

3 Vocabulaire et communication. Complétez ce dialogue par les expressions manquantes.

1. ____________________________ ? Un film va être tourné dans notre village !

2. — ____

3. — Oui ! Dans notre petit village ! Et uniquement avec des acteurs connus ! Ils vont s'installer dans notre hôtel.

4. — ____

5. — Je t'assure que c'est vrai ! Tout le monde arrivera au printemps.

6. — ____

4 Communication. Imaginez dans quel(s) contexte(s) vous pourriez entendre les phrases suivantes.

1. Ça m'étonnerait qu'il n'apporte pas de cadeau ! ______________________

2. Je suis étonné par ces résultats. ______________________

3. Je n'arrive pas à croire qu'elle ait oublié la date ! ______________________

4. Devine combien j'ai gagné ! ______________________

5. Ça me semble bizarre qu'ils ne soient pas encore arrivés. ______________________

6. Figure-toi que je ne l'avais pas reconnu ! ______________________

5 À vous ! Vous donnez les nouvelles suivantes en exprimant votre étonnement.

1. Un(e) ami(e) vous a annoncé son divorce, alors que son couple paraissait solide. ______________

2. Vous avez appris que votre gentil voisin était en réalité un terrible criminel. ______________

3. La dame à qui vous avez demandé votre chemin était, en fait, une actrice connue. ______________

4. Vous venez de découvrir qu'un(e) ami(e), que vous n'aviez pas vu(e) depuis dix ans, habite dans le même quartier que vous. ______________________________

36 Regretter, reprocher

1 Une occasion manquée !

Élodie : Tu ne sais pas la bêtise que j'ai faite ? Damien m'a invitée à dîner et j'ai dit que j'étais prise ! **Quelle idiote je suis !**

Florence : Ah oui, **ce n'est pas malin*** !

Élodie : Pourquoi est-ce que j'ai dit ça ? J'aurais dû accepter ! **Quand je pense que j'aurais pu** dîner seule avec lui…

2 L'art de rater ses vacances

Quentin : Alors, comment se sont passées tes vacances ?

Noémie : Complètement ratées… **J'aurais mieux fait de** ne pas partir !

Quentin : Vraiment ?

Noémie : Eh oui ! D'abord, **si j'avais su, je ne serais pas partie** avec Émilie qui était toujours de mauvaise humeur. En plus, **je n'aurais pas dû** choisir cette plage, qui était nulle*.

Quentin : Et votre hôtel, c'était comment ?

Noémie : Si seulement j'avais réservé à l'avance, **nous aurions eu** une jolie chambre ! Mais bien sûr, nous avons eu la chambre la plus moche*… Tu sais, **je regrette presque d'avoir pris** des vacances…

Quentin : La prochaine fois, pars avec moi…

Grammaire

Si + plus-que-parfait / conditionnel passé

- Si j'**avais su**, je ne **serais** pas **parti** avec elle.
- Il aurait téléphoné s'il était déjà arrivé.
- S'ils avaient su, ils seraient venus ensemble.

Vocabulaire

Quelques termes péjoratifs

- Nul(le)* = lamentable = très mauvais.
- Quel idiot je suis ! Quelle idiote ! Que je suis bête ! Ce n'est pas malin !
- Quel(le) imbécile* je suis !
- C'est moche* (= laid) < affreux < horrible.
- J'ai fait une bêtise (= une erreur).

Manières de dire

- J'aurais dû, je n'aurais pas dû… *(+ infinitif)*
- Pourquoi est-ce que j'ai…/je n'ai pas…
- Si seulement j'avais dit/fait/pris…
- Je regrette d'avoir fait/dit…
- Je regrette de ne pas avoir fait/dit…
- J'aurais mieux fait de…
- Quand je pense que j'aurais pu… = Dire que j'aurais pu…
- Ce n'est pas malin ! (= ce n'est pas intelligent)

ACTIVITÉS

1 Compréhension. Vrai ou faux ?

	VRAI	FAUX
Dialogue 1		
1. Florence essaye de consoler son amie.	□	□
2. Élodie aimerait bien dîner seule avec Damien.	□	□
Dialogue 2		
3. Émilie n'est pas agréable à vivre.	□	□
4. Quentin aimerait bien partir en vacances avec Noémie...	□	□

2 Grammaire. Mettez les verbes au plus-que-parfait ou au conditionnel passé.

1. Hier soir, je __________________ plus tôt *(revenir)* si je ________________ *(savoir)* que tu étais là !

2. Si tu ________________ *(se lever)* assez tôt, tu _________________________ *(ne pas arriver)* en retard à ton rendez-vous...

3. Si l'entreprise _______________ *(choisir)* une autre stratégie, elle ______________ *(ne pas faire)* faillite.

4. Ils __________________ *(s'entendre)*, s'ils __________________ *(avoir)* le temps de mieux se connaître.

3 Vocabulaire et communication. Dans quelle(s) situation(s) pourriez-vous dire ces phrases ?

1. Franchement, ce n'est pas malin ! ______________

2. C'est moche* de faire ça ! ______________

3. Zut, j'ai fait une bêtise ! ______________

4. Que je suis bête ! ______________

5. Quel(le) idiot(e) je suis ! ______________

6. C'est nul* de faire ça ! ______________

4 Communication. Complétez par des expressions appropriées pour exprimer les regrets.

1. J'ai appris à jouer de la guitare. ______________ d'apprendre à jouer du piano !

2. Il y a quelques années, j'ai refusé un travail en Californie. ________________ je pourrais maintenant vivre au soleil !

3. Je n'ai jamais appris à bien faire du ski. _______________ de ne pas avoir pris de cours.

4. J'ai refusé l'invitation de mes voisins. ______________ refuser, je me rends compte que ce n'est pas très gentil de ma part.

5. Je suis parti en voyage sans prendre mon appareil photo. Que ______________ !

6. Cet hôtel n'est vraiment pas bien. ____________, j'en aurais choisi un autre.

5 Communication. Vous venez de rater un train. Vous formulez ce que vous auriez dû faire pour arriver à l'heure.

____

6 À vous ! Vous venez de vous disputer avec un(e) ami(e). Vous regrettez votre attitude (et peut-être aussi la sienne). Exprimez ces regrets en variant les structures.

3 Doubles reproches...

Christian : Mais pourquoi est-ce que tu as dit à ma mère qu'elle cuisinait mal ? **Ce n'est vraiment pas gentil !**

Roxane : Peut-être, mais c'est vrai !

Christian : Tu n'aurais pas dû, tu l'as vexée et en plus, ça ne sert à rien, elle continuera à faire mal la cuisine !

Roxane : Oh, arrête, **tu me fais toujours des reproches** !

4 « L'enfer est pavé de bonnes intentions »

Viviane : Qu'est-ce que tu as fait à mes rosiers ?

Odilon : Je les ai taillés !

Viviane : Mais il ne fallait pas ! Tu as eu tort, ce n'est pas le moment de les tailler !

Odilon : Je pensais bien faire !

Viviane : Mais pourquoi tu ne m'as pas demandé avant ?

Odilon : Je voulais te faire une surprise...

Viviane : Je ne te reproche rien, mais...

Grammaire

Concordance des temps

- Tu dis qu'elle cuisine mal.

→ Tu **as dit** qu'elle **cuisinait** mal.
- Elle pense qu'il viendra.

→ Elle **a pensé** qu'il **viendrait**.
- Il dit qu'elle a téléphoné.

→ Il **a dit** qu'elle **avait téléphoné**.

Vocabulaire

- Faire du jardinage, jardiner, s'occuper de son jardin ; avoir un jardin bien entretenu.
- Arroser les plantes avec un arrosoir.
- Tailler les rosiers / les arbres.
- Tondre la pelouse = le gazon avec une tondeuse à gazon.
- Ramasser les feuilles mortes.

Manières de dire

- Tu aurais/Vous auriez dû... *(+ infinitif)*
- Tu n'aurais pas/vous n'auriez pas dû... *(+ infinitif)*
- Il ne fallait pas... *(+ infinitif)*
- Tu aurais pu/Vous auriez pu... *(+ infinitif)*
- Mais pourquoi est-ce que tu/vous...
- Je ne te/vous reproche rien, mais...
- Ce n'est pas bien/gentil de... *(+ infinitif)*
- C'est ta/votre faute si...
- Tu as/vous avez tort de... *(+ infinitif)*
- Tu as eu/vous avez eu tort de... *(+ infinitif)*
- Qu'est-ce que tu as fait ? Qu'est-ce que vous avez fait ?

Remarque. L'intonation tient une place importante dans ce chapitre. Par exemple, la question « Qu'est-ce que tu as fait ? » peut être parfaitement normale, aimable ou au contraire un gros reproche.

ACTIVITÉS

1 Compréhension. Vrai ou faux ?

	VRAI	FAUX
Dialogue 3		
1. Il est vrai que la mère de Christian cuisine mal.	☐	☐
2. C'est la première fois que Roxane fait quelque chose de mal.	☐	☐
Dialogue 4		
3. Odilon pensait bien faire.	☐	☐
4. Odilon aurait dû tailler d'autres plantes.	☐	☐

2 Grammaire. Mettez le premier verbe au passé composé, et faites les modifications nécessaires.

1. Je crois qu'ils n'obtiendront jamais ce document. ______________________

2. Il m'explique que ses parents font beaucoup de jardinage. ______________________

3. Elle prétend que ses collègues s'entendent très bien. ______________________

4. Il admet que son chien a mordu un enfant. ______________________

5. Je te dis que mes voisins ne s'aperçoivent pas du bruit qu'ils font. ______________________

6. Ils me racontent que leurs enfants sont partis faire du ski. ______________________

7. On me dit qu'une conférence de presse aura lieu mardi prochain. ______________________

3 Vocabulaire. Complétez par les mots manquants.

1. À quelle époque est-ce qu'on doit ______________ les rosiers ?

2. Il fait sec, il faut ______________ les fleurs. Justement, je cherche mon ______________

3. Sonia aime beaucoup faire du ______________. Son jardin est bien ______________

4. L'herbe a poussé, il faut ______________ la pelouse.

5. En automne, nous devons ______________ les feuilles mortes.

4 Communication. Quel(s) reproche(s) pouvez-vous faire dans les situations suivantes ?

1. Votre ami(e) a lu vos courriers électroniques personnels : ______________________

2. Votre fils a perdu vos clés : ______________________

3. Votre chef ne vous a pas invité(e) à une réunion importante : ______________________

4. Votre fille a lavé son pull dans de l'eau à 90 °C au lieu de 30 °C : ______________________

5. Vos enfants n'ont pas rangé leur chambre : ______________________

5 À vous ! Que disent-ils ? Imaginez un dialogue entre ces deux personnages.

1 Choisissez la question qui convient.

1. ☐ a. Ça te dirait de dîner avec nous ? ☐ b. Ça t'embête* de venir me chercher ?
   — Non, pas du tout !
2. ☐ a. Tu n'aurais pas envie d'aller au cinéma ? ☐ b. Qu'est-ce que tu as envie de faire ?
   — D'aller au cinéma.
3. ☐ a. Ça te dirait de venir ? ☐ b. Ça t'ennuierait de venir ?
   — Non, ça ne me dit rien du tout !
4. ☐ a. Tu aimerais voir ce film ? ☐ b. Tu n'aimerais pas voir ce film ?
   — Oh si !
5. ☐ a. Tu veux venir au cinéma ? ☐ b. Je vous ramène ?
   — Si ça ne vous ennuie pas.
6. ☐ a. On se retrouve où ? ☐ b. Il nous rejoint ?
   — Devant le cinéma.
7. ☐ a. Tu ne veux plus de fromage ? ☐ b. Tu reprendras un peu de fromage ?
   — Si, par gourmandise !
8. ☐ a. Je te sers un peu de gâteau ? ☐ b. Je te sers un apéritif ?
   — Oui, je prendrais volontiers un kir.
9. ☐ a. Pourquoi ne pas l'inviter ? ☐ b. Pourquoi tu ne l'invites pas ?
   — Oui, c'est une bonne idée !
10. ☐ a. Tu as quelque chose de prévu, demain ? ☐ b. Tu es libre, demain ?
    — Non, demain, je suis disponible.

2 Trouvez une réponse appropriée.

1. Ça vous dirait de dîner dans un restaurant thaïlandais ? — ____________________
2. Tu serais disponible, mardi, pour déjeuner ? — ____________________
3. Tu n'es pas prise, ce soir ? — ____________________
4. Samedi soir, ça vous va ? — ____________________
5. Vous avez quelque chose de prévu, demain soir ? — ____________________
6. Tu reprends un peu de gâteau au chocolat ? — ____________________
7. Tiens, je t'ai apporté un bouquet ! — ____________________
8. Figure-toi que mes voisins ont eu des jumeaux ! — ____________________
9. Et si on allait en Alsace, pour les prochaines vacances ? — ____________________
10. Ça vous ennuierait que nous remettions notre déjeuner à demain ? — ____________________

3 Choisissez la ou les bonne(s) réponse(s).

1. Qu'est-ce que je vous | mange | offre | sers | ?
2. Je t'ai | pris | apporté | servi | un bouquet.
3. Il se | peut | fait | va | tard, je dois rentrer.
4. Ce n'est pas bien, il ne lui a pas parlé, il aurait | dû | pu | voulu | le faire.
5. Quelle surprise, je n'en | suis | reviens | viens | pas !
6. Ça | te parlerait | te dirait | t'embêterait* | de venir ?
7. Tu serais | libre | prévu | disponible |, vendredi soir ?
8. Je suis obligé de | repousser | pousser | annuler | mon rendez-vous à lundi prochain.
9. Faroudja s'est mariée ? Tu | plaisantes | me tracasses | m'étonnes | !
10. Oui, je veux | mal | bien | meilleur | t'accompagner.

4 Dans quelle(s) situation(s) pourriez-vous entendre les phrases suivantes ?

1. « Ça alors ! » ____________________
2. « Non, ça ne m'ennuie pas du tout ! » ____________________
3. « J'ai un empêchement. » ____________________
4. « Il ne fallait pas ! » ____________________
5. « Il se fait tard. » ____________________
6. « Tu aurais mieux fait de prendre le train. » ____________________
7. « Ça me tracasse* un peu. » ____________________
8. « Qu'est-ce que je t'offre ? » ____________________
9. « Ce n'est que partie remise. » ____________________
10. « Ce n'est pas malin ! » ____________________

5 Quelle(s) expression(s) pourriez-vous employer dans les situations suivantes ?

1. Vous proposez à un(e) ami(e) d'aller au cinéma. ____________________
2. Vous invitez une collègue à dîner. ____________________
3. Vous ne pouvez pas venir à un rendez-vous. ____________________
4. Vous proposez un apéritif à vos invités. ____________________
5. Vos amis vous apportent une grande boîte de chocolats. ____________________
6. Vous devez rentrer chez vous après une bonne soirée avec des amis. ____________________
7. Vous suggérez à des collègues d'inviter un client. ____________________
8. Un(e) ami(e) vous propose un film que vous ne voulez pas voir. ____________________
9. Vous êtes obligé(e) de reporter un dîner avec des amis. ____________________
10. Vous êtes très étonné(e) par une nouvelle qu'on vous apprend. ____________________

37 Dire du bien

1 Un film remarquable

Mehdi : Alors, **comment est-ce que tu as trouvé** le film ?

Juliane : Pas mal ! Je m'attendais à autre chose, mais **j'ai bien aimé**. Et toi ?

Mehdi : Ça m'a beaucoup plu ! J'ai trouvé ce film remarquable.

Juliane : Qu'est-ce qui t'a plu, dans ce film ?

Mehdi : Eh bien, outre la mise en scène qui était **vraiment réussie**, j'ai trouvé l'intrigue **très bien menée**.

Juliane : Oui, je suis d'accord, l'histoire est **passionnante. C'est du beau travail**.

2 C'est du grand art !

Jérôme : Qu'est-ce que tu as pensé de ce ballet ?

Irène : C'était admirable, à la fois poétique et dynamique ! En fait, c'est déjà la deuxième fois que je le vois, et **je ne m'en lasse pas.**

Jérôme : Ce sont les décors qui **m'ont emballé***...

Irène : Non seulement les décors, mais aussi les costumes. J'ai adoré ces couleurs chaudes sur le fond noir ! **C'était magnifique !**

Jérôme : Ne parlons pas des danseurs, qui m'**ont ébloui. Quelle maîtrise technique !**

Irène : Bref, nous avons été **subjugués. C'est du grand art !**

Vocabulaire

- **Le théâtre :** la mise en scène est assurée par le metteur en scène, qui dirige les acteurs/les comédiens, choisit les costumes, le décor et les éclairages.
- **Le ballet :** la chorégraphie est assurée par un(e) chorégraphe, qui dirige les danseurs (-euses).
- **La technique :** la maîtrise ; les danseurs/interprètes maîtrisent parfaitement leur art ; ils sont virtuoses, leur virtuosité est remarquable.

Grammaire

Usage particulier du partitif, avec des termes abstraits

- C'est **du** grand art, c'est **du** beau travail.
  C'est **de la** belle musique...
- J'ai **de l'**amitié / **de l'**affection pour lui.
  Il éprouve **de la** haine envers cet homme.

Manières de dire

- Comment est-ce que tu as trouvé le film/le spectacle ? • Qu'est-ce que tu as pensé de ce ballet ?
- Est-ce que ça vous/t'a plu ? — Oui, ça m'a beaucoup plu = ça m'a emballé(e)*.
- Qu'est-ce qui vous/t'a plu, dans ce spectacle ? — J'ai été ébloui(e) < subjugué(e) par...
- Je l'ai trouvé magnifique / superbe / merveilleux / splendide.
- L'intrigue est bien menée.
- C'est (très) réussi < C'est parfait, c'est une perfection. C'est génial* !
- C'est intéressant < très intéressant < passionnant.
- Quelle maîtrise !

ACTIVITÉS

1 Compréhension. Choisissez la bonne réponse.

Dialogue 1

1. Le film a | plu | aimé | à Mehdi.
2. Julianne a trouvé le film | peu | très | intéressant.

Dialogue 2

3. Irène ne se | laisse | fatigue | pas de voir le ballet.
4. Jérôme a été | déçu | emballé* | par les danseurs.

2 Grammaire. Complétez par les partitifs appropriés.

1. Nous éprouvons _______________ admiration pour ce metteur en scène.
2. Cette sculpture, c'est _______________ grand art !
3. Je vous félicite, vous avez fait _______________ beau travail.
4. Ils éprouvent _______________ affection pour leur vieux professeur.
5. Prendre cette décision, c'est _______________ bêtise !

3 Vocabulaire. Complétez par les mots manquants.

1. _______________ dirige les danseurs, dont j'admire la _______________ !
2. _______________ en scène de cette pièce est originale.
3. Les acteurs portent de très beaux _______________, dans cette pièce.
4. _______________ dirige les comédiens, qui _______________ très bien leur art.
5. Les _______________ mettent en valeur les couleurs et les costumes.

4 Communication. Trouvez une question.

1. _______________________________ ? — Oui, ça m'a plu.
2. _______________________________ ? — Absolument magnifique !
3. _______________________________ ? — Les costumes, surtout.
4. _______________________________ ? — Je l'ai trouvé splendide.
5. _______________________________ ? — Ce film est passionnant !

5 Communication. Choisissez la ou les bonne(s) réponse(s).

1. J'ai été | ébloui | plu | emballé* | par ce spectacle.
2. Comment est-ce que vous avez | pensé | intéressé | trouvé | le spectacle ?
3. Le concert m'a | maîtrisé* | plu | réussi |.
4. Cette mise en scène est | splendide | éblouie | magnifique |.
5. L'intrigue de ce roman est bien | superbe | menée | passionnante |.

6 À vous ! Avez-vous déjà été émerveillé(e) par un spectacle ? Pouvez-vous en parler et expliquer ce qui vous a plu ?

3 Quelqu'un de sympathique

Côme : Dis donc, Lydie, tu connais Hervé ?

Lydie : Oui, il **est très sympa***. Je l'ai rencontré à l'anniversaire de Muriel.

Côme : Je vais peut-être me trouver dans la même équipe de basket que lui.

Lydie : Tu vas voir, **c'est quelqu'un d'adorable, tout le monde l'apprécie. Il a le cœur sur la main, il est toujours prêt à rendre service.**

Côme : Eh bien, je me réjouis de faire sa connaissance !

4 Une championne

Rémi : Tu as vu ? Julie Desmarets, la championne de ski, est dans le même hôtel.

Gaston : Oui, elle m'a parlé. **Elle est super chouette* !**

Rémi : Je l'admire énormément. C'est une sacrée* personnalité, quand même !

Gaston : C'est vrai, mais **elle est restée très simple. On se sent à l'aise avec elle**, tu sais !

5 Quel naturel !

Isabelle : Tiens, j'ai vu Gaël Langlois, à la télé, hier. Il est **génial***, ce type !

Amandine : Ah oui ? Moi aussi, je le trouve **super*** !

Isabelle : Qu'est-ce qu'il est naturel ! Un type aussi connu, c'est incroyable !

Amandine : Et puis, **quel charme il a ! Je l'adore !**

Grammaire

Quelqu'un/quelque chose/rien/ personne + de (+ adjectif ou adverbe)

- C'est quelqu'un **d'**intéressant / de bien...
- Je ne vois personne **de** sympathique !
- Il a mangé quelque chose **de** bon.
- Il n'y a rien **d'**intéressant à voir.

Vocabulaire

Des qualités humaines

- Être généreux(-euse), la générosité.
- Avoir le cœur sur la main.
- Être serviable, la serviabilité.
- Être/rester simple = modeste ; la simplicité, la modestie.
- Être/rester naturel(le), le naturel.
- Avoir une forte = une sacrée* personnalité.

Manières de dire

- Il/Elle est super* ! C'est un type* / une nana* super* !
- Il/Elle est merveilleux(-euse), exceptionnel(le), fantastique, formidable !
- Il/Elle est très sympa* < super sympa ! *(fam.)*
- Il/elle est (super*) chouette* !
- Je l'admire beaucoup. J'ai beaucoup d'admiration pour lui/elle/eux/elles...
- Tout le monde l'apprécie / l'aime / l'adore !
- On se sent à l'aise avec lui/elle.
- Quel charme il/elle a !

ACTIVITÉS

1 Compréhension. Vrai ou faux ?

Dialogue 3 — VRAI FAUX

1. Lydie a invité Hervé. ☐ ☐
2. Hervé est généreux. ☐ ☐

Dialogue 4 — VRAI FAUX

3. Julie Desmarets est très connue. ☐ ☐
4. Elle fait preuve de modestie. ☐ ☐

Dialogue 5 — VRAI FAUX

5. Les deux jeunes filles ont rencontré Gaël Langlois. ☐ ☐
6. Gaël Langlois est célèbre. ☐ ☐

2 Grammaire. Complétez par « quelqu'un/personne/quelque chose/rien de ».

1. Je ne connais ________________ compétent dans ce domaine.
2. Nous avons entendu ________________ très intéressant hier soir.
3. Malheureusement, ils ne font ________________ bien !
4. Michel est ________________ très sensible.
5. J'aimerais bien trouver ________________ bon à manger.
6. Elle n'apprend ________________ utile, en ce moment !

3 Vocabulaire. Complétez par l'expression appropriée.

1. Lise est très ________________, elle rend service à tout le monde.
2. Nicole et Jean-Pierre ont ________________ sur ________________, ils sont très bons.
3. Nathalie a une ________________ personnalité !
4. Adèle donne tout ce qu'elle a, elle est très ________________.
5. Ce grand physicien est resté ________________, il n'est pas prétentieux du tout. J'admire sa ________________.

4 Communication. Vous dites du bien de chacune de ces personnes. Choisissez la bonne réponse.

1. Vous faites la connaissance d'Édith, une nouvelle collègue.
   ☐ **a.** Elle a l'air très sympa ! ☐ **b.** Elle est toujours de bonne humeur.
2. Vous parlez de Carine, âgée de 6 ans.
   ☐ **a.** Elle est restée très simple. ☐ **b.** Elle est adorable.
3. Vous parlez d'un présentateur à la télévision.
   ☐ **a.** On se sent à l'aise avec lui. ☐ **b.** C'est une sacrée* personnalité !
4. Vous avez rencontré une chanteuse très connue.
   ☐ **a.** Qu'est-ce qu'elle est restée simple ! ☐ **b.** Qu'est-ce qu'elle est célèbre !

5 À vous ! Parlez, de manière positive des personnes suivantes.

1. Un(e) de vos meilleur(e)s ami(e)s.
2. Un membre de votre famille dont vous êtes très proche.

6 Une véritable vocation

Sébastien : Alors, Vincent, comment se passe ton nouveau travail ?

Vincent : Je suis ravi, c'est exactement ce que je voulais faire.

Sébastien : Où est-ce que tu enseignes, maintenant ?

Vincent : Dans un petit village de l'Est, **ce qui me plaît beaucoup, puisque j'adore** la campagne et que j'ai des classes d'école primaire.

Sébastien : Tu ne t'ennuies pas, j'imagine…

Vincent : Ah non ! **C'est l'avantage du** métier d'enseignant, ça change tout le temps, il y a toujours des surprises. Il faut de la créativité, de la souplesse, sans oublier l'exigence, bien sûr… **Cela me convient parfaitement**.

Sébastien : Tu ne traverses pas de moments difficiles ?

Vincent : Si, ça arrive, mais **c'est largement compensé par** les satisfactions. Tu vois, l'autre jour, un petit garçon avec de gros problèmes psychologiques a enfin réussi à écrire une phrase correctement. Je lui ai fait des compliments, ce dont il a été tout fier. Sur ce, il a continué à faire des progrès. Moi, **je suis aux anges dans ces cas-là**…

Sébastien : Quelle patience tu dois avoir ! Et tu n'as jamais de problèmes de discipline ?

Vincent : Non, **je n'ai rencontré aucun problème de** discipline, du moins jusqu'à présent ! **C'est justement l'avantage de** vivre dans un petit village, où tout le monde se connaît.

Sébastien : Ce que je comprends, c'est que **ton métier est une vraie vocation**.

Vincent : Oui, **c'est une véritable passion**, que veux-tu !

Grammaire

Ce qui, ce que, ce dont

- J'habite à Paris, **ce qui** me plaît, **ce que** j'aime bien, **ce dont** je ne me plains pas !
- **Ce qui** me plaît, **c'est** de vivre à Paris !
- **Ce qu**'elle veut, **c'est** faire de la musique.
- **Ce dont** nous parlons, **c'est** de notre travail.

Vocabulaire

Les qualités d'un(e) bon(ne) enseignant(e)

- Être créatif (-ive) ; la créativité.
- Être souple ; la souplesse.
- Être patient(e) ; la patience.
- Être bienveillant(e) ; la bienveillance.
- Être dévoué(e) ; le dévouement.
- Être exigeant ; l'exigence.

Manières de dire

- C'est exactement ce que je voulais faire.
- Cela me convient bien < parfaitement.
- Ce qui me plaît / ce qui m'intéresse / ce qui me passionne, c'est…
- Je n'ai aucun problème de…
- L'avantage, c'est que…
- C'est une (vraie/véritable) passion.
- C'est une vraie vocation.
- Je suis ravi(e) < Je suis aux anges.

ACTIVITÉS

1 Compréhension. Vrai ou faux ?

	VRAI	FAUX
1. Vincent enseigne à de jeunes enfants.	☐	☐
2. Vincent éprouve de grandes satisfactions.	☐	☐
3. Les élèves de Vincent ont de gros problèmes psychologiques.	☐	☐
4. Vincent a toujours voulu être professeur.	☐	☐

2 Grammaire. Constituez une seule phrase, en employant « ce qui », « ce que » ou « ce dont ».

1. Ils ont décidé de s'installer en pleine montagne. Cela ne me surprend pas.
____
2. Elle rencontre de gros problèmes professionnels. Je trouve cela injuste.
____
3. Il pleut beaucoup dans cette région. Elle se plaint beaucoup de cela.
____
4. Je ne travaille que quatre jours par semaine. Cela me convient très bien.
____
5. Nous allons à de nombreux concerts. Nous aimons beaucoup cela.
____

3 Vocabulaire. Complétez par le terme approprié (nom ou adjectif).

1. Ce professeur attend beaucoup de ses élèves, il fait preuve d'une grande ___________.
2. Ce médecin humanitaire est capable de travailler nuit et jour pour sauver des vies. Nous admirons son ___________
3. Impossible d'être rigide, dans ce travail. Au contraire, il faut être ___________.
4. Cette styliste a toujours de nouvelles idées, elle est très ___________.
5. Un professeur doit être ___________, car ses élèves mettent parfois beaucoup de temps à progresser !

4 Communication. Trouvez une réponse à caractère positif aux questions.

1. Vous êtes content(e) de votre nouveau logement ? ___________
2. Vous avez toujours voulu faire ce travail ? ___________
3. Vous avez des problèmes de transport ? ___________
4. Qu'est-ce qui vous plaît, dans votre nouvelle situation ? ___________
5. Est-ce que cette activité vous intéresse ? ___________

5 À vous ! Avez-vous déjà eu une très bonne expérience professionnelle (ou autre) ? Pouvez-vous la raconter en expliquant ce qui vous a plu, ce qui était enrichissant, intéressant ?

38 Critiquer

1 Sans intérêt !

Thomas : Alors, Audrey, qu'est-ce que tu as pensé de ce film ?

Audrey : Franchement, Thomas, **j'ai trouvé ça sans aucun intérêt**.

Thomas : Je reconnais que **ce n'était pas génial***, mais je n'ai pas détesté.

Audrey : L'histoire est **banale**, le style **n'est pas original**, **ça traîne en longueur**… On se doute toujours de ce qui va se passer, **ça ne soutient pas l'intérêt** !

Thomas : Bref, **ça ne t'a pas plu**.

Audrey : Non, **je n'ai vraiment pas aimé**. En fait, **je me suis ennuyée à mourir**.

2 Ratée !

Tanguy : Cette expo* est **complètement ratée** !

Alix : Tu trouves ? Elle était assez intéressante, quand même !

Tanguy : C'était **nul*** ! D'abord, les salles étaient trop petites. Du coup*, comme il y avait un monde fou, on devait littéralement faire la queue devant chaque œuvre.

Alix : Ça, c'est vrai.

Tanguy : Ensuite, les tableaux **étaient placés n'importe comment**, si bien qu'**on ne comprenait rien à** l'organisation. Ça n'avait **aucune logique**.

Alix : Je reconnais que **c'était un peu n'importe quoi !** Mais il y avait tout de même de très belles choses.

Tanguy : Oui, bien sûr, c'est l'expo* que **je critique**, pas le peintre !

Grammaire

Expression de la conséquence

- Je me suis ennuyé **à mourir**. Il est fou **à lier**. C'est bon **à jeter**.
- Il y a trop de monde, **si bien que** / **par conséquent** j'ai dû faire la queue.
- Il est parti trop tard. **Du coup***, il a raté le train.

Vocabulaire

- Un musée (d'art, d'archéologie, d'histoire…).
- Une exposition temporaire, une expo* de peinture / sculpture / photographies / dessins…
- Exposer des œuvres / des tableaux / des dessins / des sculptures… dans un musée, une galerie d'art…
- Le catalogue de l'exposition ; l'affiche de l'exposition.
- Une reproduction de tableau, une carte postale d'art.

Manières de dire

- Critiquer qqch ou qqn… = faire la critique de qqch ou qqn.
- C'est ennuyeux à mourir, je me suis ennuyé(e) à mourir. Ça traîne en longueur.
- C'est sans (aucun) intérêt. Ça n'a aucun intérêt, ça ne soutient pas l'intérêt.
- C'est banal (≠ original). C'est d'une grande banalité. Ça n'a aucune originalité.
- Ça ne m'a pas plu < Je n'ai vraiment pas aimé. < J'ai détesté !
- C'est (un peu) n'importe quoi *(fam.) (= c'est sans logique et sans intelligence).*
- C'est mal fait, mal organisé, mal éclairé…

ACTIVITÉS

1 Compréhension. Vrai ou faux ?

	VRAI	FAUX
Dialogue 1		
1. Thomas trouve le film franchement mauvais.	☐	☐
2. Audrey s'est ennuyée pendant le film.	☐	☐
Dialogue 2		
3. Il n'y avait pas suffisamment d'espace dans la salle d'exposition.	☐	☐
4. L'exposition n'a pas attiré beaucoup de visiteurs.	☐	☐
5. Il s'agissait d'une exposition de peinture.	☐	☐

2 Grammaire. Constituez une seule phrase afin d'insister sur la conséquence. Variez les tournures.

1. erreur informatique / retard dans le traitement des dossiers

____

2. faire du ski / avoir des courbatures

____

3. trop manger / avoir mal à l'estomac

____

4. être extrêmement maigre / faire peur

____

5. ne pas travailler / rater ses examens

____

3 Vocabulaire. Complétez ce texte par les termes manquants.

Après avoir visité cette belle ____________ de peinture, j'ai acheté le ______________, pour me souvenir de toutes les _______________ qui étaient ___________________, et quelques _______________ pour envoyer à mes amis amateurs d'art. Comme ______________ est très belle, je vais en prendre une pour la mettre au mur, chez moi. Évidemment, c'est moins beau qu'un vrai ___________, mais je ne suis pas millionnaire !

4 Communication. Répondez aux questions en critiquant.

1. Est-ce que le spectacle t'a plu ? — _______________________________

2. C'était réussi ? — _______________________________

3. Comment était le film ? — _______________________________

4. C'était bien fait ? — _______________________________

5. Qu'est-ce que vous avez pensé de ce livre ? — _______________________________

5 À vous ! Critiquez librement un film, un spectacle, un livre, une exposition.

3 Que penses-tu d'elle ?

Marc : Nina, qu'est-ce que tu penses de Céline ?

Nina : Je ne la trouve pas sympa du tout. Elle est sèche, cassante et prétentieuse. Tout pour plaire !

Marc : Mais elle a des bons côtés, non ? C'est tout de même quelqu'un de brillant.

Nina : Brillante peut-être, mais elle **est d'une telle arrogance qu**'on ne voit plus son intelligence.

Marc : Eh bien, dis donc, avec un tel portrait, il est évident que **tu ne peux pas la sentir**. Tu n'exagérerais pas un peu, par hasard ?

Nina : Pas du tout ! Demande à d'autres, **personne ne peut la supporter** !

4 Quel comportement !

Pauline : Tu as vu la réaction de Céline ? Dans une réunion, **il est vraiment malvenu d'**adopter une telle attitude !

Ronan : Tu as raison, Pauline. Le fait de réagir de manière si agressive **risque de faire du tort à** toute l'équipe.

Pauline : Je ne comprends pas pourquoi Marc ne l'a pas interrompue.

Ronan : C'est toujours la même chose : Marc est **trop faible et trop mou** !

Grammaire

■ Tel, telle, tels, telles *(+ nom)* … (que)

- Un **tel** portait, une **telle** arrogance…
- De **tels** défauts, de **telles** qualités…
- Il est d'une **telle** bêtise **qu**'il ne comprend rien !

■ Tellement *(+ adjectif)* … (que)

Elle est **tellement** agressive **que** personne ne lui parle plus.

Vocabulaire

Quelques défauts

- Être prétentieux (-euse) ; la prétention.
- Être arrogant(e) ; l'arrogance.
- Être hypocrite ; l'hypocrisie.
- Être sec (sèche) ; la sécheresse.
- Être agressif (-ive) ; l'agressivité.
- Être cassant(e) *à pas de nom.*

Manières de dire

- « Tout pour plaire ! » *(ironique)*
- C'est toujours la même chose ! *(expression fataliste)*
- Je le/la/les trouve antipathique / désagréable…
- Il/elle est d'une telle arrogance ! Il a répondu avec un tel mépris !
- Je ne peux pas le/la/les sentir ! Je ne peux pas le/la/les supporter !
- Il est malvenu de… *(+ infinitif)*
- Cela risque de faire du tort à…
- Je ne comprends pas pourquoi, comment…

ACTIVITÉS

1 **Compréhension. Vrai ou faux ?**

	VRAI	FAUX
Dialogue 3		
1. Céline est fort intelligente.	☐	☐
2. Nina est la seule à détester Céline.	☐	☐
Dialogue 4		
3. L'attitude de Céline peut nuire à l'équipe.	☐	☐
4. Marc manque d'autorité.	☐	☐

2 **Grammaire et vocabulaire. Constituez une seule phrase en employant « tel(le)(s) » ou « tellement ». Plusieurs solutions sont possibles.**

1. Il est très passif. Il ne prend aucune décision.

____

2. Ils sont vraiment hypocrites. Personne ne leur fait confiance.

____

3. Il a montré une grande agressivité. Tout le monde le fuit.

____

4. Vous avez été très sec dans votre réponse. C'est à la limite de l'impolitesse.

____

5. Il est très arrogant. Personne ne veut travailler avec lui.

____

3 **Vocabulaire et communication. Lesquelles de ces phrases sont adaptées pour critiquer fortement quelqu'un ?**

1. Je n'aime pas trop déjeuner avec lui, il n'est pas très intéressant.
2. Je ne peux pas la supporter.
3. Il parle d'une manière tellement prétentieuse !
4. Je reconnais qu'elle ne manque pas d'intelligence.
5. Sa prétention fait fuir tout le monde.
6. Elle n'est pas très sympa, même si elle est compétente.
7. Il s'exprime toujours de manière arrogante, c'est pénible.
8. Agressif et prétentieux, il a tout pour plaire !
9. C'est quelqu'un d'assez ennuyeux.

4 **À vous ! Connaissez-vous quelqu'un que vous voulez critiquer ? Faites-le en essayant d'analyser son comportement autant que ses défauts, et en montrant les conséquences que cela peut avoir sur son entourage.**

5 Paris

Nicolas : Alors, Matthieu, comment tu te sens, à Paris ?
Mathieu : À vrai dire, **je n'aime pas trop** vivre dans cette ville.
Nicolas : Mais c'est une ville magnifique, passionnante !
Mathieu : Oui, peut-être, mais **je n'en vois que les inconvénients**. Par exemple, **ce qui est pénible, c'est que** je passe plus de deux heures par jour dans les transports ! Le métro, c'est **épuisant et déprimant**.
Nicolas : Je reconnais que c'est dur, mais le week-end, tu peux sortir, aller au cinéma…
Mathieu : Les sorties coûtent cher à Paris. Et puis **ça m'embête* de** prendre encore le métro le week-end…

6 C'est démotivant !

M. Rousset : Alors, Jeanne, comment se passe votre nouveau travail ?
Jeanne : Franchement, **je suis terriblement déçue. Je tombe de haut**.
M. Rousset : Comment cela se fait-il ?
Jeanne : Je n'ai pas grand-chose à faire, aucune décision importante à prendre, pas de responsabilité… Ce poste **n'a aucun intérêt**. Ce n'est que du travail administratif ! C'est assez **décourageant et démotivant**.
M. Rousset : Effectivement, **cela doit vous démoraliser**. Il va falloir trouver autre chose, sans tarder !

Grammaire

■ **Adjectif verbal**
- fatiguer → être fatigant(e)
- stimuler → être stimulant(e)
- décevoir → être décevant(e)

■ **Pronom « en », complément de nom**
- J'**en** vois les inconvénients (**de** cette situation).
- Nous **en** connaissons l'adresse.
- Elle **en** a vu les conséquences.

Vocabulaire

Les réactions négatives

- Ça me démoralise, je suis démoralisé(e), c'est démoralisant.
- Ça me déprime, je suis déprimé(e), c'est déprimant.
- Ça me fatigue < ça m'épuise. Je suis fatigué(e) < épuisé(e). C'est fatigant < épuisant.
- Ça me décourage, je suis découragé(e), c'est décourageant.
- Ça me démotive, je suis démotivé(e), c'est démotivant.
- Ça me déçoit, je suis déçu(e), c'est décevant.

Manières de dire

- Je n'aime pas trop… je n'aime pas tellement < je déteste.
- Je ne vois que les inconvénients = les désavantages.
- C'est désagréable < c'est dur < c'est pénible.
- Je suis très déçu(e) = c'est terriblement décevant = je tombe de haut.
- C'est (vraiment) démoralisant, décourageant, démotivant, déprimant…

Remarque de vocabulaire. « Comment cela se fait-il ? » = « Comment ça se fait ? » *(fam.)* = pourquoi et comment ?

ACTIVITÉS

1 Compréhension. Vrai ou faux ?

	VRAI	FAUX
Dialogue 5		
1. Matthieu ne voit pas les avantages de Paris.	☐	☐
2. Il déteste aller au spectacle.	☐	☐
Dialogue 6		
3. Jeanne s'attendait à un travail plus intéressant.	☐	☐
4. Elle a l'espoir de changer bientôt de travail.	☐	☐

2 Grammaire. Répondez en employant le pronom « en ».

1. Vous connaissez les caractéristiques de cet ordinateur ?
— ______________________________

2. Elle apprécie les qualités de son chef ?
— ______________________________

3. Ils ont tiré les conclusions de cette étude ?
— ______________________________

4. Tu vois les limites de ce raisonnement ?
— ______________________________

5. Elle comprendra l'utilité de cet outil ?
— ______________________________

3 Vocabulaire et grammaire. Répondez en employant un adjectif verbal.

1. Ce travail vous fatigue ? — Oui, c'est ______________________________
2. Ce nouveau projet les enthousiasme ? — Oui, ______________________________
3. Ce bruit constant t'énerve ? — Oui, ______________________________
4. Cet échec le démoralise ? — Oui, ______________________________
5. Ce poste l'a déçu ? — Oui, ______________________________

4 Communication. Complétez par des termes appropriés.

1. Je ne vois pas les avantages de cette situation, je n'en vois que les ______________________________.
2. Il est profondément déçu par la réaction de son chef, il tombe de ______________________________.
3. Elle trouve difficile d'être motivée, car la situation est ______________________________.
4. Ce travail est vraiment dur, il est ______________________________.
5. Ils sont déçus, car cette proposition est ______________________________.

5 À vous ! Expliquez à un(e) ami(e) une situation (travail, maison, réunion, activité extérieure) que vous trouvez particulièrement pénible ou décevante.

Demander, donner des conseils

1 Un entretien d'embauche

Isabelle : Barbara, **comment tu t'habillerais**, toi, pour un entretien d'embauche ? Alice **m'a suggéré de** me mettre en pantalon, mais **je ne sais pas quoi en penser.**

Barbara : Je **mettrais plutôt** une jupe… Mais pas la bleue, elle ne fait pas assez sérieux. La noire conviendrait bien.

Isabelle : Et qu'est-ce que je mets avec ? Ce chemisier à fleurs ?

Barbara : Ah non Isabelle, **je serais toi, je choisirais** un haut blanc, tout simple. Ce sera plus adapté à la situation.

Isabelle : Dans ce cas, est-ce qu'**il ne vaudrait pas mieux que** je porte un tailleur ? Le bleu marine, par exemple ?

Barbara : C'est une bonne idée. **Tu devrais** le passer, pour qu'on voie ce que ça donne.

2 Un problème à l'école

Sophie : Allô, Louise ? **Je te téléphone pour te demander un conseil.** Le fils de mes voisins a battu ma fille. **Je ne sais pas quoi faire, je suis un peu embarrassée. Qu'est-ce que tu ferais, à ma place ?**

Louise : Tu pourrais aller voir les parents, non ?

Sophie : Tu ne penses pas que je devrais leur écrire un mot ?

Louise : Tu ferais mieux de leur parler directement. Ce sera moins difficile, **à mon avis.**

Grammaire

« Le, la, les » à valeur démonstrative

S'emploie avec un adjectif (de couleur, de taille, de forme).

- Je mets mon pull de laine, **le** gris.
- Quelle tasse est-ce que j'apporte ? — **La** petite.
- Quelles assiettes est-ce que tu mets ? — **Les** carrées.
- Quelle boîte est-ce que tu prends ? — **La** moyenne, **la** grande, **la** rouge, **l'**autre…

Vocabulaire

Usages idiomatiques de certains verbes

- Se mettre en : Elle se met en jean.
- Faire (+ *adjectif*) : Cette tenue ne fait pas sérieux. Ce pantalon fait démodé ≠ jeune.
- Mettre avec : Qu'est-ce que je peux mettre avec *(ce pantalon)* ?
- Je vais voir ce que ça donne = je vais voir le résultat.

Manières de dire

- J'ai un conseil à te/vous demander.
- Je ne sais pas quoi en penser.
- Je ne sais pas quoi faire. Je suis assez embarrassé(e).
- Qu'est-ce que tu me conseilles / vous me conseillez ?
- Qu'est-ce que tu ferais / vous feriez, à ma place ?
- Qu'est-ce que je pourrais faire ?

ACTIVITÉS

1 **Compréhension. Vrai ou faux ?**

	VRAI	FAUX
Dialogue 1		
1. Isabelle est à la recherche d'un nouveau travail.	☐	☐
2. Barbara conseille une tenue sans grande fantaisie.	☐	☐
Dialogue 2		
3. Le fils des voisins n'est pas méchant.	☐	☐
4. La maman voudrait s'adresser directement aux parents du petit garçon.	☐	☐

2 Grammaire. **Répondez en employant un article défini et un adjectif appropriés.**

1. Quelle veste est-ce que tu mets ? — ______

2. De quels verres est-ce que tu as besoin ? — ______

3. Quelles chaussures est-ce qu'elle va mettre ? — ______

4. Dans quelle boîte est-ce que tu as rangé les papiers ? — ______

5. Avec quel pantalon tu vas mettre cette chemise ? — ______

6. Quelles fleurs est-ce que vous achetez ? — ______

3 Vocabulaire et communication. **Complétez chaque dialogue par une demande de conseil.**

1. ______

— Non, je pense que tu devrais les voir directement.

2. ______

— Moi, je te conseille de lui apporter des fleurs, elle adore ça.

3. ______

— En tout cas, je ne choisirais pas cette veste pour aller avec cette chemise !

4. ______

— Non, tu ne devrais pas te mettre en short !

5. ______

— Oui, cela ferait plus sérieux.

4 À vous ! **Vous êtes étranger (-ère) et vous demandez des conseils à des amis français sur les sujets suivants. Faites des phrases en variant les structures.**

1. Vous voulez trouver un bon restaurant. ______

2. Vous ne savez pas quelle région visiter. ______

3. Vous voulez rencontrer des Français. ______

4. Vous êtes invité(e) à dîner chez des Français et vous ne savez pas quoi apporter. ______

5. Vous êtes invité(e) à un mariage chez des Français et vous ne savez pas comment vous habiller. ______

______

3 Que faire pour mon fils ?

Denise : Écoute, **j'ai un conseil à te demander**. Mon fils a de très mauvaises notes en anglais, c'est de pire en pire. Lui, il s'en fiche*, il déteste cette matière, mais ses professeurs, eux, me disent que cela va finir par mettre sa scolarité en danger. **Qu'est-ce que je pourrais bien faire ?**

Rémi : Si j'étais toi, j'essaierais de lui trouver des activités en anglais.

Denise : Quoi, par exemple ? L'envoyer en Angleterre ?

Rémi : Oui, bonne idée. Ou alors, **pourquoi pas*** le mettre en contact avec des Anglais ou des Américains ? **Moi, je chercherais** des clubs de sport bilingues. **Tu ferais bien de** demander à la mairie. À la rentrée, il y a toujours de nouvelles activités.

Denise : C'est sûr qu'il serait ravi de jouer au foot plutôt que d'aller au collège !

4 Tu n'as qu'à...

Joël : Je voudrais bien connaître Tania, ma voisine allemande, **mais je ne sais pas** comment faire...

Kévin : Tu n'as qu'à* l'inviter !

Joël : Oui, mais je ne peux pas l'inviter comme ça, sans raison !

Kévin : Tu n'as qu'à lui poser des questions sur la grammaire allemande.

Joël : Mais je ne parle pas allemand !

Kévin : Tu n'as qu'à dire que tu commences à apprendre !

Joël : Oh, tu m'embêtes* avec tes « tu n'as qu'à, tu n'as qu'à... » !

Grammaire

Les pronoms toniques : moi, toi, lui, elle, nous, vous, eux, elles

- **Moi,** je m'en occuperais volontiers.
- Nous étions sûrs, **nous,** d'avoir raison.
- **Eux**, ils sont repartis de bonne heure, mais Juliette, **elle**, est restée jusqu'à minuit.

Vocabulaire

Le système éducatif

- La scolarité : l'école maternelle, l'école primaire, le collège, le lycée, l'université.
- Une matière (le français, les mathématiques, l'histoire, l'anglais...).
- Le professeur de français, d'allemand...
- La rentrée scolaire (en septembre).
- Les vacances scolaires.

Manières de dire

- À ta/votre place, je... *(+ conditionnel présent)*
- Si j'étais toi/vous, je... *(+ conditionnel présent)*
- Tu pourrais/vous pourriez... *(+ infinitif)*
- Tu devrais/vous devriez... *(+ infinitif)*
- Il vaudrait mieux que... *(+ subjonctif)*
- Tu ferais/vous feriez bien/mieux de... *(+ infinitif)*
- Je te/vous conseille, recommande, suggère de... *(+ infinitif)*
- Je vous encourage à... *(+ infinitif)*
- Je vous engage à... *(+ infinitif)*
- Pourquoi ne pas... Pourquoi pas... *(fam.)* *(+ infinitif)*
- Tu n'as qu'à / Vous n'avez qu'à... *(+ infinitif)*

ACTIVITÉS

1 Compréhension. Vrai ou faux ?

	VRAI	FAUX
Dialogue 1		
1. Le petit garçon n'aime pas beaucoup l'anglais.	☐	☐
2. Il ferait mieux de jouer au foot que d'aller en classe.	☐	☐
Dialogue 2		
3. Tania est assez timide.	☐	☐
4. Joël est obligé d'apprendre l'allemand.	☐	☐

2 Grammaire. Ajoutez le pronom tonique manquant.

1. Les étudiantes, ______________, ne sont pas d'accord.
2. Les écoliers, ______________, seront en vacances demain soir.
3. Adam, ______________, ne portait pas de cravate.
4. Renaud et Simon, ______________, voulaient faire des maths.
5. ______________, je ne suis pas douée pour les langues.

3 Vocabulaire. Choisissez la bonne réponse.

1. Violette a 8 ans, elle est [à l'école primaire | au collège].
2. Les mathématiques sont la [scolarité | matière] préférée d'Olivier.
3. En septembre, au moment de [la rentrée | l'école], tout le monde est stressé !
4. Les petits enfants vont à [l'école | la matière] maternelle.
5. Les enfants n'aiment pas toujours [le lycée | la rentrée] scolaire.

4 Communication. Quel(s) conseil(s) donneriez-vous à ces personnes ?

1. « Je ne sais pas quoi offrir à ma femme ! » ______________________________
2. « Mon fils de six ans a son anniversaire. Qu'est-ce que je pourrais organiser ? » ______________
3. « Comment remercier mes voisins qui ont gardé mon chat pendant une semaine ? » ______________
4. « Pour aller chez des amis, comment est-ce que je dois m'habiller ? » ______________________
5. « J'ai oublié l'anniversaire de mon cousin ! Que faire ? » ______________________________

5 À vous ! Quel(s) conseil(s) pourriez-vous donner à ces personnes ?

5 Il est caractériel !

Adila : Luc est odieux. **Je ne sais plus comment m'y prendre avec** lui. Tu ne sais pas ce qu'il a fait ? Il est allé raconter à tout le monde que j'avais fait échouer le projet alors que c'est à cause de lui que tout a raté… **Je ne sais plus quoi faire.**

Roland : Aïe, **c'est dur de** travailler avec quelqu'un comme ça… **Il est de toute façon inutile de** se confronter à lui, **cela ne ferait que** renforcer ses tendances !

Adila : Que faire, alors ? Il est d'une telle mauvaise foi ! Il est capable de dire de terribles contre-vérités « les yeux dans les yeux »…

Roland : Et **lui envoyer** un mail ? **Cela permettrait d'expliquer** les choses calmement, non ?

Adila : Penses-tu, Roland ! À en juger par ce qui s'est passé avec d'autres collègues, il n'y répondra jamais !

Roland : C'est vrai, et puis **ça risque de** mal tourner ou de se retourner contre toi, Adila.

Adila : Tu ne crois vraiment pas que cela vaudrait la peine de lui demander un rendez-vous ?

Roland : Ça, **je te le déconseille** ! Il est caractériel, tu n'obtiendras rien.

Adila : Pourtant, il faut bien que je trouve une solution !

Grammaire

Usages de l'infinitif seul

- **Remplace une question développée :**
  Que faire ? *(= qu'est-ce que je peux faire ?)*
  Comment répondre ? Où aller ?
- **Permet aussi de faire une suggestion :**
  Lui envoyer un mail ?
  Les inviter à dîner ?
  Pourquoi ne pas lui demander…

Vocabulaire

Les mauvaises expériences

- Elle fait échouer le projet.
- Le projet échoue. C'est un échec.
- C'est raté ! Tout est raté. C'est un vrai ratage.
- Faire un mensonge = mentir = dire des contre-vérités.
- Être de bonne (≠ mauvaise) foi.
- Ça va mal tourner (= cela va devenir dur ou dangereux).
- Ça va se retourner contre vous… (= vous allez payer les conséquences).

Manières de dire

- Que faire ?
- Je ne sais plus quoi faire !
- Je ne ferais pas…
- Je ne sais plus comment m'y prendre !
- Ce n'est pas une bonne idée.
- Cela ne ferait que… *(+ infinitif)*
- L'inviter ? Lui envoyer un mail ? La voir ?
- Je ne te/vous conseille pas de… *(+ infinitif)*
- Je te déconseille de… *(+ infinitif)*
- Je ne te/vous recommande pas de… *(+ infinitif)*
- Tu ne crois pas que… ?
- Cela vaudrait la peine de… *(+ infinitif)*
- Penses-tu ! Pensez-vous !
- Il faut bien que… *(+ subjonctif)* (= être bien obligé(e) de…)

ACTIVITÉS

1 Compréhension. Vrai ou faux ?

	VRAI	FAUX
1. Adila considère que Luc ment.	☐	☐
2. Écrire à Luc ne semble pas une bonne idée.	☐	☐
3. Roland trouve une bonne solution pour Adila.	☐	☐

2 Grammaire. Reformulez les phrases suivantes en employant un infinitif.

1. Qu'est-ce que nous pourrions dire ? ____________________
2. Peut-être pourrais-tu leur envoyer une invitation ? ____________________
3. Comment est-ce que je dois m'y prendre ? ____________________
4. Comment est-ce que nous pourrions formuler la question ? ____________________
5. Où est-ce que je pourrais m'installer ? ____________________

3 Vocabulaire. Complétez par les termes manquants.

1. Emmanuelle ____________ beaucoup, elle ne dit pas la vérité.
2. Ce film a été un ____________, il n'a eu aucun succès.
3. Ce sont les autorités qui ont fait ____________ ce programme ! Je ne sais pas pourquoi, mais en tout cas, tout a été annulé.
4. À force d'être agressif, Thibaut n'obtient rien, au contraire. Cela ____________ souvent contre lui !
5. Le conflit devient de plus en plus dur, tout cela risque de mal ____________.

4 Communication. Imaginez une question.

1. ____________________ ?
— Non, je ne crois pas que cela soit une bonne idée.
2. ____________________ ?
— Je comprends ton embarras.
3. ____________________ ?
— Oui, pourquoi pas ? Cela permettrait de discuter tranquillement.
4. ____________________ ?
— Ah non, ça, je te le déconseille !
5. ____________________ ?
— Non, moi, je ne le ferais pas. Cela risquerait de le vexer.
6. ____________________ ?
— Je ne te recommande pas ce genre d'attitude ! Cela pourrait se retourner contre toi !

5 À vous ! Vous avez quelques difficultés diplomatiques avec un(e) voisin(e) ou un(e) collègue. Vous demandez conseil à l'un(e) de vos ami(e)s. Imaginez et jouez le dialogue.

40 Demander ou donner une opinion

1 Une expérience concluante ?

Sami : J'aimerais avoir votre opinion sur une question. Vous savez que nous avons l'intention d'enseigner l'anglais dans notre école primaire, dès l'âge de 8 ans. **Qu'en pensez-vous ?** Il s'agirait de mettre en place ce projet à compter de la rentrée prochaine.

Manon : À mon avis, c'est une très bonne idée. Les enfants apprennent plus facilement quand ils sont jeunes. **Je ne sais pas ce que vous en pensez, mais** les expériences conduites jusqu'à présent se sont révélées plutôt concluantes, **n'est-ce pas ?**

Félix : C'est aussi mon point de vue. J'ai l'impression que les enfants s'habituent vite à entendre une langue étrangère dès leur plus jeune âge. Qui plus est, cela stimule leurs capacités intellectuelles…

Estelle : Peut-être, mais vous ne trouvez pas que nous privilégions encore trop l'anglais, au détriment d'autres langues ?

Sami : Je me demande si nous ne pourrions pas tenter l'expérience avec un petit groupe d'enfants, et voir si ça donne de bons résultats.

Estelle : Je ne pense pas que ce soit une bonne idée. Pour certains enfants, **il me semble qu'il** est déjà difficile d'apprendre le français ! **Je ne vois pas en quoi** leur imposer une nouvelle langue favoriserait leur réussite scolaire !

Vocabulaire

Les bonnes expériences

- Avoir un projet, mettre en place un projet.
- Faire = conduire / tenter une expérience.
- Une expérience concluante = positive.
- Privilégier qqch/qqn au détriment de…
- Imposer une décision.
- Stimuler les capacités intellectuelles de…
- Favoriser la réussite scolaire.
- Donner de bons (≠ mauvais) résultats.

Grammaire

Expressions de temps (3)

- **Dès** son plus jeune âge, dès l'âge de 6 ans
- **À partir de** l'âge de 6 ans, à partir de 6 ans
- **À compter du** 15 septembre = à dater de
- **Aussitôt après** = immédiatement après

Manières de dire

- J'aimerais avoir ton/votre opinion/avis/point de vue sur…
- Quelle est ton/votre opinion/point de vue sur… ?
- Qu'en penses-tu ? Qu'en pensez-vous ?
- Vous ne trouvez pas que / Vous ne pensez pas que / Vous ne croyez pas que…
- À mon avis = selon moi = d'après moi…
- J'ai l'impression que… *(+ indicatif)*
- Je ne vois pas en quoi…
- Je ne sais pas ce que vous en pensez, mais…
- C'est mon point de vue.
- Il me semble que… *(+ indicatif)*
- Je ne pense pas que ce soit une bonne idée.
- Je me demande si…

ACTIVITÉS

1 Compréhension. Vrai ou faux ?

	VRAI	FAUX
1. L'enseignement de l'anglais pourrait commencer au cours de cette année scolaire.	☐	☐
2. Les expériences connues sont plutôt négatives.	☐	☐
3. Il existe un projet d'enseigner d'autres langues que l'anglais.	☐	☐
4. Apprendre le français n'est pas toujours facile pour les enfants.	☐	☐

2 Grammaire. Complétez par une expression de temps appropriée.

1. _______________ l'âge de 5 ans, elle a commencé à faire de la danse classique.
2. Ce nouveau règlement s'appliquera à _______________ de l'année prochaine.
3. _______________ de quel âge les enfants apprennent-ils à lire ?
4. Ils ont découvert cette région _______________ leur plus jeune âge.
5. Vous pourrez vous inscrire _______________ du mois prochain.

3 Vocabulaire. Complétez par des termes appropriés.

1. Nous allons _______________ en place un nouveau projet.
2. Il s'agit de _______________ l'enseignement des langues.
3. L'expérience s'est révélée _______________, elle a bien marché.
4. Ils ne souhaitent pas _______________ une langue au détriment d'une autre.
5. Il est possible de _______________ l'expérience, puis de voir si elle _______________ de bons résultats.

4 Vocabulaire et communication. Choisissez la ou les réponse(s) possible(s).

1. À ton [avis | opinion | point de vue], que devons-nous faire ?
2. Tu ne [crois | trouves | demandes] pas que c'est trop difficile ?
3. J'aimerais avoir votre [idée | point de vue | avis] sur ce sujet.
4. [À | Selon | D'après] vous, cette expérience est-elle concluante ?
5. Je ne sais pas ce que vous en [croyez | savez | pensez], mais il me [voit | semble | a l'impression] que ce projet ne mènera à rien !

5 À vous ! Donnez votre opinion sur les propositions suivantes.

1. Est-ce qu'il serait utile de construire un nouveau stade dans notre ville ?
2. Est-ce que nous devrions lancer un club de théâtre pour les enfants défavorisés ?
3. Que pensez-vous du projet d'obliger les élèves à jouer d'un instrument de musique ?
4. Est-ce que nous devrions développer des activités sportives réservées aux handicapés ?
5. Vous ne pensez pas que nous pourrions organiser des voyages à l'étranger pour des personnes âgées ?
6. D'après vous, est-ce que tout le monde devrait militer dans une association humanitaire ?

41 Accords et désaccords

1 Le multilinguisme

Léa : Il est hors de doute que ne parler qu'une seule langue devient un handicap.
Françoise : À qui le dis-tu ! Et pourtant, mes enfants **ne sont pas toujours de cet avis**.
Romain : Il est incontestable que tout le monde devrait apprendre au moins une langue étrangère mais **je reconnais que** ce n'est pas toujours le cas, hélas.
Léa : Tu n'as pas tort, Romain.

2 Davantage d'activités culturelles ?

Rémi : À mon avis, notre commune manque d'activités culturelles. Il n'y a qu'un petit festival de théâtre en été et c'est tout ! Nous sommes dépourvus de spectacles de qualité.
Clémence : Oui, **je suis entièrement d'accord avec** toi, Rémi. Il faudrait développer une véritable politique culturelle, ce qui permettrait, par la même occasion, de fournir du travail à des jeunes.
Pierre : Je ne serais pas contre. **Ce serait effectivement une bonne idée.**
Emma : Je ne nie pas que ce serait bien d'avoir une vie culturelle ici, Clémence, mais **permets-moi de nuancer** les choses. **N'y a-t-il pas** d'autres priorités ? Tout le monde se plaint de la pénurie de crèches, par exemple.
Rémi : Ce n'est pas faux, Emma... Mais il est important **d'aboutir à un accord**, ou du moins à **un compromis.**

Grammaire

La restriction « ne ... que » (= « seulement »)

- Il **n'**y a **qu'**un festival de théâtre.
- Elle **ne** parle **qu'**espagnol.
- Nous **ne** serons là **que** vendredi.
- Il **n'**a parlé **que** français pendant la soirée.

Vocabulaire

- **Les problèmes :** manquer de ; être dépourvu(e) de (= ne pas avoir) ; un manque de < une pénurie de < une absence de ; se plaindre d'un manque, d'un défaut...
- **Les solutions :** fournir = donner, apporter du travail ; augmenter = (se) développer ; permettre de...

Manières de dire

- Je ne suis pas contre = je ne m'oppose pas à... Ce n'est pas faux.
- Je ne nie pas que... *(+ indicatif)*
- Je suis pour... Je suis (entièrement/tout à fait) d'accord avec...
- J'admets que... = je reconnais que... *(+ indicatif).*
- Tu as/vous avez raison de... *(+ infinitif)*
- Il est vrai que... = Effectivement...
- Il est certain / incontestable / évident que... *(+ indicatif)*
- Tu n'as pas /vous n'avez pas tort, mais permets/permettez-moi de nuancer les choses.
- À qui le dis-tu ! À qui le dites-vous !
- Aboutir à un accord / un compromis (entre... et...)
- N'y a-t-il pas... ?

ACTIVITÉS

1 **Compréhension. Vrai ou faux ?**

	VRAI	FAUX
Dialogue 1		
1. Les enfants de Françoise ne sont pas vraiment d'accord avec elle.	☐	☐
Dialogue 2		
2. Aucun spectacle n'a lieu dans la commune.	☐	☐

2 **Grammaire. Remplacez les expressions soulignées par la structure « ne ... que ».**

1. Elle pense <u>seulement</u> à ses examens. ______________________________

2. Il s'occupera <u>juste</u> d'un petit groupe d'écoliers. ______________________________

3. Ils ont pris <u>seulement</u> un fruit. ______________________________

4. Il y aura <u>juste</u> une dizaine de personnes. ______________________________

5. Elle a fait <u>seulement</u> une faute d'orthographe dans le texte. ______________________________

3 **Vocabulaire. Complétez par un terme approprié.**

1. Malheureusement, ce village est ______________ d'infrastructures sportives.

2. Tout le monde ______________ de la mauvaise organisation du congrès.

3. L'installation de cette entreprise va ______________ du travail à la population.

4. Nous ______________ de données statistiques, ce qui ne nous permet pas de répondre à votre question. Cela dit, nous savons qu'il existe, hélas, une certaine ______________ de ressources dans cette région.

4 **Communication ? Choisissez la réponse appropriée.**

1. « Ce projet me semble intéressant. »

☐ **a.** Je ne suis pas contre. ☐ **b.** Oui, je suis d'accord avec toi.

2. « Je crois que ce serait bien d'organiser un pique-nique dimanche. »

☐ **a.** Tout à fait ! ☐ **b.** C'est une bonne question !

3. « Parfois, il est difficile de s'exprimer clairement dans une langue étrangère. »

☐ **a.** Je suis pour ! ☐ **b.** À qui le dites-vous !

4. « Pourquoi ne pas reporter la réunion ? »

☐ **a.** N'y aurait-il pas d'autre solution ? ☐ **b.** Ce n'est pas faux !

5. « Il n'est pas facile d'organiser ce voyage à la dernière minute ! »

☐ **a.** Je ne m'y oppose pas. ☐ **b.** Je reconnais que c'est vrai.

5 **À vous ! Donnez votre accord aux assertions suivantes, en nuançant éventuellement votre réponse.**

1. Il est important d'encourager les jeunes à faire du sport.

2. Actuellement, il est impossible d'avoir une activité professionnelle sans maîtriser l'informatique.

3. On doit tout faire pour lutter contre la pauvreté dans le monde.

3 Une nouvelle route

Pauline : J'aimerais connaître votre opinion sur le projet de nouvelle autoroute.

Bertrand : Je suis absolument contre et je m'y opposerai de toutes mes forces ! Ça va encore une fois détruire l'environnement !

Denis : Je ne pense pas que ce soit le cas. L'idée est tout de même de développer le tourisme et donc l'activité économique.

Bertrand : Je ne vois pas pourquoi les touristes voudraient venir dans une région encore plus polluée…

Pauline : D'un côté, le projet **ne m'enthousiasme pas**, pour les raisons que tu évoques, Bertrand. **D'un autre côté**, s'opposer à cette construction risquerait de mettre en péril le développement de la région.

Denis : De toute façon, **les désaccords sont profonds entre les partisans et les opposants**.

Pauline : Justement, il serait important de **surmonter les divergences d'opinion**.

Bertrand : Il est certain que nous **divergeons sur** les modes de développement économique.

Denis : Peut-être, mais **ces contradictions** bloquent toute avancée.

Bertrand : Ce n'est pas ça du tout ! Moi, je lutte pour la protection de l'environnement et le développement durable, c'est le plus important ! Ce n'est pas pour rien que je suis un militant écologiste !

Pauline : Oui, Bertrand, on a remarqué ! Ne t'énerve pas, on discute, c'est tout…

Grammaire

Verbes + préposition (2)

- lutter = se battre **pour ≠ contre**
- choisir **entre** … et…
- s'opposer **à**,
  être un(e) opposant(e) **à**…
- diverger **sur** qqch

Vocabulaire

- Détruire l'environnement ; la destruction de l'environnement.
- Protéger la nature ; la protection de la nature.
- Mettre en péril = en danger.
- La politique environnementale.
- Le développement durable.
- L'écologie, un projet écologique ; un(e) militant(e) écologiste.

Manières de dire

- Avoir / émettre des réserves sur…
- D'un côté … De l'autre côté… *(pour nuancer)*
- Je ne pense pas que / je ne crois pas que / je n'ai pas l'impression que… *(+ subjonctif)*
- Je ne vois pas pourquoi…
- Je ne comprends pas que… *(+ subjonctif)*
- Je ne suis pas pour < Je suis (absolument) contre…
- Je ne suis (absolument) pas d'accord avec < Je suis en complet désaccord avec…
- Les désaccords sont profonds.
- Je m'oppose (vivement / fortement / complètement) à qqn ou qqch.
- Nous divergeons sur ce point. Nos opinions divergent. Il existe des divergences d'opinion.

ACTIVITÉS

1 Compréhension. Vrai ou faux ?

	VRAI	FAUX
1. Bertrand est un farouche opposant au projet.	☐	☐
2. Pauline n'a pas d'opinion très définie.	☐	☐
3. Pauline est une militante écologiste.	☐	☐
4. La nouvelle autoroute sera construite.	☐	☐

2 Grammaire. Complétez par la préposition appropriée.

1. Nous luttons ____________________ le développement culturel de la région.
2. Il est important de se battre ____________________ ces préjugés stupides.
3. Les deux candidats divergent ____________________ la politique environnementale.
4. Elle s'oppose ____________________ la suppression de cette classe.
5. Il va falloir choisir ____________________ ces deux projets.
6. Il se battent ____________________ la liberté d'expression.

3 Vocabulaire et communication. Choisissez la ou les bonne(s) réponse(s).

1. Il s'agit de définir une ________________ environnementale à l'échelle européenne.
2. Ces militants ______________ luttent pour la ______________ de l'environnement.
3. Selon lui, ce projet n'est pas assez ______________ et risque de mettre en _________ l'environnement.
4. Nous nous efforçons de ____________ l'environnement, c'est important.
5. Ils travaillent sur le développement ____________ dans cette région.

4 Communication. Dites si les phrases suivantes expriment plutôt l'accord (a) ou le désaccord (b).

1. Je ne suis pas contre ce projet. ________________
2. Elle n'est pas d'accord avec lui. ________________
3. Ils ne s'opposent pas à cette décision. __________
4. Nos opinions divergent.______________________
5. C'est incontestable. __________________________
6. À qui le dites-vous ! _________________________
7. Ce n'est pas ça du tout ! ______________________
8. Ils ne sont pas arrivés à un compromis.__________

5 À vous ! Donnez librement votre opinion sur chacune de ces assertions.

1. Il faut complètement interdire la voiture en ville.
2. On ne peut pas demander à tout le monde de travailler le dimanche.
3. On devrait supprimer la publicité à la télévision.
4. Ce serait bien que le monde entier ne parle qu'une seule langue.
5. Aller en classe n'est plus utile, les cours en ligne suffisent...

Intentions et espoirs

1 Une maison à la campagne

Anne : Vous envisagez d'acheter une maison à la campagne ?
Laurent : C'est ça. Ma femme **rêve d'**avoir un jardin, et moi **je n'ai qu'une idée en tête :** vivre au grand air.
Anne : Où est-ce que **vous avez l'intention de** vous installer ?
Laurent : Nous considérons au moins deux possibilités : la Normandie et le Massif central. Nous pesons le pour et le contre.
Anne : Comment est-ce que vous allez vous y prendre ? En regardant sur Internet ? Par l'intermédiaire d'agences immobilières ?
Laurent : Oui, mais on apprend beaucoup de choses de bouche à oreille. Nous **avons le projet de** passer nos vacances à explorer les deux régions, à parler avec tout le monde et à visiter des maisons à vendre.
Anne : Quand est-ce que **vous comptez** franchir le pas ?
Laurent : Il n'est pas exclu que cela se fasse avant la fin de l'année… Qui sait ?
Anne : Moi aussi, **je me demande si** je ne vais pas chercher une jolie maison à la campagne et cultiver mon jardin. **Ce serait alors réaliser un de mes rêves**…

Grammaire

Expression de la manière et du moyen

■ **Usage du gérondif**
- **En regardant** sur Internet…

■ **Prépositions**
- **Par** l'intermédiaire de… *(+ nom)*
- **D'une** manière élégante
- **Avec** détermination

■ **Expressions imagées**
- Apprendre qqch « de bouche à oreille » (= en bavardant)
- Recevoir qqn « à la bonne franquette » (= simplement et sans complication)

Vocabulaire

La prise de décision

- S'y prendre = procéder.
- Peser le pour et le contre.
- Cela se fera = cela se réalisera.
- N'avoir qu'une idée en tête (= avoir une obsession).
- Franchir le pas = prendre une décision ferme.
- Réaliser un rêve.

Manières de dire

- Comment allez-vous vous y prendre ? = Comment comptez-vous procéder ?
- J'envisage de… Je compte… *(+ infinitif)*
- Je considère *(+ nom)*
- J'ai l'intention de… *(+ infinitif)*
- J'ai le projet de… *(+ infinitif)*
- Je me demande si…
- J'ai prévu de… *(+ infinitif)*
- Il n'est pas impossible = il n'est pas exclu que… *(+ subjonctif)*
- Je rêve de… *(+ infinitif)*. C'est un de mes rêves.

ACTIVITÉS

1 Compréhension. Vrai ou faux ?

	VRAI	FAUX
1. Laurent n'aime pas trop vivre à l'intérieur.	☐	☐
2. Laurent et sa femme n'ont pas encore pris de décision ferme.	☐	☐
3. Ils sont certains de faire appel à une agence immobilière.	☐	☐
4. Ils ont pris la décision de partir avant la fin de l'année.	☐	☐

2 Grammaire et vocabulaire. Répondez librement aux questions.

1. Comment est-ce que vous vous renseignez sur les horaires d'avion, en général ?

____

2. De quelle manière est-ce que vous vous y prenez pour améliorer votre français ?

____

3. Comment est-ce que vous allez réaliser votre prochain projet de vacances ?

____

4. De quelle manière est-ce que vous vous habillez, pour une cérémonie ?

____

5. Comment est-ce que vous recevez vos amis, pour un petit dîner ?

____

3 Vocabulaire. Trouvez une autre manière de dire.

1. Il ne pense qu'à partir en vacances ! ______________________
2. Notre projet se réalisera d'ici deux ans. ______________________
3. Comment est-ce que tu vas procéder ? ______________________
4. Quand prendra-t-il la décision ? ______________________
5. Je dois réfléchir aux avantages et aux inconvénients. ______________________

4 Communication. Complétez par des termes logiques. Plusieurs solutions sont parfois possibles.

1. Alors, vous ______________ de travailler pour une association humanitaire ?
2. — Oui, toute ma vie, j'ai __________ de faire quelque chose d'utile.
3. — Dans quel pays est-ce que vous ______________ travailler ?
4. — Ça dépendra des besoins. Il n'est pas ___________ que je parte dans un pays d'Afrique.
5. — Est-ce que vous avez _____________ de partir pour longtemps ?
6. — Je _____________ de partir pour un an au moins, peut-être plus...

5 À vous ! Avez-vous un projet particulier ? Qu'aimeriez-vous faire, dans dix ans ? Avez-vous l'intention de changer de vie ?

BILAN N° 6

1 Associez les phrases de sens équivalent.

1. Ça n'a aucun sens !
2. Je ne suis pas d'accord avec toi.
3. La seule solution, c'est de lui téléphoner !
4. Ce n'est pas original.
5. Si j'étais toi, je lui téléphonerais.
6. Je ne suis pas contre.
7. C'est passionnant !
8. Je compte lui téléphoner.
9. Ça m'a beaucoup plu !
10. C'est ennuyeux.

a. J'envisage de lui téléphoner.
b. C'est n'importe quoi !
c. Je suis plutôt pour.
d. Ça n'a aucun intérêt.
e. Tu n'as qu'à lui téléphoner !
f. C'est banal !
g. Ça m'a emballé(e)* !
h. Nos opinions divergent.
i. À ta place, je téléphonerais.
j. C'est captivant.

2 Quel(s) conseil(s) pouvez-vous donner à ces personnes ?

1. Je pars au ski, je ne sais pas quels vêtements emporter.
____
2. Mon ami arrive toujours en retard aux rendez-vous. Que faire ?
____
3. Mes voisins font un bruit épouvantable tous les soirs.
____
4. Je voudrais bien parler à un garçon que j'ai remarqué, mais je n'ose pas.
____
5. Je voudrais organiser un pique-nique à la plage, mais je ne sais pas quoi préparer.
____
6. Je suis invité(e) à dîner chez de nouveaux amis. Que dois-je apporter ?
____

3 À propos de qui ou de quoi pouvez-vous entendre ces observations ?

1. Ce n'est pas génial ! ______________
2. C'est mal fait. ______________
3. Il est ennuyeux à mourir. ______________
4. Ça ne me convient pas. ______________
5. C'est passionnant ! ______________
6. Je me sens à l'aise avec eux. ______________
7. Elle a un charme fou. ______________
8. C'est complètement raté ! ______________
9. Ça ne soutient pas l'intérêt. ______________
10. Ce n'est pas faux ! ______________

4 Trouvez une autre manière de dire.

1. Je reconnais que la situation est délicate. ______________
2. Vous avez raison ! ______________

3. Ils ont l'intention de déménager au Portugal. ______

4. Je ne vous conseille pas de les inviter. ______

5. La seule solution, c'est qu'elle le contacte au plus vite ! ______

6. Ce n'est pas intéressant du tout ! ______

7. Nous aimerions avoir votre opinion sur ce projet. ______

8. Qu'est-ce que tu as pensé de ce film ? ______

9. Selon lui, la réunion a été productive. ______

10. Elle n'est pas contre la décision qui a été prise. ______

5 Quelle(s) expression(s) pourriez-vous employer dans les situations suivantes ?

1. Vous n'aimez pas du tout le film que vous venez de voir.

______

2. Vous avez une très bonne opinion de Michèle.

______

3. Vous demandez conseil à votre meilleur(e) ami(e) sur un vêtement.

______

4. Vous demandez son opinion à votre voisin sur des travaux à faire dans l'immeuble.

______

5. Vous êtes d'accord avec la suggestion faite par un collègue.

______

6. Vous rêvez de partir un mois en Andalousie.

______

7. Vous vous ennuyez dans le travail que vous faites en ce moment.

______

6 Trouvez une réponse appropriée.

1. Le spectacle vous a plu ?

______

2. Pour apprendre plus de vocabulaire, qu'est-ce que vous me conseilleriez ?

______

3. Comment vous y prendriez-vous pour trouver un bel hôtel au bord de la mer ?

______

4. Quelle est votre opinion sur ce nouveau collègue ?

______

5. Est-ce que le dernier livre que vous avez lu vous a intéressé(e) ?

______

Activités communicatives

Activités communicatives

1 On se perd facilement !

La conductrice : Mais par où est-ce qu'il faut passer ? Je me demande si j'ai pris la route dans le bon sens. Bon, je vais demander à ce monsieur. Pardon, monsieur, je cherche le supermarché Auchan. Ça fait une demi-heure que je tourne et que je ne trouve pas. C'est bien par ici ?

Le passant : Oui, mais vous êtes du mauvais côté de la route. Il faut que vous fassiez demi-tour et que vous repartiez dans l'autre sens.

La conductrice : Oh là là, qu'est-ce qu'on se perd, dans ces zones industrielles ! C'est partout pareil, je ne m'y retrouve plus…

Le passant : Je reconnais que c'est très mal indiqué. Alors, vous faites demi-tour, vous retournez jusqu'au rond-point et vous allez suivre la direction « zone commerciale ». Et ce sera sur votre droite, à quelques kilomètres d'ici. Vous ne pouvez pas le rater, c'est énorme…

La conductrice : Merci, monsieur, vous êtes bien aimable.

Le passant : Je vous en prie, madame.

1 Compréhension. Vrai ou faux ?

	VRAI	FAUX
1. La dame est en voiture.	☐	☐
2. Elle s'est trompée de direction.	☐	☐
3. Les deux personnes sont dans le centre-ville.	☐	☐
4. Le supermarché est à quelques mètres de là.	☐	☐

2 Vocabulaire. Complétez par le terme manquant.

1. Ça ________________ une heure que nous attendons !
2. Malheureusement, elle n'a pas pris la ____________ direction, et elle s'est perdue.
3. Dans cette ville, les monuments et les lieux principaux sont bien __________, ils sont faciles à trouver.
4. Ne passez pas ____________ ici, la rue est fermée pour travaux.
5. Bayonne est __________ combien de kilomètres de la frontière espagnole ?
6. Je vous remercie, monsieur. — Je ______________________ !

3 Communication. Trouvez une réponse possible.

1. C'est par ici ? — ____
2. C'est de quel côté ? — ____
3. Quelle direction est-ce que je dois suivre ? — ____________________________
4. C'est loin d'ici ? — ____
5. C'est facile à trouver ? — ____________________________________
6. C'est à combien de kilomètres d'ici ? — ____________________________
7. Par où est-ce qu'il faut que nous passions ? — ____________________________

2 L'organisation d'une réunion

Sandrine : Bonjour, monsieur. J'organise une réunion avec des clients suivie d'un déjeuner. J'aurais donc besoin d'une salle de conférence équipée d'ordinateurs et d'un projecteur, pour une vingtaine de personnes. D'après mes informations, votre établissement pourrait convenir, mais il me faudrait quelques renseignements.

L'employé : Oui, madame. Ce serait pour quelle date ?

Sandrine : Le 28 septembre, entre 9 heures et 18 heures.

L'employé : À cette date, il nous reste une seule salle libre, qui peut recevoir 50 personnes. Cela dit, je vais me renseigner, car je crois qu'une autre salle un peu moins grande va se libérer, mais je ne peux pas vous le confirmer tout de suite.

Sandrine : D'accord. Par ailleurs, qu'est-ce que vous pouvez me proposer pour le repas ? Il va me falloir 22 déjeuners, dont deux végétariens et un sans gluten.

L'employé : Nous avons diverses formules, comme vous l'avez certainement vu sur notre site Internet, mais nous pouvons les modifier, selon vos besoins et votre budget. Nous cherchons à être le plus souple possible pour notre clientèle.

Sandrine : Pour le budget, justement, il faudrait que vous me donniez un ordre de prix.

L'employé : Je calcule tout cela, je vous fais un devis et je vous l'envoie par mail d'ici la fin de la journée.

Sandrine : Très bien. J'attends donc votre message et je vous rappellerai le cas échéant.

1 Compréhension. Vrai ou faux ?

	VRAI	FAUX
1. Sandrine organise une réunion professionnelle.	☐	☐
2. L'établissement n'a plus de salle libre pour cette date.	☐	☐
3. Sandrine ne sait pas encore combien la réunion va lui coûter.	☐	☐

2 Vocabulaire. Choisissez la bonne réponse.

1. Avant de réserver, le client va [renseigner | se renseigner] auprès de l'établissement.
2. Nous commanderons quatre tartes, [dont | entre] deux aux pommes.
3. Elle téléphonera jeudi ou vendredi, [selon | sinon] son emploi du temps.
4. Le fournisseur cherche à développer sa [cliente | clientèle].
5. Avant de faire des travaux, je voudrais recevoir [une formule | un devis].

3 Communication. Trouvez la question.

1. ____ ?
— Pour les 14 et 15 juin.

2. ____ ?
— Il nous faudrait une grande salle pour 60 participants.

3. ____ ?
— Non, ce n'est pas la peine de prévoir un dîner.

4. ____ ?
— Oui, c'est une bonne idée. Je vous donne mon adresse électronique.

Activités communicatives

3 Résidence principale ou secondaire ?

L'agent immobilier : Bonjour, monsieur, bonjour, madame. Que puis-je faire pour vous ?
Le client : Eh bien, nous envisageons un achat immobilier et nous sommes à la recherche d'une maison qui soit à la fois ancienne et en assez bon état. Nous n'avons pas envie de faire trop de travaux.
L'agent immobilier : Vous disposez de quel budget ?
Le client : Autour de 200 000 €.
L'agent immobilier : Dans cette région, cela devrait être possible. Vous préférez être dans un village ou en pleine campagne ?
La cliente : Nous ne sommes pas encore sûrs, mais pourquoi pas un peu à l'extérieur d'un village ? Cela nous permettrait d'être au calme, sans être trop loin des commerces.
L'agent immobilier : Vous souhaitez un terrain de quelle taille ?
La cliente : Assez grand, nous rêvons d'un beau jardin. Nous comptons faire un potager…
L'agent immobilier : Dans ce cas, je vois deux maisons, dans l'ordre de prix que vous me donnez, et qui pourraient vous convenir. L'une d'entre elles est une vieille ferme rénovée, qui se trouve à quelques kilomètres du village. L'autre est une maison un peu plus isolée, mais pleine de charme, avec un très grand jardin. Vous seriez disponibles pour les visiter aujourd'hui ?
Le client : Bien sûr !

1 Compréhension. Vrai ou faux ?

	VRAI	FAUX
1. Les clients sont certains d'acheter une maison.	☐	☐
2. Leur budget est de 200 000 € au maximum.	☐	☐
3. L'agent immobilier propose deux maisons au-dessus du budget prévu.	☐	☐
4. Les deux maisons ont un grand jardin.	☐	☐

2 Vocabulaire. Trouvez une autre manière de dire.

1. Ils ont l'intention de déménager dans le Pays basque. ____________________
2. Elle ne souhaite pas aller voir ce film. ____________________
3. Cette date de réunion ne me va pas du tout. ____________________
4. Ce petit appartement a beaucoup de charme. ____________________
5. Tu es libre, mercredi soir ? ____________________

3 Communication. Trouvez une réponse possible, mais différente de celle du dialogue.

1. Que puis-je faire pour vous ?
— ____________________
2. Vous disposez de quel budget, pour votre voiture ?
— ____________________
3. Vous souhaitez vous installer au centre-ville ou en banlieue ?
— ____________________
4. Vous seriez disponible pour une réunion vendredi matin ?
— ____________________

4 Un « service » inefficace

L'employée : Société Violet, bonjour.

Le client : Bonjour, madame. Je vous téléphone à propos d'un problème de rendez-vous. Mon système de Wifi est en panne depuis trois jours. J'ai téléphoné à votre service technique, qui m'a promis qu'un technicien passerait ce matin, sans préciser l'heure, bien sûr… Or, vous voyez, il est maintenant 14 heures et personne n'est venu. Vous pouvez m'expliquer ce qui se passe ?

L'employée : D'accord, monsieur. Vous me donnez votre numéro de client ?

Le client : Oui, c'est le 987-JZ-671YE.

L'employée : Ne quittez pas, monsieur, je vais voir. Oui, en effet, notre technicien avait deux rendez-vous ce matin, une autre personne et vous. Un instant, s'il vous plaît, je vais me renseigner. (…) Le technicien va venir, monsieur, il est un peu en retard.

Le client : *(ironique)* « Un peu » ? J'ai déjà perdu toute la matinée, je suis obligé de rester chez moi, c'est inadmissible !

L'employée : Monsieur, je suis désolée, après les orages de ces derniers jours, nos techniciens sont débordés…

Le client : Je n'aurais jamais dû choisir votre entreprise. C'est déjà la deuxième fois que j'ai un problème. Si le technicien ne vient pas cet après-midi, je vous assure que je résilierai mon contrat !

1 Compréhension. Vrai ou faux ?

	VRAI	FAUX
1. Le client attend le technicien depuis trois jours.	☐	☐
2. Le technicien a oublié le rendez-vous.	☐	☐
3. Le client regrette d'avoir choisi cette entreprise.	☐	☐
4. Le client remet le rendez-vous à plus tard.	☐	☐
5. Le client annule son contrat.	☐	☐

2 Vocabulaire. Choisissez la bonne réponse.

1. Je ne sais pas ce qui [passe | se passe].
2. Je dois d'abord [me renseigner | renseigner], puis je vous répondrai.
3. L'employé est vraiment [inadmissible | désolé].
4. Nous avons trop de travail, nous sommes [débordés | résiliés].
5. Ma voiture ne marche pas, elle est en [panne | service].

3 Communication. Quelle(s) expression(s) pourriez-vous employer dans les situations suivantes ?

1. Vous protestez car la livraison n'est pas encore arrivée.
2. Vous regrettez d'avoir choisi cette entreprise.
3. Vous expliquez que vous allez chercher des informations.
4. Au téléphone, vous demandez d'attendre.
5. Vous expliquez la raison de votre appel.

5 Un incident troublant

Sabine : Tu ne sais pas ce qui m'est arrivé ? Je me suis fait voler mon portable !
Christophe : Oh ma pauvre, tu n'as pas de chance ! Qu'est-ce que c'est contrariant !
Sabine : Oui, mais en plus, c'était dans des circonstances plutôt étranges.
Christophe : Ah bon ?
Sabine : Eh bien, j'étais en train de faire des courses en ville. J'étais sur le point d'entrer dans un magasin, quand un jeune gars* m'a abordée pour me demander son chemin. Il portait des lunettes de soleil, et je n'ai pas vraiment fait attention. Pourtant, quelque chose dans son attitude m'a intriguée. Il m'a remerciée, et il est parti. À ce moment-là, j'ai voulu prendre mon mobile et je me suis rendu compte qu'il avait disparu.
Christophe : Et pourquoi dis-tu que les circonstances sont bizarres ?
Sabine : Parce qu'après, j'ai reconnu ce jeune homme : c'est un de mes anciens élèves, quand j'étais prof* au collège. Je n'en reviens toujours pas. C'était un gamin adorable... Jamais je n'aurais pensé qu'il tourne mal.
Christophe : Tu es sûre ? Tu ne l'as pas confondu avec quelqu'un d'autre ?
Sabine : Non, maintenant, j'en suis absolument certaine, sa voix n'a pas changé.
Christophe : Quelle histoire ! Tu as dû avoir un sacré* choc. Qu'est-ce que tu comptes faire, maintenant ?
Sabine : Je suis allée au commissariat pour déclarer le vol, mais j'ai hésité à dire que j'avais reconnu le gamin. J'ai dit que je n'étais pas sûre.
Christophe : Tu sais où il habite, maintenant ?
Sabine : Aucune idée ! C'était il y a plus de dix ans...

1 Compréhension. Vrai ou faux ?

	VRAI	FAUX
1. On a volé son mobile à Sabine.	☐	☐
2. Elle s'est fait agresser.	☐	☐
3. Elle était à l'intérieur d'un magasin.	☐	☐
4. Le voleur est étudiant à l'université.	☐	☐
5. Sabine n'a pas porté plainte.	☐	☐

2 Vocabulaire. Choisissez la ou les bonne(s) réponse(s).

1. Je me suis fait [agresser | voler | casser] mon téléphone.
2. Quelqu'un m'a [renseigné(e) | abordé(e) | confondu(e)] dans le magasin.
3. Je n'en [viens | conviens | reviens] pas, c'est une grande surprise !
4. Il est allé [déclarer | demander | renseigner] la perte du portefeuille au commissariat.

3 Vocabulaire et communication. Vrai ou faux ?

1. Il est en train de travailler. = Il est sur le point de travailler.
2. Elle a fait attention. = Elle s'est rendu compte de son erreur.
3. Ils ne nous ont pas reconnus. = Ils ne nous ont pas respectés.
4. Elle compte s'en aller. = Elle a l'intention de partir.
5. Il n'a aucune idée de l'adresse. = Il ignore l'adresse.
6. Ils ont eu un sacré* choc. = Ils ont eu une crise religieuse.

6 Une coïncidence

Alex : Tiens bonjour... Oh pardon, je ne me souviens plus de ton prénom...

Margaux : Bonjour, Alex. Moi, c'est Margaux !

Alex : Bien sûr, Margaux ! Que je suis bête ! Alors, qu'est-ce que tu deviens ?

Margaux : Eh bien, il y a eu pas mal de changements depuis la dernière fois qu'on s'est vus. J'ai divorcé il y a trois ans, et après, je suis partie pendant un an en Afrique, pour le travail. À mon retour, j'ai emménagé dans cette rue. Et toi, quoi de neuf ?

Alex : Ça alors ! Moi aussi, je me suis installé dans ce quartier, à deux minutes d'ici ! C'est bizarre qu'on ne se soit jamais rencontrés.

Margaux : Et qu'est-ce que tu fais, dans la vie, maintenant ? Tu es toujours dans l'informatique ?

Alex : Oui, mais j'ai d'abord été licencié, car mon entreprise a fermé. Je suis resté presque un an au chômage, j'ai eu beaucoup de mal à retrouver un emploi. Avec la crise, ça a été dur !

Margaux : C'est dommage que je ne l'aie pas su plus tôt. J'aurais pu t'aider, car je connais beaucoup de monde ici dans ton domaine.

Alex : Ce sera pour une autre fois ! Maintenant, je suis devenu responsable informatique dans une entreprise de vente sur Internet.

Margaux : Félicitations ! Bon, excuse-moi, je ne vais pas m'attarder, il faut que je file*. À mon avis, maintenant que nous sommes voisins, nous aurons l'occasion de nous revoir.

Alex : Bonne idée. Je te donne mes coordonnées et tu n'auras qu'à m'envoyer un texto.

1 Compréhension. Vrai ou faux ?

	VRAI	FAUX
1. Margaux travaille actuellement en Afrique.	☐	☐
2. Alex et Margaux ne savaient pas qu'ils étaient voisins.	☐	☐
3. Alex cherche encore du travail.	☐	☐
4. Margaux va aider Alex à retrouver du travail.	☐	☐
5. Margaux veut absolument revoir Alex.	☐	☐

2 Vocabulaire. Trouvez une autre manière de dire.

1. <u>Il a oublié le</u> nom de famille de sa voisine. ______________________________

2. <u>Quoi de neuf ?</u> ______________________________

3. Vous <u>travaillez</u> toujours dans le journalisme ? ______________________________

4. <u>Bravo !</u> ______________________________

5. Elle cherche <u>un travail</u>. ______________________________

6. <u>La seule solution, c'est que tu</u> me téléphones. ______________________________

3 Communication. Quelle(s) expression(s) pourriez-vous employer dans les situations suivantes ?

1. Vous demandez de ses nouvelles à quelqu'un que vous n'avez pas vu depuis longtemps.

2. Vous désirez prendre congé de la personne avec qui vous êtes en train de parler.

3. Vous félicitez quelqu'un qui vous annonce une bonne nouvelle.

4. Vous exprimez le regret de ne pas avoir téléphoné à quelqu'un.

Activités communicatives

7 Que penser de la réunion ?

Zohra : Alors Adrien, qu'est-ce que tu as pensé de cette réunion ?

Adrien : Eh bien, c'est toujours la même chose : on devrait échanger des opinions, débattre sur le projet, alors qu'en réalité, c'est Éric qui décide de tout. Ça m'exaspère.

Zohra : Ce n'est pas faux. L'inconvénient, avec lui, c'est qu'au lieu de jouer son rôle de modérateur, il impose ses décisions sans demander son avis à personne.

Adrien : Oui, il est tellement autoritaire ! Je ne peux pas le supporter !

Zohra : Je suis bien d'accord avec toi, il n'aurait jamais dû être nommé chef de projet ! Cela dit, il faut admettre que l'équipe n'est pas très facile à gérer non plus…

Adrien : Zohra, ce serait moi, je m'arrangerais pour que chacun des participants puisse donner son point de vue. Je ne suis pas contre le fait d'avoir de l'autorité, je reconnais que c'est même indispensable, mais pas au point de couper la parole à tout le monde.

Zohra : À qui le dis-tu ! Je n'ai pas pu placer un mot pendant cette réunion.

Adrien : Qu'est-ce que tu comptes faire ?

Zohra : Écoute, il n'est pas exclu que je change de service. Je commence à en avoir assez de cette atmosphère !

Adrien : Moi aussi, comme je suis en complet désaccord avec Éric, je me demande si je ne vais pas chercher à m'en aller…

1 Compréhension. **Vrai ou faux ?**

	VRAI	FAUX
1. La réunion a été très conflictuelle.	☐	☐
2. Éric va changer de poste.	☐	☐
3. Adrien pense qu'il saurait mieux qu'Éric gérer une réunion.	☐	☐
4. Zohra a décidé de changer de travail.	☐	☐
5. Adrien envisage aussi de changer de travail.	☐	☐

2 Vocabulaire. **Choisissez la ou les réponse(s) possible(s).**

1. Qu'est-ce que vous [comptez | pensez | reconnnaissez] de ce projet ?

2. Je voudrais vous demander votre [service | opinion | avis] sur ce livre.

3. Il [reconnaît | connaît | admet] que la situation est délicate.

4. Nous sommes [d'accord | en désaccord | en accord] avec vous.

5. Il [compte | s'arrange | se demande] chercher un autre emploi.

3 Communication. **Trouvez la question.**

1. ____ ?

— Il était absolument magnifique !

2. ____ ?

— Non, je ne suis pas du tout d'accord avec ça.

3. ____ ?

— Oui, je reconnais que cela peut-être difficile.

4. ____ ?

— J'envisage de partir à l'étranger pendant un ou deux ans.

8 Avec vue ?

Mme Gaubert : Tiens, c'est curieux, l'hôtel devait donner sur la mer... On se sera trompés ! J'ai dû faire une erreur avec le GPS. Je suis toujours aussi nulle* avec la technologie !

M. Gaubert : Pourtant, c'est la bonne adresse. Tu as raison, c'est un peu bizarre. Ça m'étonne aussi qu'il soit si moderne, puisqu'on nous avait annoncé un hôtel « de charme » !

Mme Gaubert : Pourtant, regarde le mail de réservation, c'est bien ce nom-là, hôtel Bellevue.

M. Gaubert : Allons à l'accueil, on verra bien... Bonjour, madame, nous avons une réservation pour une chambre avec vue sur la mer, et nous ne comprenons pas très bien ce qui se passe...

La réceptionniste : Un instant, je regarde. Oui, c'est cela, une réservation au nom de Gaubert. Voilà, vous avez la chambre n° 17, au premier étage.

Mme Gaubert : Vous plaisantez ! Il n'y a pas la moindre vue ! L'hôtel donne sur la route !

La réceptionniste : Je suis désolée, c'est la bonne réservation...

M. Gaubert : Non, il n'en est pas question. Votre site Internet est complètement faux, c'est inadmissible. Nous avons le mail qui précise bien « chambre avec vue sur la mer ».

La réceptionniste : Ce n'est pas ma faute...

Mme Gaubert : Bien sûr, nous ne vous accusons pas, mais nous voudrions parler à votre responsable.

La réceptionniste : Le responsable n'est pas là aujourd'hui...

M. Gaubert : J'en étais sûr ! Dans ce cas-là, nous annulons la réservation.

1 Compréhension. Vrai ou faux ?

	VRAI	FAUX
1. Madame Gaubert s'est trompée d'adresse.	☐	☐
2. L'hôtel n'est pas aussi ancien que ce que les clients attendaient.	☐	☐
3. Il y a une erreur dans le nom des clients.	☐	☐
4. La réceptionniste n'est pas responsable de l'erreur.	☐	☐

2 Vocabulaire. Complétez par les termes manquants.

1. L'appartement ______________ sur un petit jardin.
2. Je n'ai pas fait d'erreur, je ne me suis pas ______________ de numéro de téléphone.
3. C'est donc le ______________ numéro ? — Oui, c'est ______________ le numéro du restaurant, c'est certain !
4. Non, ma fille, tu ne sortiras pas ce soir, il n'en est pas ______________ !
5. La banque a encore fait une erreur, c'est vraiment ______________ !

3 Vocabulaire et communication. Trouvez une autre manière de dire.

1. Probablement, elle s'est perdue ! ______________
2. La référence est correcte. ______________
3. Attendez une minute ! ______________
4. Non, je refuse ! ______________
5. *(pour protester)* Ce n'est pas possible ! ______________
6. Je suis surpris qu'il n'ait pas téléphoné. ______________

Activités communicatives

9 Un adolescent difficile...

La voisine : Excusez-moi, mais je viens vous voir pour un petit problème. Votre fils est charmant, mais chaque fois qu'il sort de chez vous, il laisse tomber des papiers partout, cela fait sale dans l'escalier. Je le lui ai dit gentiment l'autre jour, mais ça n'a pas eu l'air de l'impressionner. Ce matin, il a recommencé.

La mère : Mais ce n'est pas mon fils qui fait ça !

La voisine : Mais si, madame, je vous assure, je l'ai vu plusieurs fois. Il ne fait pas attention, il a toujours son casque sur la tête, il est plongé dans sa musique... Je crois qu'il ne se rend vraiment pas compte de ce qui se passe dans le monde extérieur.

La mère : Ça alors, je n'en reviens pas ! Pourtant, j'ai bien éduqué mes enfants !

La voisine : Je ne le nie pas, mais là, il y a vraiment un problème. Venez voir, si vous ne me croyez pas ! Il y a des saletés depuis le 4e étage jusqu'au rez-de-chaussée...

La mère : Et si c'étaient les autres voisins ?

La voisine : Je vous répète que j'ai vu votre fils, madame, de mes propres yeux !

La mère : Bon, d'accord, je lui en parlerai... C'est bizarre, parce que les autres voisins ne se sont jamais plaints...

1 Compréhension. Vrai ou faux ?

	VRAI	FAUX
1. Le garçon est tombé dans l'escalier.	☐	☐
2. Le garçon ne remarque pas ce qui se passe.	☐	☐
3. La mère est professeur.	☐	☐
4. L'attitude de son fils l'étonne.	☐	☐
5. Les autres voisins ont déjà parlé à la mère.	☐	☐

2 Vocabulaire. Choisissez la bonne réponse.

1. Elle ne [fait] [prend] pas attention à ce qui se passe.
2. Je [n'en] [n'y] reviens pas !
3. Ils nous [nient] [assurent] qu'ils ont fait le nécessaire.
4. Les voisins [se plaignent] [plaignent] du bruit.
5. Elle ne répond pas à mes messages. [Pourtant] [Alors], c'est urgent !
5. Je vous [parle] [répète] que ça ne marche pas !

3 Communication. Quelle(s) expression(s) pourriez-vous employer dans les situations suivantes ?

1. Vous vous défendez, car on vous accuse à tort d'avoir jeté un document important.
2. Vous exprimez une grande surprise.
3. Vous suggérez qu'une autre personne a peut-être fait une erreur.
4. Vous insistez que ce n'est pas vous le/la responsable.
5. Vous dites que les autres ne comprennent pas la difficulté d'une tâche.
6. Vous reconnaissez que le projet est urgent.

Test d'évaluation

Total : .../100

1 Trouvez une réponse appropriée. .../10

1. « Il vous en faut combien ? » — ____________________
2. « Et si on invitait nos voisins ? » — ____________________
3. « Vous réglez comment ? » — ____________________
4. « Ça ne t'embêterait* pas de me raccompagner ? » — ____________________
5. « Qu'est-ce que tu as fait des clés de la maison ? » — ____________________
6. « Pour faire ce test, vous en aurez pour longtemps ? » — ____________________
7. « Où est-ce que je peux me renseigner ? » — ____________________
8. « Excusez-moi, je me suis trompé(e) ! » — ____________________
9. « Ça vous a plu ? » — ____________________
10. « Je vous ressers ? » — ____________________

2 Vrai ou faux ? Les phrases sont-elles de sens équivalent ? .../10

	VRAI	FAUX
1. D'après moi = Selon moi.	☐	☐
2. Ce n'est pas grave = Ça ne fait pas mal.	☐	☐
3. Ne quittez pas = C'est de la part de qui ?	☐	☐
4. Il n'est pas faux que c'est difficile = Je reconnais que c'est difficile.	☐	☐
5. Où est-ce que tu as mis ton portefeuille ? = Qu'est-ce que tu as fait de ton portefeuille ?	☐	☐
6. J'ai un service à vous demander = Je voudrais me renseigner.	☐	☐
7. Je me régale = C'est appétissant.	☐	☐
8. Je prendrais bien une glace = J'aimerais bien une glace.	☐	☐
9. Où est-ce qu'on se rejoint ? = Où est-ce que je peux te contacter ?	☐	☐
10. Ça vous dirait de venir ? = Vous auriez envie de venir ?	☐	☐

3 Que pourriez-vous dire dans ces situations ? .../10

1. Votre meilleur(e) ami(e) a raté un examen très important.
____
2. Votre propriétaire n'a toujours pas fait réparer la chaudière.
____
3. Vous vous trouvez « nez à nez » avec un(e) ami(e) d'enfance que vous n'avez pas vu(e) depuis vingt ans.
____
4. Vous ne comprenez pas comment obtenir un document administratif.
____
5. Votre vieille voisine, très aimable mais sourde, met la radio très fort tous les soirs.
____
6. La livraison que vous avez reçue ne correspond pas à votre commande.
____
7. Vous devez prévenir votre propriétaire que vous allez quitter l'appartement.
____
8. Un(e) ami(e) vient de gagner une compétition.
____
9. Vous reprochez à un membre de votre famille de ne pas vous avoir téléphoné.
____
10. Vous remerciez des amis qui vous ont apporté des fleurs.
____

Test d'évaluation

4 Trouvez une question appropriée. .../10

1. ________________ ? — J'en aurai pour trois jours.
2. ________________ ? — Mais si, je la connais !
3. ________________ ? — Vous pouvez vous renseigner là-bas.
4. ________________ ? — Eh bien, je me suis marié et j'ai deux enfants maintenant !
5. ________________ ? — Je crois qu'on se tutoie.
6. ________________ ? — Ah non, je ne suis pas Maud.
7. ________________ ? — Mais bien sûr que ça vous ira !
8. ________________ ? — Oui, ça me ferait très plaisir !
9. ________________ ? — Je prendrais bien un petit café.
10. ________________ ? — Oui, un petit morceau, par gourmandise.

5 Trouvez une autre manière de dire. .../10

1. Je n'ai pas aimé ce spectacle. ________________
2. Vous pouvez me donner des renseignements, s'il vous plaît ? ________________
3. Cette croisière est très chère ! ________________
4. Et si on allait voir ce film ? ________________
5. Si j'étais vous, je ne m'en mêlerais pas. ________________
6. Vous aurez besoin de combien de temps, pour faire ce travail ? ________________
7. On m'a volé mon sac. ________________
8. Où est-ce que j'ai mis mon passeport ? ________________
9. La facture a été payée. ________________
10. Nous devons repousser notre voyage. ________________

6 Dans quel(s) contexte(s) pourriez-vous entendre ces phrases ? .../10

1. « Ce vieux vase, vous me le faites à combien ? » ________________
2. « Bravo, tu l'as bien mérité ! » ________________
3. « Vous allez faire un geste commercial ? » ________________
4. « C'est de la part de qui ? » ________________
5. « Tu es en quelle année ? » ________________
6. « Mardi après-midi, ça t'irait ? » ________________
7. « Ça commence à bien faire ! » ________________
8. « Je n'en reviens pas ! » ________________
9. « C'est du grand art ! » ________________
10. « Allez, je te laisse ! » ________________

7 Choisissez la bonne réponse. .../10

1. Excusez-moi, je ne l'ai pas fait [mal | exprès].
2. On se [retrouve | trouve] à quelle heure ?
3. Qu'est-ce que tu ferais, à [ma place | mon avis] ?
4. Je me suis fait [agresser | voler] mon sac.
5. Qu'est-ce qui t'est [passé | arrivé] ?

6. Jamais de la | vie | question | !
7. Qu'est-ce que tu | viens | deviens | ?
8. Il s'est | bien | mal | inscrit en deuxième année de médecine ?
9. Quelle surprise ! Je n'en | reviens | viens | pas !
10. Des fleurs ? Oh, il ne | valait | fallait | pas !

8 Complétez par des tournures appropriées. .../10

1. *(au marché aux puces)* Cette vieille table, vous me la ______________ à combien ?
2. *(à l'agence immobilière)* Le loyer ______________ de combien ?
3. *(chez le marchand de peinture)* Il vous en ______________ combien ?
4. *(chez le médecin)* Docteur, je vous ___________ combien ? 50 euros ?
5. *(au téléphone)* C'est de la ________________ de qui ?
6. *(au bureau)* Tu veux te ______________ à nous pour déjeuner ?
7. *(entre voisins)* J'aurais un petit ______________ à vous demander.
8. *(avec un enfant)* Tu as ______________ pris ton cahier ? Tu ne l'as pas oublié ?
9. *(à la fin d'une soirée)* Il se ______________ tard, je vais rentrer.
10. *(en sortant du cinéma)* Comment est-ce que tu as __________________ le film ?

9 Choisissez le ou les terme(s) possible(s). .../10

1. Je voudrais | résilier | repousser | quitter | mon bail.
2. Il vient déclarer | un vol | un contrat | un accident | .
3. Vous | avez | faites | êtes | mal à la tête ?
4. Tu fais | des examens | des mémoires | des études | de quoi ?
5. Si tu veux, je peux passer te | faire | prendre* | chercher | en voiture.
6. La semaine prochaine, elle sera en | voyage | empêchement | déplacement | .
7. Ça vous | ennuierait | embêterait* | plairait | de garder mon chat pendant les vacances ?
8. Il faut que je | croie | pense | veuille | à éteindre la lumière avant de partir.
9. Nous te | félicitons | consolons | méritons | pour ce succès !
10. Qu'est-ce que je vous | sers | offre | prends | ?

10 Associez les phrases de sens équivalent .../10

1. Ça te dirait de venir ?
2. Ça ne te dérange pas de venir ?
3. Et si tu venais ?
4. Je t'assure que tu dois venir !
5. Tu envisages de venir ?
6. Tu remets ta venue ?
7. Ça me ferait plaisir que tu viennes.
8. Si j'étais toi, je viendrais.
9. Quand je pense que tu aurais pu venir !
10. Tu n'as qu'à venir !

a. Tu comptes venir ?
b. La seule chose à faire, c'est de venir !
c. Tu repousses ta venue ?
d. Tu aurais envie de venir ?
e. À ta place, je viendrais.
f. Ça ne t'embête* pas de venir ?
g. Si seulement tu étais venu !
h. Il faut absolument que tu viennes !
i. Pourquoi ne pas venir ?
j. Ça me plairait beaucoup que tu viennes.

Corrigé du test d'évaluation

1. *(réponses possibles)* **1.** Il m'en faut 3 tranches. – **2.** Oui, ce serait une bonne idée. – **3.** Par carte bleue. – **4.** Non, ça ne m'embête* pas du tout, au contraire ! – **5.** Je ne sais pas où je les ai mises ! – **6.** J'en aurai pour une heure, environ. – **7.** Vous pouvez vous renseigner à l'accueil. – **8.** Je vous en prie, il n'y a pas de mal. – **9.** Oui, ça m'a beaucoup plu ! – **10.** Oui, par gourmandise, c'est tellement bon !

2. **1.** V – **2.** F – **3.** F – **4.** V – **5.** V – **6.** F – **7.** F – **8.** V – **9.** F – **10.** V

3. *(réponses possibles)* **1.** Mon/ma pauvre, tu n'as pas de chance ! Mais la prochaine fois, ça se passera mieux ! – **2.** Cela commence à bien faire, c'est la troisième fois que je vous appelle à ce propos ! – **3.** Ça alors ! Quelle surprise, je n'en reviens pas ! – **4.** Comment est-ce que je fais pour obtenir ce document ? Où est-ce que je dois m'adresser ? – **5.** Excusez-moi, je voudrais juste vous demander si vous pourriez mettre la radio un peu moins fort, le soir... – **6.** Ce n'est la bonne table ! J'avais commandé une table ronde et celle-ci est rectangulaire ! – **7.** Je voudrais vous prévenir que je vais résilier mon bail, car je vais déménager. – **8.** Bravo, je te félicite, je suis fier/fière de toi ! – **9.** Tu aurais pu me téléphoner, tout de même ! – **10.** Comme c'est gentil, il ne fallait pas !

4. *(réponses possibles)* **1.** Vous en aurez pour combien de temps ? – **2.** Tu ne connais pas Sophie ? – **3.** Où est-ce que je peux me renseigner ? – **4.** Alors, quoi de neuf, qu'est-ce que vous devenez ? – **5.** Je ne sais plus si on se tutoie ou si on se vouvoie ! – **6.** Allô, je suis bien chez Maud ? – **7.** Vous croyez que cette couleur m'ira ? – **8.** Ça te dirait de dîner au restaurant, un de ces jours ? – **9.** Qu'est-ce que je te sers ? – **10.** Je vous ressers un peu de gâteau ?

5. *(réponses possibles)* **1.** Ce spectacle ne m'a pas plu. **2.** Vous pouvez me renseigner ? – **3.** ... est hors de prix. – **4.** Pourquoi ne pas... – **5.** À votre place... – **6.** Vous en aurez pour... – **7.** Je me suis fait voler... – **8.** Qu'est-ce que j'ai fait de... – **9.** ... a été réglée. – **10.** remettre/reporter

6. *(réponses possibles)* **1.** Au marché aux puces. – **2.** Quelqu'un vient d'obtenir un travail, de gagner une compétition, d'obtenir une bourse... – **3.** À la banque, chez un marchand de voitures, dans une compagnie d'assurances... – **4.** Au téléphone. – **5.** Entre étudiants à l'université. – **6.** Entre amis, entre collègues, pour convenir d'un rendez-vous. – **7.** Quand on est exaspéré, qu'on n'obtient pas ce que l'on a déjà demandé plusieurs fois. – **8.** À l'occasion d'une grande surprise. – **9.** Pour parler d'un beau spectacle/tableau/film... – **10.** Pour prendre congé d'un(e) ami(e), d'un(e) collègue.

7. **1.** exprès. – **2.** retrouve – **3.** ma place – **4.** voler – **5.** arrivé – **6.** vie – **7.** deviens – **8.** bien – **9.** reviens – **10.** fallait.

8. **1.** faites – **2.** est – **3.** faut/faudrait – **4.** dois – **5.** part – **6.** joindre – **7.** service – **8.** bien – **9.** fait – **10.** trouvé

9. **1.** résilier – **2.** un vol, un accident – **3.** avez – **4.** des études – **5.** prendre*, chercher – **6.** voyage, déplacement – **7.** ennuierait, embêterait* – **8.** pense – **9.** félicitons – **10.** sers, offre.

10. **1.** d – **2.** f – **3.** i – **4.** h – **5.** a – **6.** c – **7.** j – **8.** e – **9.** g – **10.** b

Index thématique

accident 60, 62, 94
administration 92
aéroport 26
agression 58
amis 54, 66, 74, 76, 104, 108, 118, 120, 122, 124, 130, 138, 140, 142, 144, 146, 148, 150, 152, 162, 164, 170, 172
animaux 86, 116
argent 24
art 164
assurance 60
assurance-vie 24
bail 52
ballet 158
banque 24
bijoux 18
billets (de train, d'avion...) 26
bistrot 112
boucherie 8
boulangerie 104
bricolage 80
bus 42
campagne 46, 48, 182
cinéma 54, 90
coiffeur 28
collègues 174, 176
commander 12, 14
contrat 50, 52
conversations personnelles 74, 76, 84,100, 104, 106, 108, 112, 136, 138, 140, 158, 160, 162, 172
couple 80, 110, 136, 150, 152, 154, 172
culture 178
défauts humains 174
directions 40, 42
échange (dans un magasin) 26
école 170, 172, 176, 178
écologie 180
économie 180
électro-ménager 34
enfants 86, 90, 104, 106, 122, 170, 172
entreprise 72, 78, 88, 122, 124, 126, 128, 134, 148, 166, 174
examens 122, 124
famille 106, 110, 122, 154
film 158, 164
fleuriste 16
géographie 46, 48
grande surface 26
hôtel 22
immobilier 44, 50, 52, 96
incident 96, 100, 108, 114
informatique 98
jardinage 154
jeu 86
journaux 16
lave-linge 34
livraison 94
logement 20, 44, 52, 80, 96, 120, 182
machine à laver 34
magasin 8, 10, 12, 16, 20, 26, 32, 34, 72, 94, 98, 104, 114
marché 8
marché aux puces 18
mécanicien 82
médecin 64
métro 42, 56
meubles 18, 94
moquette 20
nature 46, 48
parents 86, 90, 104, 106, 122, 154
parfumerie 30
pâtisserie 12
peinture 20
pharmacie 62
police 58, 90, 92, 112, 114
préavis 52
prix 16
qualités humaines 160
randonnée 48
recherche 68
remboursement 26
rendez-vous 76, 78
rénovation 20
renseignement 38
repas 142, 144, 146
réservation 22
résiliation 50, 52
restaurant 14, 22, 108
santé 62, 64
spectacle 158
supermarché 40
téléphone 50, 72, 74, 78
thalassothérapie (= spa) 38
tissu 20
tourisme 46, 48
traiteur 10
transports 42, 56, 168
travail 122, 124, 128, 162, 166, 168, 170
université 66, 68, 150
vacances 152
vêtements 26, 32, 118, 170
ville 42, 168, 178
voisins 84, 98, 100, 170, 172
voiture 60, 82, 94
vol 58
voyage 92, 110, 136

Index grammatical

à 12, 24, 46, 54, 142, 164, 180, 182
à cause de 100
à compter de 176
à côté de 40
à dater de 176
à droite de 40
à gauche de 40
à partir de 176
absolument 136
actuellement 66
adjectifs qualificatifs 32, 48, 50, 78, 90, 124, 130, 144, 146, 160, 164, 168, 170
adverbes 40, 160
adverbes d'intensité 106, 136
affirmative (forme) 110
afin (que/de) 134
aimer 68
alors que 98
après 40, 112, 176
articles définis et indéfinis 34, 48, 62, 118, 170
articles partitifs 158
assez 10, 90
au fond de 40
au milieu de 40
au moment où 96
aucun(e) 108, 114
aussi 34, 50
aussitôt 176
autant 34
avant 40, 56, 112
avec 56, 182
avoir 44, 46
bien 14
bien sûr 94
bon 34
but 134
c'est 30, 78, 94
ça 18, 56, 94
Ça fait 76
cause 100
ce 18, 38, 160
cela 18, 56
celle(s) 18
celui 18
cependant 98
certain(e) 110
ces 18
cette 18
ceux 18
chercher 44
comme 50, 100, 116
comment 38
comparaison 50, 166
comparatif 34, 50
complément de nom 24, 168
concordance des temps 154
conditionnel passé 46, 138, 152
conditionnel présent 8, 14, 28, 46, 92, 154
connaître 44
conséquence 164
construction des verbes 54
contre 180
croire 110
dans 42
de 12, 20, 24, 34, 42, 48, 54, 78, 84, 118, 124, 140, 142, 160, 182
depuis 26, 76
dernier 128
derrière 40
dès 176
devant 40
devoir 80
dont 90, 160
du coup* 164
elle(s) 172
en (pr. pers.) 10, 72, 74, 124, 140, 168
en (prép.) 20, 182
en train de 66
encore 10
entre 180
eux 172
exclamation 116, 118
expressions de temps 26, 76, 176
expressions imagées 182
extrêmement 106
faire (se) 58
falloir 8, 68
faut (il) (*voir* falloir)
fois 128
futur antérieur 148
futur immédiat 66
futur proche 52, 60
futur simple 8, 46, 52, 60, 88
gérondif 182
grâce à 100
histoire* de 134
il est 78
il faut (*voir* falloir)
il y a 26
imparfait 8, 46, 60, 92, 96, 154
impératif 64, 86, 88
important 68
indicatif 44, 110
indispensable 68
infiniment 106
infinitif 22, 46, 54, 58, 66, 78, 80, 84, 90, 112, 134, 164, 174
interrogation 16, 30, 38, 42, 80, 88, 174
jamais 114
juste 106
la 74, 86, 94
le 86, 122
les 72, 74, 86
leur 8, 74, 130
lui 8, 74, 130, 172
manière 182
mauvais 34
me 8, 72, 74, 130
même 50
mieux 34
mise en relief 94
moi 86, 172
moins 10, 34, 50, 106
moyen 182
ne... que 178
ne...plus 10
nécessaire 68
négation 10, 64, 76, 80, 86, 108, 110, 114, 136
nettement 106
nom 54
nominalisation 144
nous 8, 74, 126, 172
on 126
opposition 98
ordre 88
où (adv. interr.) 16, 42
où (pr. rel.) 128

par 42, 58, 182
par conséquent 164
pas du tout 136
passé composé 26, 60, 76, 96, 143, 154
passif 58, 60
penser 110
personne 114, 160
pire 34
plus 10, 34, 50, 106, 114
plus-que-parfait 150, 152, 154
pour (prép.) 20, 56, 90, 180
pour (que) 134
pourtant 98
pouvoir 44
premier 128
préposition 12, 20, 24, 40, 54, 180, 182
présent 8, 26, 46, 52, 60, 66, 74, 88
probabilité 148
pronoms démonstratifs 18, 56, 94
pronoms personnels
compléments 8, 10, 72, 74, 86, 94, 122, 124, 130, 140
pronoms possessifs 82
pronoms relatifs 90, 128
pronoms toniques 172
puisque 100
quand 96
quantité 10
que (conj.) 50, 84, 94, 116, 118, 150, 166
que (pr.rel.) 128, 160
quel(le)(s) 42, 118
quelqu'un 160
quelque chose 160
question (voir interrogation)
qui (pr. rel.) 160
quoi (adv. interr.) 30
registre familier 16, 30
restriction 178
rien 114, 136, 160
sans 56
savoir 44
servir (se) 142
seulement 106
si (interj. et conj.) 38, 80, 92, 150,152
si bien que 164
sous (prép.) 20
subjonctif 44, 68, 84, 110, 134
superlatif 34
suppression de l'article 48
sur (prép.) 20, 180
sur le point de 66
sûr(e) 110
te 8, 74
tel(le)(s) 166
tellement 106, 166
toi 94, 172
toujours 10, 150
tout 120
trop (adv.) 10, 90
utile 68
valoir 46
verbes (construction) 32, 48, 54,140, 144, 168, 180
verbes pronominaux 62, 64, 104
verbes semi-auxiliaires 72
vouloir 68
vous 8, 74, 172
vraiment 106, 136
y 10, 72

Index de vocabulaire

Signification des abréviations

adj. : adjectif
adv. : adverbe
adv. interr. : adverbe interrogatif
conj. : conjonction
interj. : interjection
loc. : locution
n.f. : nom féminin
n.m. : nom masculin
p.p. : participe passé
pr. : pronom
pr. dém. : pronom démontratif
pr. ind. : pronom indéfini
pr. interr. : pronom interrogatif
prép. : préposition
v. : verbe

A

à l'aise (loc.) 160
à l'amiable (loc.) 60
à la place (loc.) 14
à merveille (loc.) 118
à point (loc.) 14
abbaye (n.f.) 46
abîmé(e) (p.p.) 60
abonnement (n.m.) 38, 50, 52, 56
aboutir (v.) 178
absence (n.f.) 178
absolument adv.) 114
accepter (v.) 138
accès (n.m.) 38, 56
accessoire (n.m.) 118
accident (n.m.) 60, 90
accord (n.m.) 178, 180
accrocher (v.) 80
accueil (n.m.) 38
accueillant(e) (adj.) 120
accueillir (v.) 142
accusé (n.m.) 134
achat (n.m.) 40
acheter (v.) 54
acteur (-trice) (n.) 158
activité (n.f.) 38
admettre (v.) 178
administratif (-ive) (adj.) 66
administration (n.f.) 92
admirable (adj.) 116
admiration (n.f.) 160
admirer (v.) 160
adorable (adj.) 116
adorer (v.) 120, 160
adresse (n.f.) 72
adresser (s') (v.) 38, 104, 106
affiche (n.f.) 164
affirmation (n.f.) 112
affirmer (v.) 112
affreux (-euse) (adj.) 152
agence (n.f.) 24
agité(e) (adj.) 122
agneau (n.m.) 8
agresser (v.) 58
agresseur (n.m.) 58
agressif (-ive) (adj.) 166
agression (n.f.) 58
agressivité (n.f.) 166
aider (v.) 80
aile (n.f.) 8
aimer (v.) 120, 136, 160, 164, 168
alimentation (n.f.) 40
allemand(e) (adj. et n.m.) 172
aller (v.) 10, 32, 76, 86, 100, 118, 126, 138, 146
allumer (s') (v.) 82
alors que (conj.) 34
alsacien(ne) (adj.) 10
amabilité (n.f.) 88
ameublement (n.m.) 120
ami(e) (n.) 106
amiable (adj.) 60
ampoule (n.f.) 80, 82
analogue (adj.) 34
ancien(ne) (adj.) 46, 120
ange (n.m.) 162
anglais(e) (adj. et n.m.) 172
animal (n.m.) 48
année (n.f.) 66
annuler (v.) 22, 140
antipathique (adj.) 166
anxiété (n.f.) 148
anxieux (-euse) (adj.) 148
apéritif (n.m.) 142
appartement (n.m.) 20, 44, 52
appartenir (v.) 68
appeler (v.) 72, 104
appétissant(e) (adj.) 144
apporter (v.) 92, 142, 178
apprécier (v.) 160
après (adv.) 76
arbre (n.m.) 154
archéologie (n.f.) 164
argent (n.m.) 18, 24
arranger (v.) 120
arrêt (n.m.) 42, 56
arrière (adv.) 60
arrivée (n.f.) 140
arriver (v.) 42, 62, 78, 124, 150
arrogance (n.f.) 166
arrogant(e) (adj.) 166
arroser (s') (v.) 122, 154
arrosoir (n.m.) 154
art (n.m.) 158, 164
article (n.m.) 68, 94
aspirine (n.f.) 62
assez (adv.) 10, 32
assis(e) (p.p.) 150
assurance-vie (n.f.) 24
assurer (v.) 90, 112, 158
attaché(e) (p.p.) 28
attarder (s') (v.) 126
attendre (v.) 56
attention (interj.) 86
au lieu de (loc.) 14
aucun(e) (pr. ind.) 114
augmenter (v.) 178
auprès (prép.) 38
ausculter (v.) 64
aussi (adv.) 32
autant (adv.) 32
automatique (adj.) 24
automobile (adj.) 82
autoroute (n.f.) 42
aux alentours de (loc.) 76
avancer (v.) 22
avant (adv.) 60, 76
avantage (n.m.) 162
avenue (n.f.) 42
avion (n.m.) 110
avis (n.m.) 176
avoir (v.) 8, 16, 18, 20, 78, 88, 124, 160, 176, 180, 182

B

bagage (n.m.) 60, 110
bague (n.f.) 118
bail (n.m.) 52
balisé(e) (p.p.) 48
ballet (n.m.) 158
banal(e) (adj.) 164
banalité (n.f.) 164
bancaire (adj.) 16, 58
banque (n.f.) 24, 58
barquette (n.f.) 10
barré(e) (p.p.) 90
bâtiment (n.m.) 42
bavarder (v.) 126
beau/belle (adj.) 8, 116, 118, 120, 144
beignet (n.m.) 12
bénéficier (v.) 50
besoin (n.m.) 92
bête (adj.) 152
bêtise (n.f.) 74, 152
bibelot (n.m.) 120
bibliographie (n.f.) 68
bibliothèque (n.f.) 66
bibliothèque (n.f.) 68
bien (adv. et n.m.) 74, 80, 96, 100, 110, 118, 120, 138, 142, 158, 162, 172
bien entendu (loc.) 112
bien sûr (loc.) 112
bientôt (adv.) 140
bienveillance (n.f.) 162
bienveillant(e) (adj.) 162
bijou (n.m.) 18, 118
billet (n.m.) 24, 54, 110
biométrique (adj.) 92
biscuit (n.m.) 142
bizarre (adj.) 82, 148
blanc (-che) (adj. et n.m.) 8, 142
blé (n.m.) 46
blessant(e) (adj.) 104
bleu(e) (adj.) 14, 16, 144
bœuf (n.m.) 8, 48
boîte (n.f.) 80, 100
bon (n.m.) 94
bon(ne) (adj.) 44, 52, 94, 144, 146, 174, 176
bonbon (n.m.) 12
bonjour (n.m.) 138
bonnet (n.m.) 118
bouchée (n.f.) 10
boucherie (n.f.) 8
boucle (n.f.) 118
bourguignon(ne) (adj.) 8
bousculer (v.) 108
boutique (n.f.) 18
bracelet (n.m.) 118
bravo (interj.) 122
brebis (n.f.) 48
bricolage (n.m.) 80
brioche (n.f.) 12
broche (n.f.) 118
brochure (n.f.) 38
bruit (n.m.) 82
brûlure (n.f.) 62
budget (n.m.) 18
bus (n.m.) 42, 56
buter (v.) 62

C

ça alors (loc.) 148
ça/cela (pr. dém.) 110
cabine (n.f.) 110
cacahuète (n.f.) 142
caddy (n.m.) 40
café (n.m.) 12

caisse (n.f.) 26, 40
caissier (-ière) (n.) 40
cambriolage (n.m.) 60
camion (n.m.) 60
camionnette (n.f.) 60
canal (n.m.) 46
canapé (n.m.) 142
canard (n.m.) 8, 48
canelé (n.m.) 12
cantine (n.f.) 126
capable (adj.) 122
capacité (n.f.) 176
capiteux (-euse) (adj.) 30
caramel (n.m.) 12,
carotte (n.f.) 10
carré(e) (adj. et n.m.) 28, 42, 44
carte (n.f.) 14, 16, 56, 58, 92, 164
casquette (n.f.) 118
cassant(e) (adj.) 166
cassé(e) (p.p.) 60, 80, 82
casser (v.) 96, 108
cassis (n.m.) 142
catalogue (n.m.) 164
catégorique (adj.) 112
caution (n.f.) 52
ceinture (n.f.) 118
célébrer (v.) 106
céleri (n.m.) 10
central(e) (adj.) 44
cerner (v.) 68
certain(e) (adj.) 110, 140, 178
certainement (adv.) 112, 114
certes (adv.) 112
certifier (v.) 112
chaîne (n.f.) 118
châle (n.m.) 118
chaleureux (-euse) (adj.) 120
champ (n.m.) 46
champagne (n.m.) 142
chance (n.f.) 124
changer (v.) 20, 22, 26, 80
chapeau (n.m.) 118, 120
charcuterie (n.f.) 8, 10
charge (n.f.) 44
chariot (n.m.) 40
charme (n.m.) 120, 160
château (n.m.) 46
chauffage (n.m.) 44
chauffe-eau (n.m.) 96
chauffé(e) (p.p.) 44
chausson (n.m.) 12
chemin (n.m.) 48
cheminée (n.f.) 120
cher (chère) (adj.) 16
chercher (v.) 40, 76
chercheur (-euse) (n.) 68
cheval (n.m.) 28
cheveu (n.m.) 28
chèvre (n.f.) 48
chignon (n.m.) 28
chocolat (n.m.) 12
choisir (v.) 28, 68, 158
chômage (n.m.) 128
chômeur (-euse) (n.) 128
chorégraphe (n.) 158
chorégraphie (n.f.) 158
chose (n.f.) 178
chouette* (adj.) 160
chouquette (n.f.) 12
cinéma (n.m.) 54
citer (v.) 68
citron (n.m.) 12
clair(e) (adj.) 44
classique (adj.) 32
clé (n.f.) 98
client(e) (n.) 134
clientèle (n.f.) 94, 134
clignotant (n.m.) 60, 82
clou (n.m.) 80
cochon (n.m.) 48
cœur (n.m.) 118, 160
coffre (n.m.) 60
coiffeur (-euse) (n.) 28
coin (n.m.) 126
collectif (-ive) (adj.) 44
collège (n.m.) 172
collègue (n.) 38
collier (n.m.) 118
colline (n.f.) 46
coloré(e) (p.p.) 120
combien (adv. interr.) 16
comédien(ne) (n.) 158
commande (n.f.) 12, 94
commander (v.) 12, 94
comme (adv.) 116
commencer (v.) 96,100
commercial(e) (adj. et n.) 24, 128
commissariat (n.m.) 58
commun(e) (adj. et n.m.) 56
communication (n.f.) 50, 104
compagne (n.f.) 106
compagnon (n.m.) 106
comparable (adj.) 34
comparaison (n.f.) 32
compassion (n.f.) 124
complètement (adv.) 180
compliment (n.m.) 116
comprendre (v.) 38, 100, 166, 180
comprimé (n.m.) 62
compris(e) (p.p.) 56
compromis (n.m.) 178
compte (n.m.) 24
compter (v.) 182
concluant(e) (adj.) 176
condition (n.f.) 38
conduire (v.) 176
confiserie (n.f.) 12
confondre (v.) 74
congé (n.m.) 146
connaissance (n.f.) 130
connaître (se) (v.) 30, 130
conseil (n.m.) 170
conseiller (v.) 24, 172, 174
conséquence (n.f.) 92
considérer (v.) 182
consoler (v.) 122, 124
consommer (v.) 34
constat (n.m.) 60
constituer (v.) 92
consultation (n.f.) 64
contacter (v.) 72, 74, 134
content(e) (adj.) 122
contester (v.) 94, 114
continuer (v.) 42
contrat (n.m.) 50, 52
contre (prép.) 178, 180, 182
contre-vérité (n.f.) 174
contrôler (v.) 110
convaincu(e) (p.p.) 28, 114
convenir (v.) 76, 162
cool* (adj.) 122
coordonnées (n.f.) 72
copain*/copine* (n.) 106
copropriétaire (n.) 100
copropriété (n.f.) 100
coq (n.m.) 48
cordon (n.m.) 144
costume (n.m.) 158
côte (n.f.) 8
côté (n.m.) 28, 180
côtelette (n.f.) 8
couche (n.f.) 20
couloir (n.m.) 130
coupe (n.f.) 28, 32
couper (v.) 8, 28
cour (n.f.) 44
courant(e) (adj.) 24
courbature (n.f.) 62
cours (n.m.) 46, 92
court(e) (adj.) 28
cravate (n.f.) 118
créatif (-ive) (adj.) 162
créativité (n.f.) 162
crème (n.f.) 142
créneau (n.m.) 78
crevé(e) (p.p.) 82
critique (n.f.) 164
critiquer (v.) 164
croire (v.) 28, 96, 150, 174, 176, 180
croisement (n.m.) 42
croiser (se) (v.) 130
croissant (n.m.) 12
croyable (adj.) 148
cru(e) (adj.) 8, 14
cuir (n.m.) 118
cuisine (n.f.) 144
cuisinier (-ière) (n.) 144
cuisse (n.f.) 8
cuisson (n.f.) 14
cuit(e) (adj.) 14
curieux (-euse) (adj.) 148

D

d'après (prép.) 176
d'ici (loc.) 78
d'ici peu (loc.) 140
danger (n.m.) 180
dangereux (-euse) (adj.) 48
dans (prép.) 16, 18, 140
danseur (-euse) (n.) 158
davantage (adv.) 32
débouché (n.m.) 66
déception (n.f.)
décevant(e) (adj.) 168
décevoir (v.) 168
décidément (adv.) 150
décider (se) (v.) 34
décision (n.f.) 176, 182
déclarer (v.) 58, 60
décommander (v.) 140
déconseiller (v.) 174
décor (n.m.) 158
décorer (v.) 120
découragé(e) (p.p.) 168
décourageant(e) (adj.) 168
décourager (v.) 168
découvrir (v.) 46
déçu(e) (p.p.) 124, 168
défaut (n.m.) 98, 166, 178
dégradé(e) (p.p.) 28
déjà (adv.) 146
déjeuner (v.) 126
délicieux (-euse) (adj.) 144
délimiter (v.) 68
demander (se) 28, 72, 80, 84, 92, 170, 176, 182
démentir (v.) 114
démodé(e) (adj.) 32
démoralisant(e) (adj.) 168
démoralisé(e) (p.p.) 168
démoraliser (v.) 168
démotivant(e) (adj.) 168
démotivé(e) (p.p.) 168
démotiver (v.) 168
dépenser (v.) 18
déplacement (n.m.) 46, 78
dépliant (n.m.) 38
déposer (v.) 58, 90
déposition (n.f.) 58
dépourvu(e) (adj.) 178
déprimant(e) (adj.) 168
déprimé(e) (p.p.) 168
déprimer (v.) 168
déranger (v.) 80, 84, 100
dernier (-ère) (adj.) 150
dès (prép.) 140
désaccord (n.m.) 178, 180
désagréable (adj.) 166, 168
désastreux (-euse) (adj.) 92
désavantage (n.m.) 168
descendre (v.) 56, 126
désolé(e) (p.p.) 100, 108, 138, 140
dessin (n.m.) 164
destruction (n.f.) 180
détester (v.) 164, 168
détour (n.m.) 46
détriment (n.m.) 176
détruire (v.) 180
deux-pièces (n.m.) 44
devant (prép.) 42
développement (n.m.) 180
développer (se) (v.) 178
devenir (v.) 128
deviner (v.) 150
devoir (v.) 16, 22, 96, 152, 154, 172
dévoué(e) (p.p.) 162
dévouement (n.m.) 162
d'ici (adv.) 78
différence (n.f.) 30, 34
différent(e) (adj.) 32, 34
difficile (adj.) 78, 138
dinde (n.f.) 8, 48
dire (v.) 38, 86, 90, 98, 104, 136, 138, 152, 158, 174, 178
directeur (-trice) (n.) 68, 128
direction (n.f.) 42
diriger (v.) 68, 158
disparaître (v.) 58

disponible (adj.) 78
dissertation (n.f.) 68
distance (n.f.) 46
distributeur (n.m.) 24
divergence (n.f.) 180
diverger (v.) 180
doctorat (n.m.) 66, 68
document (n.m.) 92
domicile (n.m.) 94
dommage (n.m.) 124, 138
donné(e) (p.p.) 16
donner (v.) 38, 44, 56, 68, 80, 86, 88, 170, 176, 178
dos (n.m.) 64
dossier (n.m.) 66, 92
doublé(e) (p.p.) 54
dragée (n.f.) 12
droite (n.f.) 42, 60
drôle (adj.) 124
dur(e) (adj.) 168
durable (adj.) 180

E

eau (n.f.) 30, 46, 96
ébauche (n.f.) 68
ébloui(e) (p.p.) 158
éblouissant(e) (adj.) 116
échange (n.m.) 26
échangeable (adj.) 26
échanger (v.) 26
écharpe (n.f.) 118
échec (n.m.) 174
échouer (v.) 174
éclair (n.m.) 12
éclairage (n.m.) 158
éclairer (v.) 60
école (n.f.) 66, 90, 126, 172
écologie (n.f.) 180
écologique (adj.) 180
écologiste (adj. et n.) 180
écorchure (n.f.) 62
écran (n.m.) 98
éducatif (-ive) (adj.) 172
effectivement (adv.) 178
égal(e) (adj.) 34
église (n.f.) 42, 46
élaborer (v.) 68
électricité (n.f.) 34, 44
électrique (adj.) 80, 96
emballer* (v.) 158
embarrassé(e) (p.p.) 170
embauché(e) (p.p.) 128
embêter*(v.) 76, 80, 84, 136
embrasser (v.) 138
émettre (v.) 180
empêchement (n.m.)78, 140
emploi (n.m.) 128
emploi du temps (n.m.) 78
emprunter (v.) 48
encourager (v.) 172
endommagé(e) (p.p.) 60
enduit (n.m.) 20
énervement (n.m.) 122
enfant (n.) 90
enfoncé(e) (p.p.) 60
engager (v.) 172
ennuyer (s') (v.) 84, 136, 164
ennuyeux (-euse) (adj.) 164
enregistrement (n.m.) 110
enregistrer (v.) 110
enrhumé(e) (adj.) 62
entre (prép.) 34
entrecôte (n.f.) 8
entrée (n.f.) 24, 100
entreprise (n.f.) 126, 128, 134
entretenu(e) (p.p.) 154
envie (n.f.) 136
environnement (n.m.) 180
environnemental(e) (adj.) 180
envisager (v.) 182
envoyer 134
épais(se) (adj.) 8
épargne (n.f.) 24
épaule (n.f.) 8
épeler (v.) 72
éprouver (v.) 122, 124
épuisant(e) (adj.) 168
épuisé(e) (p.p.) 168
épuiser (v.) 168
erreur (n.f.) 74
escalope (n.f.) 8
espèce (n.f.) 24, 104
espèces (n.f.) 16
espoir (n.m.) 182
essayer (v.) 74
essentiel(le) (adj.) 92
établir (v.) 60, 68, 92
étaler (v.) 20
état (n.m.) 44, 52, 122
état des lieux (n.m.) 52
éternité (n.f.) 76
éternuer (v.) 64
étonnant(e) (adj.) 148
étonné(e) (p.p.) 148
étonnement (n.m.) 148
étonner (v.) 148
étranger (-ère) (adj. et n.) 106
être (v.) 74, 78, 128, 178
étude (n.f.) 66
étudiant(e) (n.) 66, 68
euro (n.m.) 24
évidemment (adv.) 112
évident(e) (adj.) 178
exactement (adv.) 162
examen (n.m.) 66
examiner (v.) 64
exceptionnel(le) (adj.) 160
excessif (-ive) (adj.) 106
exclu(e) (p.p.) 182
excuser (s') (v.) 84, 108
exigeant(e) (adj.) 162
exigence (n.f.) 162
expérience (n.f.) 176
expliquer (v.) 38
expo*[sition] (n.f.) 164
exposé (n.m.) 66
exposer (v.) 164
exprès (adv.) 108
exquis(e) (adj.) 144
extraordinaire (adj.)46, 116, 148

F

fabrication (n.f.) 98
fabuleux (-euse) (adj.) 116
fac[culté] (n.f.) 66
facture 134
facture (n.f.) 94
faire 18, 32, 40, 52, 54, 56, 58, 60, 62, 66, 68, 74, 86, 88, 96, 108, 110, 130, 138, 146, 148, 152, 154, 166, 170, 172, 174, 176, 182
falloir (v.) 8, 54, 82, 88, 92, 96, 142, 154, 174
familier (-ière) (adj.) 106, 130
famille (n.f.) 106
fantastique (adj.) 116, 160
fatigant(e) (adj.) 168
fatigué(e) (p.p.) 168
fatiguer (v.) 168
faute (n.f.) 74, 94, 108, 154, 168
faux (fausse) (adj.) 74, 178
favoriser (v.) 176
fêlé(e) (p.p.) 82
félicitations (n.f.) 122
féliciter (v.) 122
fenêtre (n.f.) 96
ferme (n.f.) 48
fermé(e) (p.p.) 90
fermer 96
fêter (v.) 122
feu (n.m.) 42, 120
feuille (n.f.) 154
feuilleté(e) (adj. et n.m.) 10
fiançailles (n.f.) 106
fiancé(e) (p.p. et n.) 106
fier (fière) (adj.) 122
fierté (n.f.) 122
fièvre (n.f.) 64
figurer (se) (v.) 150
filer* (v.) 126
filet (n.m.) 8
film (n.m.) 54, 158
fin (n.m.) 124
fin(e) (adj.) 8, 144
final(e) (adj.) 66
financier (n.m.) 12
finir (v.) 100
fixe (adj.) 50, 72
flacon (n.m.) 30
fleur (n.f.) 142
fleuve (n.m.) 42, 46
foi (n.f.) 174
fois (n.f.) 124
fonctionnement (n.m.) 54
fonctionner (v.) 56
fonds (n.m.) 24
forêt (n.f.) 46
forfait (n.m.) 50, 56
forme (n.f.) 32
formidable (adj.) 116, 160
formule (n.f.) 38, 50, 56
fort(e) (adj.) 160
fortement (adv.) 180
fou (folle) (adj.) 96, 122
foulard (n.m.) 118
four (n.m.) 12
fournir (v.) 178
fournisseur (n.m.) 134
frais (fraîche) (adj.) 30
frais (n.m.) 24, 50
fraise (n.f.) 12
français(e) (adj. et n.m.) 54, 172
franchir (v.) 182
frange (n.f.) 28
frappe (n.f.) 74
freiner (v.) 60
fromage (n.m.) 10
fruité(e) (adj.) 30
fuir (v.) 96
fuite (n.f.) 96
furieux (-euse) 98

G

galerie (n.f.) 164
garanti(e) (p.p.) 24
garder (v.) 110
gardien(ne) (n.) 100
gare (n.f.) 42, 56
garer (v.) 90
gastronomie (n.f.) 144
gâteau (n.m.) 12
gauche (n.f.) 42, 60
gaz (n.m.) 44
gazon (n.m.) 154
gêner (v.) 84
général(e) (adj.) 128
généreux (-euse) (adj.) 160
générosité (n.f.) 160
génial(e) (adj.) 122, 138, 158
gentil(le) (adj.) 84, 142, 154
géographie (n.f.) 46, 66
geste (n.m.) 24
gigot (n.m.) 8
glisser (v.) 62
gorge (n.f.) 62
gourmandise (n.f.) 144
goût (n.m.) 120
goutte (n.f.) 62
grammaire (n.f.) 74
grand(e) (adj.) 14, 66
grandiose (adj.) 116
gratuit(e) (adj.) 50
grave (adj.) 92, 108, 124
grillé(e) (p.p.) 82
gros(se) (adj.) 74
groupe (n.m.) 68
guichet (n.m.) 24

H

haut(e) (adj. et adv.) 168
hebdomadaire (adj.) 56
herbe (n.f.) 46
héritage (n.m.) 24
hésiter (v.) 28
heure (n.f.) 76, 78
heureux (-euse) (adj.) 122
heurter (v.) 60, 108
histoire (n.f.) 164, 172
historique (adj.) 46
horrible (adj.) 152
hors de (prép.) 18
huit (adj.num.) 98, 140
hypocrisie (n.f.) 166
hypocrite (adj.) 166

I

idée (n.f.) 30, 136, 138, 174, 182
identique (adj.) 34
identité (n.f.) 58
idiot(e) (adj.) 152
ignorer (v.) 28
il faut (*voir* falloir)
illimité(e) (adj.) 50
image (n.f.) 64
imaginer (s') (v.) 150
imbécile* (adj.) 152
immédiatement (adv.) 140
immeuble (n.m.) 100
importance (n.f.) 108
important(e) (adj.) 30, 92
imposant(e) (adj.) 116
imposer (v.) 176
impossible (adj.) 182
impression (n.f.) 176, 180
inacceptable (adj.) 98
inadmissible (adj.) 94, 98
incident (n.m.) 90, 108
inconnu(e) (adj. et n.) 106
incontestable (adj.) 178
inconvénient (n.m.) 168
incroyable (adj.) 148
indemnisation (n.f.) 26
indemniser (v.) 26
indiqué(e) (p.p.) 38
indispensable (adj.) 68
individuel(le) (adj.) 44
infiniment (adv.) 84
ingénieur (n.m.) 128
injurieux (-euyse) (adj.) 104
inquiet (-ète) (adj.) 148
inquiéter (s') (v.) 148
inquiétude (n.f.) 148
inscription (n.f.) 38
inscrire (s') (v.) 38
insister (v.) 90
installer (s') (v.) 126
instant (n.m.) 72
instruction (n.f.) 86
insulte (n.f.) 104
insulter (v.) 104
intellectuel(le) (adj.) 176
intelligent(e) (adj.) 152
intention (n.f.) 182
intéressant(e) (adj.) 46, 158
intéresser (s') (v.) 76, 162
intérêt (n.m.) 164
intérieur(e) (adj.) 44
Internet (n.m.) 38, 54, 68
interprète (n.) 158
intrigue (n.f.) 158
inviter 138
IRM (n.f.) 64

J

jamais (adv.) 114
jambon (n.m.) 8, 10
jardin (n.m.) 154
jardinage (n.m.) 154
jardiner (v.) 154
je t'/vous en prie (loc.) 84, 108
jeune (adj.) 32
joie (n.f.) 122
joindre (se) (v.) 72, 74, 126, 134
joli(e) (adj.) 46, 118
jour (n.m.) 76, 140
jurer (v.) 112
jus (n.m.) 142
juste (adj.) 76

K

kilo[gramme] (n.m.) 10
kilomètre (n.m.) 48
kinésithérapie (n.f.) 64
kir (n.m.) 142

L

là (adv.) 74
laid(e) (adj.) 152
laisser (v.) 72, 128, 146
lamentable (adj.) 152
lapsus (n.m.) 74
large (adj.) 32
léger (légère) (adj.) 30
lettre (n.f.) 100, 134
libérer (se)(v.) 140
libre (adj.) 78, 138
licence (n.f.) 66
licencié(e) (p.p.) 128
lieu (n.m.) 44
ligne (n.f.) 50, 54, 72
liquide (n.m.) 16, 24
livraison (n.f.) 12, 94
livrer (v.) 94, 134
livreur (n.m.) 94
localiser (v.) 40
locataire (n.) 44, 52
location (n.f.) 52
logement (n.m.) 44, 96
loin (adv.) 46
long(ue) (adj.) 28
longer (v.) 42
longtemps (adv.) 76
longueur (n.f.) 164
lorraine (adj.) 10
louer (v.) 44, 52
loup (n.m.) 48
lourd(e) (adj.) 30
loyer (n.m.) 44
lumineux(-euse) (adj.) 44
lycée (n.m.) 172

M

macaron (n.m.) 12
madame (n.f.) 72
magnétique (adj.) 64
magnifique (adj.) 116, 120, 144, 158
main (n.f.) 160
mais (conj.) 90
maïs (n.m.) 46
maison (n.f.) 96, 120, 146
maîtrise (n.f.) 158
maîtriser (v.) 158
majestueux (-euse) 116
mal (adv. et n.m.) 62, 64, 96, 100, 108, 174
malfaiteur (n.m.) 58
malin (maligne) (adj.) 152
malvenu(e) (adj.) 166
manger (v.) 144
manière (n.f.) 106
manifestation (n.f.) 90
manifestement (adv.) 150
manque (n.m.) 178
manquer (v.) 178
marchander (v.) 18
marcher (v.) 56, 82, 96, 98, 108, 124
marrant(e)* (adj.) 124
marteau (n.m.) 80
martini (n.m.) 142
master (n.m.) 66, 68
maternel(le) (adj.) 172
mathématiques (n.f.) 172
matière (n.f.) 172
mauvais(e) (adj.) 44, 144, 146, 152, 174, 176
mécanique (adj. et n.f.) 82
médecin (n.m.) 64
médecine (n.f.) 66
médicament (n.m.) 64
même (adj.) 18, 32, 34, 42, 50
mémoire (n.f.) 130
mémoire (n.m.) 66, 68
mener (v.) 48, 158
mensonge (n.m.) 174
mensuel(le) (adj.) 56
mentir (v.) 174
mépris (n.m.) 166
mériter (v.) 46, 122
merveilleux (-euse) (adj.) 116, 158, 160
message (n.m.) 72
mesure (n.f.) 20
mètre (n.m.) 44
métro (n.m.) 42, 56
metteur en scène (n.m.) 158
mettre (v.) 10, 18, 20, 40, 50, 60, 126, 170, 176, 180
meuble (n.m.) 120
meublé(e) (p.p.) 44, 120
mieux (adv.) 124, 152, 172
mignon(ne) (adj.) 116, 120
milieu (n.m.) 28
militant(e) (n.) 180
millefeuille (n.m.) 12
mise (n.f.) 50
mise en scène (n.f.) 158
mobile (adj. et n.m.) 50, 72, 74
moche* (adj.) 152
mode (n.f.) 32
moderne (adj.) 120
modeste (adj.) 160
modestie (n.f.) 160
modifiable (adj.) 26
modification (n.f.) 26
modifier (v.) 22, 26
mois (n.m.) 56
moitié (n.f.) 12
monde (n.m.) 124
monnaie (n.f.) 16
monsieur (n.m.) 72
montagneux (-euse) (adj.)46
monter (v.) 56, 126
montre (n.f.) 118
monument (n.m.) 46
moquette (n.f.) 20
moral (n.m.) 124
morceau (n.m.) 8, 10
mort(e) (p.p.) 154
moucher (se) (v.) 62, 64
mourir (v.) 164
mouton (n.m.) 48
moyen(ne) (adj.) 128
muni(e) (p.p.) 54
mur (n.m.) 80
muscat (n.m.) 142
musée (n. m.) 164

N

n'importe (loc.) 34
nana* (n.f.) 160
nature (n.f.) 12, 180
naturel(le) (adj. et n.m.) 160
navré(e) (adj.) 108
négatif (-ive) (adj.) 168
négation (n.f.) 114
négocier (v.) 18
neuf (neuve) (adj. et adv.) 44, 128
nier (v.) 112, 114, 178
nœud papillon (n.m.) 118
nom (n.m.) 130, 136
non (adv.) 90, 110, 114
normal(e) (adj.) 84, 94, 106
note (n.f.) 22
noter (v.) 22, 58
nounou (n.f.) 90
nouveau (-velle) (adj.) 106
nuancer (v.) 178
nul(le)* (adj.) 152
numéro (n.m.) 50, 72, 74, 94

O

objet (n.m.) 80
obligé(e) (p.p.) 140
obsession (n.f.) 182
obtenir (v.) 92
occasion (n.f.) 134
occupé(e) (p.p.) 72, 78
occuper (s') (v.) 154
œil, yeux (n.m.) 62
œuvre (n.f.) 164
offrir (v.) 142
oie (n.f.) 48
olive (n.f.) 142
opérateur (n.m.) 50
opinion (n.f.) 176, 180
opposer (s') (v.) 178, 180
opposition (n.f.) 58
oral(e) (adj.) 66
ordre (n.m.) 18
oreille (n.f.) 118
oriental(e) (adj.) 30
original(e) (adj.) 54, 118, 144, 164
originalité (n.f.) 164
orthographe (n.f.) 74
oui (adv.) 112
ours (n.m.) 48
outil (n.m.) 80
ovale (adj.) 42

P

PDG (n.) 128
paiement (n.m.) 16
pain (n.m.) 12
palier (n.m.) 100
palmier (n.m.) 12
panier (n.m.) 40
panne (n.f.) 82, 96, 98
pansement (n.m.) 62
papier (n.m.) 38, 58
papier (n.m.) 92
paquet-cadeau (n.m.) 30
par (prép.) 48
paraître (v.) 138
parcours (n.m.) 48
pardon (n.m.) 108
pareil(le) (adj.) 32, 34
parfait(e) (adj.) 158
parfaitement (adv.) 162
parfum (n.m.) 30
parfumerie (n.f.) 40
parler (v.) 104, 112
parole (n.f.) 104
part (n.f.) 72, 84
partie (n.f.) 68, 140
partiel(le) (adj. et n.m.) 66
partir (v.) 52, 110
pas (n.m.) 182
pas du tout (loc.) 90
passeport (n.m.) 58, 92
passer (se) (v.) 12, 20, 40, 42, 58, 66, 72, 74, 76, 80, 88, 128, 146
passion (n.f.) 162
passionnant(e) (adj.) 158
passionner (v.) 162
pastille (n.f.) 62
pâté (n.m.) 8, 10
patience (n.f.) 162
patient(e) (adj. et n.)64, 162
pâtisserie (n.f.) 12
pauvre (adj.) 124
payant(e) (adj.) 50
payer (v.) 16, 44, 94, 134
pédestre (adj.) 48
peine (n.f.) 46, 84
peinture (n.f.) 20
peinture (n.f.) 80, 164
pelouse (n.f.) 154
pendentif (n.m.) 118
pénible (adj.) 168
penser (v.) 28, 88,110, 152, 158, 170, 174, 176, 180
pénurie (n.f.) 178
perfection (n.f.) 158
péril (n.m.) 180
périmé(e) (adj.) 92
permettre (v.) 54, 134, 178
Perrier (n.m.) 142
personnalité (n.f.) 160
personne (n.f.) 12
perspective (n.f.) 66
persuadé(e) (p.p.) 114
peser (v.) 182
petit(e) (adj.) 12, 14, 106, 128
phare (n.m.) 60, 82
pharmacie (n.f.) 62
photographie (n.f.) 164
phrase (n.f.) 104
pièce (n.f.) 16, 24, 58, 120
pied (n.m.) 108
pince (n.f.) 80
pinceau (n.m.) 20, 80
pistache (n.f.) 142
pitié (n.f.) 124
place (n.f.) 42, 54, 90, 170, 172, 176
placement (n.m.) 24
placer (v.) 24
plagiat (n.m.) 68
plagier (v.) 68
plaindre (se) (v.) 100, 124, 178
plaine (n.f.) 46
plainte (n.f.) 58, 96
plaire (v.) 14, 32, 158, 162, 164, 166
plaisanter (v.) 98
plaisir (n.m.) 136, 138, 144
plan (n.m.) 68
plante (n.f.) 154
plat(e) (adj.) 46
plus (adv.) 32
plutôt (adv.) 142
PME (n.f.) 128
pneu (n.m.) 82
poids-lourd (n.m.) 60
point (n.m.) 180
poireau (n.m.) 10
police (n.f.) 58, 90
policier (-ière) (n.) 58, 112
politique (adj. et n.f.) 180
pommade (n.f.) 62
pomme (n.f.) 12, 142
pont (n.m.) 42
porc (n.m.) 8, 10
port (n.m.) 42
portable (adj. et n.m.) 50, 72, 74
porte (n.f.) 96
porte-monnaie (n.m.) 58
portefeuille (n.m.) 58
porter (v.) 58
portière (n.f.) 60
poser (v.) 104
positif (-ive) (adj.) 176
possibilité (n.f.) 38, 56
possible (adj.)56, 90, 98, 148
postal(e) (adj.) 164
poste (n.m.) 128
poster (v.) 88
pot (n.m.) 20
poule (n.f.) 48
poulet (n.m.) 8, 48
pour (prép.) 12, 20, 178, 180, 182
pourquoi (adv. interr.) 134, 152, 154, 172
pouvoir (v.) 14, 38, 56, 76, 80, 82, 96, 134, 140, 154, 172
pré (n.m.) 46
préavis (n.m.) 52
prendre (se) (v.) 8, 14, 22, 24, 42, 48, 50, 56, 58, 64, 76, 142, 146, 174, 182
prénom (n.m.) 104
préparer (v.) 66
prescrire (v.) 64
présenter (se) (v) 130
président(e) (n.) 128
prétendre (v.) 114
prétentieux (-ieuse) (adj.) 166
prétention (n.f.) 166
prévenir (v.) 78
prévoir (v.) 44, 182
prévu(e) (p.p.) 138
primaire (adj.) 172
pris(e) (p.p.) 78, 138
prise (n.f.) 96
privilégier (v.) 176
prix (n.m.) 16, 18, 56
problème (n.m.) 64, 96, 98, 108, 162, 178
procéder (v.) 182
prochain(e) (adj.) 22, 124
proche (adj. et n.) 106
produit (n.m.) 134
professeur (n.m.) 172
profond(e) (adj.) 180
projet (n.m.) 176, 180, 182
promettre (v.) 112
promotion (n.f.) 128
proposer (v.) 50, 134
propriétaire (n.) 44, 52
protection (n.f.) 180
protéger (v.) 180
proximité (n.f.) 106

Q

quai (n.m.) 42
quantité (n.f.) 20
que (conj.) 116
quel(le)(s) (adj. interr.) 118
quelque chose (loc.) 62, 136, 138
question (n.f.) 90, 104, 114
queue (n.f.) 28, 54
quiche (n.f.) 10
quinze (adj. num.) 98
quitter (v.) 52, 72
quoi (pr. interr.) 98, 148
quotidien(ne) (adj.) 108

R

raconter (v.) 58
radio (n.f.) 64
rafraîchir (v.) 44
raie (n.f.) 28
raisin (n.m.) 12
raison (n.f.) 178
raisonnable (adj.) 18
ramasser (v.) 154
randonnée (n.f.) 48
râpé(e) (adj.) 10
rappeler (v.) 72
rat (n.m.) 126
ratage (n.m.) 174
raté(e) (p.p.) 174
rater (v.) 56, 174
ravi(e) (adj.) 122, 162
ravissant(e) (adj.) 116
rayon (n.m.) 40
réaction (n.f.) 168
réaliser (se) (v.) 182
réception (n.f.) 38, 134
recevoir (v.) 26, 92, 94
recherche (n.f.) 44, 68
recoller (v.) 80
recommandé(e) (p.p.) 134
recommander (v.) 172, 174
recommencer (v.) 86
réconforter (v.) 124
reconnaître (v.) 130, 178
rectangulaire (adj.) 42
rédiger (v.) 66
refaire (v.) 20
refait(e) (p.p.) 44
référence (n.f.) 94
refuser (v.) 114
régaler (se) (v.) 144
région (n.f.) 46
règlement (n.m.) 16, 100
régler (v.) 12, 16, 40, 134
regorger (v.) 48
regretter (v.) 90, 152
rein (n.m.) 64
reine (n.f.) 10
rejoindre (v.) 76, 126
relevé(e) (p.p.) 28
remboursable (adj.) 26
remboursement (n.m.) 26
rembourser (v.) 26, 52
remercier (v.) 84
remettre (v.) 22, 68, 78, 140
remis(e) (p.p.) 140
remonter (v.) 124
rémoulade (n.f.) 10
rencontrer (se) (v.) 130
rendez-vous (n.m.) 22, 76, 78, 140
rendre (v.) 68, 84
renouveler (v.) 92
renouvellement (n.m.) 92
rénover (v.) 20
renseignement (n.m.) 38
renseigner (se) (v.) 38, 80
rentrée (n.f.) 172
rentrer (v.) 60, 146
renverser (v.) 108
repas (n.m.) 12
répéter (v.) 90
répondre (v.) 72, 112, 166
reporter (v.) 22, 78, 140
repousser (v.) 22, 78, 140
reprendre (v.) 50, 144
reproche (n.m.) 154
reprocher (v.) 152, 154
reproduction (n.f.) 164
R.E.R (n.m.) 56
réservation (n.f.) 22
réserve (n.f.) 180
résiliation (n.f.) 50, 52
résilier (v.) 50, 52
résonance (n.f.) 64
responsable (adj. et n.) 128
restau-U (n.m.) 66
restaurant (n.m.) 66, 126
rester (v.) 42, 160
résultat (n.m.) 170, 176
retard (n.m.) 78
retardé(e) (p.p.) 78
retarder (v.) 22
retirer (v.) 24

retour (n.m.) 140
retourner (se) 174
retrouver (se) 76
rétroviseur (n.m.) 60, 82
réunion (n.f.) 22, 78
réussi(e) (p.p.) 158
réussite (n.f.) 176
rêve (n.m.) 182
révéler (v.) 112
revenir (v.) 110, 146, 148
rêver (v.) 98, 150, 182
revoir (se) (v.) 130
rhume (n.m.) 62
rideau (n.m.) 120
rien (adv.) 108, 136
risqué(e) (p.p.) 48
risquer (v.) 78, 86, 166
rivière (n.f.) 42, 46
riz (n.m.) 10
robinet (n.m.) 96
rond(e) (adj.) 42
roquefort (n.m.) 10
rosbif (n.m.) 8
rosier (n.m.) 154
rôti (n.m.) 8
roue (n.f.) 82
rouge (adj.) 14, 42
rouleau (n.m.) 10, 20, 80
route (n.f.) 42, 48
royal(e) (adj.) 142
rue (n.f.) 42, 90, 130
rumsteck (n.m.) 8

S

sablé (n.m.) 12
sac (n.m.) 110
sachet (n.m.) 62
sacré(e)* (adj.) 160
saignant(e) (adj.) 14
salade (n.f.) 10
salé(e) (adj.) 10
salir (se) (v.) 86
sanglier (n.m.) 48
sans façon (loc.) 144
santé (n.f.) 62
sauce (n.f.) 108
saucisse (n.f.) 10
saucisson (n.m.) 8, 10
sauter (v.) 122
sauvage (adj.) 48
savoir (v.) 28, 30, 40, 150, 170, 174, 176
scandaleux (-euse) (adj.) 94
scanner (n.m.) 64
scène (n.f.) 158
scolaire (adj.) 172, 176
scolarité (n.f.) 172
sculpture (n.f.) 164
séance (n.f.) 64
sec (sèche) (adj.) 12, 166
sécheresse (n.f.) 166
secours (n.m.) 82
secrétariat (n.m.) 38
séjour (n.m.) 92
selon (prép.) 176
semaine (n.f.) 56, 98, 140
sembler (v.) 28, 148, 176
sentir (se) (v.) 120, 144, 160, 166
serré(e) (adj.) 32
serrer (v.) 32
serviabilité (n.f.) 160
serviable (adj.) 84, 160
service (n.m.) 50, 84, 94
servir (se) (v.) 142
seul(e) (adj.) 126
seulement (adv.) 152
si (adv.) 116, 152
si (interj.) 112
simple (adj.) 160
simplicité (n.f.) 160
sirop (n.m.) 62
site (n.m.) 38
sms (n.m.) 50
soirée (n.f.) 146
solution (n.f.) 178
sombre (adj.) 44
somme (n.f.) 24
sortie (n.f.) 24
souci (n. m.) 108, 148
souffrir (v.) 64
souhaiter (v.) 50
souple (adj.) 162
souplesse (n.f.) 162
source (n.f.) 68
souris (n.f.) 98
sous peu (loc.) 140
sous-titré(e) (p.p.) 54
soutenir (v.) 68, 112, 164
souvenir (se) (v.) 130
spécial(e) (adj.) 128
spectacle (n.m.) 158
spectateur (-trice) (n.) 54
splendide (adj.) 116, 120, 144, 158
station (n.f.) 42, 56
stimuler (v.) 176
stop (n.m.) 60, 82
studio (n.m.) 44
stupéfaction (n.f.) 148, 150
stupéfait(e) (adj.) 148
subjugué(e) (p.p.) 158
sublime (adj.) 116
sucette (n.f.) 12
sucre (n.m.) 12
suffisamment (adv.) 32
suggérer (v.) 134, 172
suivre (v.) 42
sujet (n.m.) 68
super* (adv.) 122, 136, 138, 160
superbe (adj.) 116, 118, 120, 144, 158
supporter (v.) 166
sûr(e) (adj.) 28, 110, 114
surface (n.f.) 44
surprendre (v.) 148
surpris(e) (p.p.) 148
surprise (n.f.) 148, 150
sympa*[thique] (adj.) 160
système (n.m.) 66, 172

T

tableau (n.m.) 164
tabou (n.m.) 18
taboulé (n.m.) 10
tache (n.f.) 108
taille (n.f.) 32
tailler (v.) 154
tandis que (conj.) 34
tard (adv.) 22, 76, 140, 146
tarder (v.) 146
tarte (n.f.) 10, 12
taux (n.m.) 24
technique (adj. et n.f.) 98, 158
téléphone (n.m.) 50, 72
téléphoner (v.) 72
téléphonique (adj.) 50
tellement (adv.) 116
temporaire (adj.) 164
temps (n.m.) 20, 76, 140
tension (n.f.) 64
tenter (v.) 136, 176
terrible (adj.) 124
tête (n.f.) 64, 182
texto (n.m.) 50
théâtre (n.m.) 158
thèse (n.f.) 68
ticket (n.m.) 26, 56
tiens (loc.) 148
tissu (n.m.) 20, 120
toilette (n.f.) 30
tomate (n.f.) 142
tomber (v.) 62, 108, 168
ton (n.m.) 112
tondeuse (n.f.) 154
tondre (v.) 154
tort (n.m.) 154, 166, 178
tourner (se) (v.) 86, 174
tournevis (n.m.) 80
tousser (v.) 62, 64
tout à fait (loc.) 112
tout à l'heure (loc.) 76, 140
tout de suite (loc.) 140
tout(e) (pr. et adj.) 116, 126, 166
toux (n.m.) 62
tracasser (se) (v.) 148
train (n.m.) 42, 56, 110
traîner (v.) 164
traiteur (n.m.) 10
tram[way] (n.m.) 56
tranche (n.f.) 8, 10
transport (n.m.) 56
travail (n.m.) 120, 128, 162, 178
travaux (n.m.) 20, 44, 52, 90
traverser (v.) 42
tricher (v.) 86
trois-pièces (n.m.) 44
tromper (se) (v.) 74
trop (adv.) 10, 32
trottoir (n.m.) 42
trouver (se) (v.) 40, 46, 78, 90, 94, 158, 176
tutoiement (n.m.) 104, 106
tutoyer (v.) 104, 106
type* (n.m.) 160

U

universitaire (adj.) 66
université (n.f.) 66, 172
urgent(e) (adj.) 96
USB (n.f.) 98

V

vacances (n.f.) 172
vache (n.f.) 48
validité (n.f.) 92
vallée (n.f.) 46, 110
vallonné(e) (adj.) 46
valoir (v.) 46, 172, 174
vaporisateur (n.m.) 30
veau (n.m.) 8
végétation (n.f.) 46
véhicule (n.m.) 60, 82
vendeur (-euse) (n.) 40
vendre (v.) 44
venir (v.) 76, 86, 126, 140
ventre (n.m.) 64
venu(e) (p.p. et n.) 106
vérifier (v.) 110
véritable (adj.) 162
vérité (n.f.) 112
vers (prép.) 76
version (n.f.) 54, 68
vêtement (n.m.) 32
viande (n.f.) 14
victime (n.f.) 58
vide (adj.) 44
vie (n.f.) 108
viennoiserie (n.m.) 12
vigne (n.f.) 46
vignoble (n.m.) 46
village (n.m.) 46
vin (n.m.) 14, 46, 108, 142
virtuose (adj. et n.) 158
virtuosité (n.f.) 158
vis-à-vis (n.m.) 44
visage (n.m.) 130
visite (n.f.) 46
visiter (v.) 46
vital(e) (adj.) 92
vitre (n.f.) 96
vivement 180
vocation (n.f.) 162
voir (se) (v.) 34, 40, 42, 46, 54, 130, 168, 170, 176, 180
voisin(e) (n.) 100
voiture (n.f.) 60, 82, 90
vol (n.m.) 58
volaille (n.f.) 8, 48
voler (v.) 58
voleur (-euse) (n.) 58
volontiers (adv.) 138, 144
vouloir (v.) 54, 76, 80, 84, 104, 126, 134, 136, 138, 142, 162
vouvoiement (n.m.) 104, 106
vouvoyer (v.) 104, 106
voyage (n.m.) 46, 78, 110
voyant (n.m.) 82
vrai(e) (adj.) 112, 162, 178
vraiment (adv.) 28, 110, 116
vue (n.f.) 44

Z

zéro (adj. num.) 124

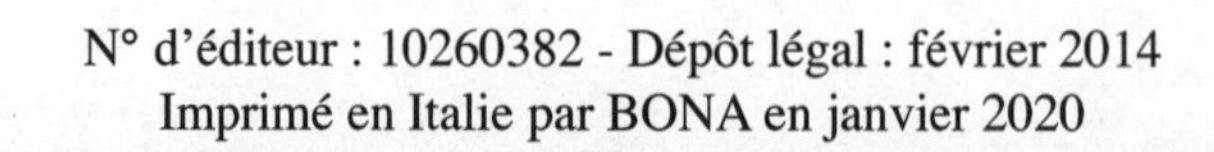
N° d'éditeur : 10260382 - Dépôt légal : février 2014
Imprimé en Italie par BONA en janvier 2020